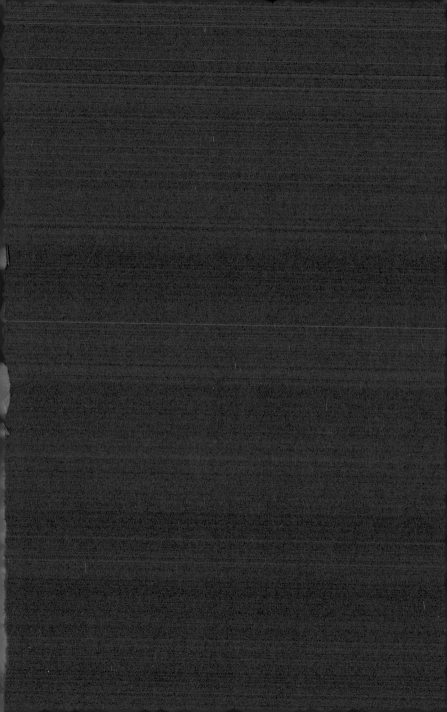

仏教者《ぶっきょうしゃ》 柳宗悦《やなぎむねよし》

浄土信仰と美

岡本勝人
Okamoto Katsuhito

佼成出版社

〈木喰明満　地蔵菩薩像（一八〇一年）〉（日本民藝館蔵）柳が初めて目にした木喰仏。それは、浅川巧と山梨県甲府近在の朝鮮陶磁器収集家小宮山清三宅を訪問したことがきっかけだった。蔵の前に置かれていた不思議な仏像に眼が止まったのである。柳はその時の様子を「私は即座に心を奪われました。その口元に漂う微笑は私を限りなく惹きつけました」（「木喰上人発見の縁起」一九二五年）と記している。

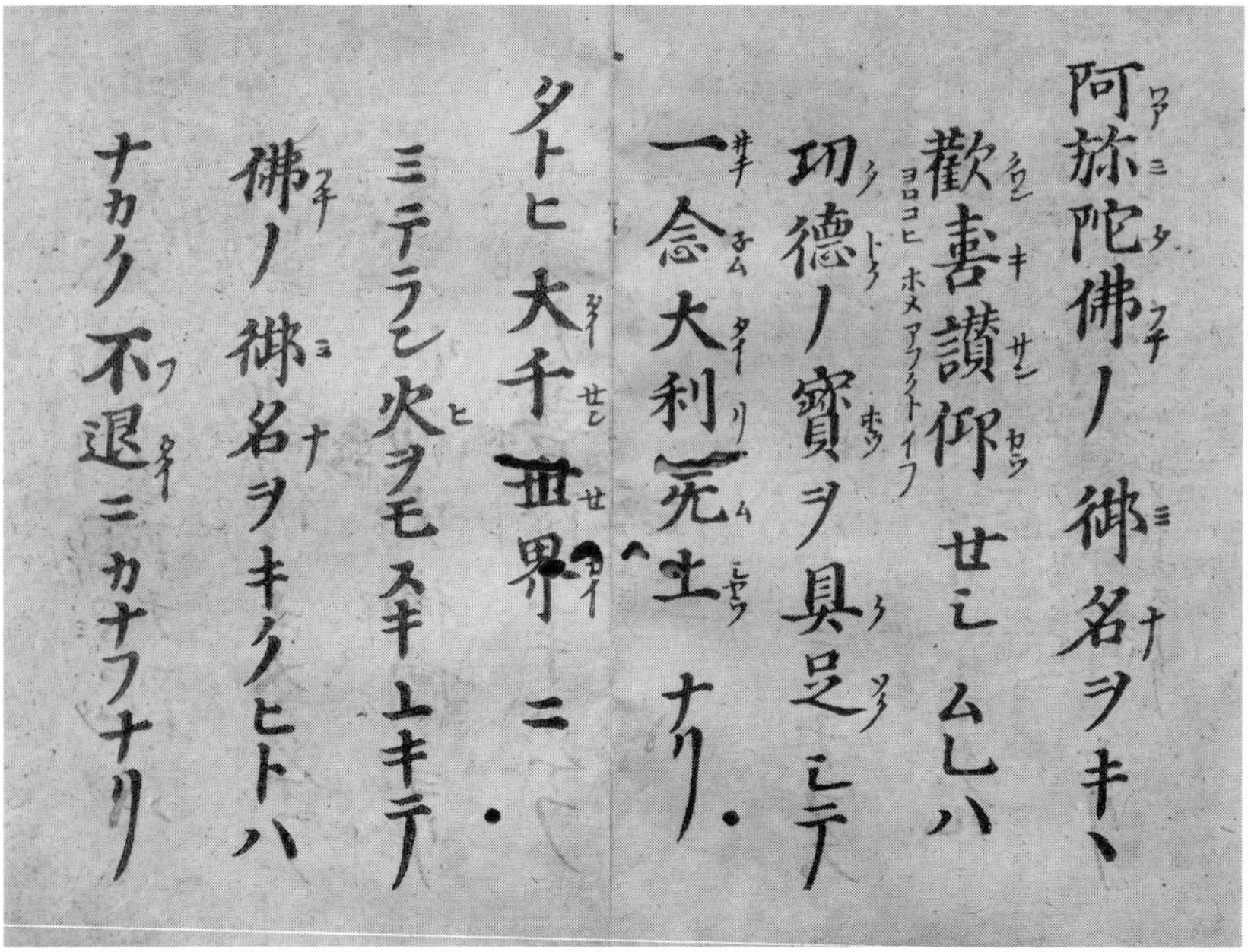

〈写真上〉〈高僧和讃『色紙和讃』16 世紀　室町時代〉 色紙和讃とは、親鸞による信徒のための易しい経文。柳は「信心が美しくさせた本」と讃えた。（日本民藝館蔵）
〈写真下右〉〈柳宗悦　書「無有好醜」1950 年代〉 大無量寿経・第四願の名称「無有好醜の願」からとった言葉。「好醜有ること无（な）【無】き」と読む。（日本民藝館蔵）
〈写真下左〉〈柳宗悦　心偈（こころうた）「今見ヨ　イツ見ルモ」1955 年頃〉 柳は「直観」について「今見ヨ　イツ見ルモ」という言葉で語っている。これは「常に『今見る』想いで見る」ということの大切さを説いているものである。（日本民藝館蔵）

仏教者　柳宗悦——浄土信仰と美

目次

【写真提供・協力】
公益財団法人 日本民藝館
芹澤惠子
棟方　良

装幀　髙林昭太

引用文中に現在では民族差別などに関わる不適切な表現がありますが、歴史的な資料であるとして原文のままとしました。

序　章
木喰仏との運命的な出会い

1　木喰上人

柳宗悦（一八八九―一九六一）と木喰仏との出会いほど、感動的なものはない。

それは、浅川巧《たくみ》と山梨県甲府近在の朝鮮陶磁器の収集家小宮山清三宅を訪問したことがきっかけだった。一九二四年（大正十三）一月のことである。

偶然眼に飛びこんできた二体の木喰仏――。その一体は柳のもとに届けられ、「私の前にある地蔵尊」と語りかける、後に日本民藝館所蔵となる地蔵菩薩像である。

木喰上人（一七一八―一八一〇）は、甲州山梨の丸畑に生まれると、二十二歳で出家するのだが、相州（神奈川県）の大山《おおやま》で古義真言宗の僧侶から影響を受け、修験道の修行にはいった。四十五歳で木食戒を受け、五十六歳で全国廻国の大願を発《おこ》し、この廻国修行の途上で造仏聖となる。相州の伊勢原から日本廻国にむけて出発する上人の行跡は、国分寺や一宮や巡礼路を頼りに、全国の巡礼地のほか、地方の山間や街道沿いの小さな村や寺にも及んでいる。故郷の山梨丸畑に帰ってきたのは、八十三歳のときである。郷里では、懇望されて四国堂の堂立と九十八体の像を造ったが、柳が訪問する五年ほど前に、不幸にもそれらのほとんどが四散していた。

しかし、このことが、柳宗悦と木喰仏との出会いを強くもたらしたのである。

2　志賀直哉のまなざし

「直観とは実在の直接経験である」（『ヰ《ウィ》リアム・ブレーク』）と書く柳と木喰仏が、一瞬の時空のなかで、純粋直観による経験的感応をはたした。それは、いまだひとつの点と断片にすぎなかったが、歴史辞典や郷土史に記載のない無名の遊行僧が、日本全国を廻国する造仏聖としての姿を見せるのは、その後の柳自身の調査と研究によるものである。上人が遺した自筆稿本「四国堂心願鏡」を、柳は憑かれたように書き写していく。「御宿帳」「納経帳」「和歌集」の点と断片を読む作業によって、仮説と偶然のめぐみの解釈がくわえられ、星と星は一本の線となり、全体像が描き出されていく。

柳宗悦は、宗教哲学者であり、民藝運動の創始者である。その仕事は、朝鮮や沖縄に関する社会的発言や、「手仕事の民藝」「ウィリアム・ブレイク」「李朝の美」「木喰仏」「大津絵」「沖縄の手仕事」「スリップウェア」「仏教美学」の発見や再考など多岐にわたるものである。一九二〇年代なかばの二年余におよぶ木喰研究と調査の期間は、筑摩書房版『全集』の「年譜」や『評伝　柳宗悦』（水尾比呂志著）によれば、多忙を極める日々であった。その間、青山二郎や式場隆三郎もかかわり、朝鮮では「木喰仏写真展」が開催され、東京や京都で「木喰五行上人木彫仏展覧会」や支援の音楽会が開催された。「木喰五行研究会」の発足と機関誌の発行もなされている。

　大正期の木喰仏発見の様子は、雑誌『女性』や『木喰上人之研究』への執筆をはじめ、『木喰五行上人略伝』『木喰上人和歌選集』の出版のほか、「木喰通信」や写真集『木喰上人作　木彫仏』、未公開資料ではあるが『木喰佛　抜翠帳三冊』（柳宗悦作成・日本民藝館所蔵）で知ることができる。当時の柳は、雑誌「白樺」に掲載したウィリアム・ブレイク（イギリスの詩人・画家。一七五七―一八二七）についての大著をまとめたばかりである。また、宗教哲学の書物も上梓した後、浅川伯教《のりたか》・巧兄弟の影響によって、朝鮮陶磁器の李朝白磁や木工品、民画など東洋的なものへと関心を傾けていた。関東大震災後の京都移転では、朝市の「下手物《げてもの》」との出会いがあり、「朝鮮民族美術館」の開設を終えていたころのことである。

「白樺」同人の志賀直哉は、「一体私たちの仲間には一つのものを組織的に研究して行くという頭は少かった。その中で一人柳だけが異数にそういう能力を持っていて、これまでにも色々そういう仕事をなしとげて来た」（「柳宗悦の『木喰上人の研究』に就いて」）と、柳の活動についていちはやく言及している。そこには、ブレイクの神秘主義、仏教、木喰上人をむすぶ線と東洋の陶磁器、「下手物」の民衆芸術、庶民の宗教家としての木喰上人とを関係づける志賀直哉のまなざしがある。

3 衆生済度の巡錫

柳の発見した木喰仏は、具体の木彫像である。その像には、土の匂いを感じさせる素朴さがある。木喰は、円空（一六三二―九五）と同じく、正式な仏師ではなかった。発願した造仏が千体となるころ、その姿は、微笑をたたえた抽象性を帯びた。それに感情移入する柳は、地蔵菩薩の微笑との出会いを反芻するように、「微笑仏《みしょうぶつ》」と命名した。海山のあいだで、誓願と廻向の遊行の鑿《のみ》をふるう。そこに、アニミズムと木彫が感応する。多くは、観音像や薬師像であったが、晩年になると、圧倒的な種類の群像を造った。柳は、それらの作仏の多様性を仏像の儀軌《ぎき》や裏面に書かれた種子《しゅじ》（梵字）などにより解釈する。そこには、図像学的解釈（イコノロジー）があり、斬新な造形美を読み解くことになる。

本願を誓ったひとりの仏者が、各国の国分寺を目指す巡礼により廻国する。木食戒を受け、お札と仏像を布施し、忍辱・精進する利他の菩薩道の上人となる。地・水・火・風・空・識とともに、阿字観を修し、光明真言をとなえ、法身の五智如来とともに存在する。この世の十界を生きる菩薩（解脱）をめざし、禅定・智慧とともに、六道の闇夜を照らす七観音や十六羅漢や十王を彫る。そこに現象するのは、具体の木喰仏である。彫技の円熟する微笑と忿怒《ふんぬ》の聖俗相をもつ仏像の背には、墨書による梵字の尊名と銘が記された。

上人の巡錫《じゅんしゃく》したお寺は、真言宗の寺院だけではない。曹洞宗や浄土宗など、宗派を超えている。時には、巡礼地から名山や温泉へと逸脱しつつ、自由に行路を歩む。上人にとって、末法の時代を生きる庶民の地蔵信仰や観音信仰、そして阿弥陀信仰は、大乗仏教の深層では、これらは相互補完的に仏教（密教）的世界を現象するという重要な役割をはたすものである。「上人は真言の僧ではあったが、一宗に仏法を限ることを欲しなかった。彼は常に『八宗一見』の句を用いた。（略）ここでは凡ての宗派を包括する意味であって、もとより浄土、禅の諸門をも含むであろう。彼は自らを『八宗僧師』と呼び、彼の法門を『自在法門』と呼んだ」（「木喰上人略伝」）と柳は書いている。上人が作仏したのは、諸仏・諸菩薩であり、如来から菩薩、明王、天部、神像に至るが、日本に受容された大乗仏教の「ほとけ」たちである。晩年の樹木に彫り込む立木観音には、古代社会からの「霊木化現仏《れいぼくけげんぶつ》」の系譜を見る研究者もいる。そこには、神仏習合的な日本の宗教顕現（ヒエロファニー）が見てとれるのだ。

　出会いから半年後の「山梨丸畑」での自筆稿本の発見（一九二四年六月）以来、柳の精力的な調査がつづいた。「納経帳」と「御宿帳」のページをくりながら、二十万分の一や五万分の一の地図と『大日本地名辞書』（吉田東伍著）を置き、滞在三日間以上の場所には仏像があると推察した。柳は、上人自筆の稿本と地図を仮説によって照らし合わせる。「できるだけ原文に迫ろうとし、その生命へ深くさぐり入り、このようにして、一種の精神的聴診でもって、その魂の脈動を触知しようとする」（「形而上学入門」）と、ベルクソンの経験主義は語るが、「実在を連続的で不可分なものとする見方」（「哲学的直観」）こそ、柳のものであり、そこに木喰の心性から現象してくる声を聴いた柳は木喰仏発掘のため現地にむかうのである。

　こうして訪れた「佐渡」「栃窪（栃木県鹿沼市）」「越後」「静岡」「甲府」「九州」「四国」「長州」「丹波」など、全国にまたがる調査の途上で、明治時代の廃仏毀釈や西南戦争によって、多くの堂宇が壊され仏像が紛失していたことを知る。柳は、断片（日付）と断片（宿）として見えてくるものを点と点でむすび、地図上に行程を書き込んでいく。坂東三十三ヵ所、秩父三十四ヵ所（二回）、出羽三山、北海道では円空仏との出会いが木喰の造仏のはじまりであるという五来重《ごらいしげる》の指摘がある。そして、佐渡、西国三十三ヵ所、四国八十八ヵ所（二回）、九州地方ではユニークな禅画で知られ、師の鈴木大拙に高く評価された禅僧仙厓（一七五〇―一八三七）と木喰が出会っているらしい。そして、中国地方、東海地方から故郷の丸畑へと、全国を廻国する上人の行跡は、五期に分けられた。木喰上人の最後の旅は、故郷からふたたび佐渡をめざすが、木喰仏の宝庫である越後から取って返し、代表作である十六羅漢像を遺した京都丹波や兵庫に赴く。その後、一転して信州から甲府にもどると、足跡は途絶えた。晩年の木喰上人も柳も、阿弥陀仏に親和力を見せている。上人は道教（タオ）的な長寿を全うすると、九十三歳で示寂《じじゃく》したと伝えられる。

　こうして、木喰上人の足跡を線でつなぐことによって、全国廻国と巡礼に生涯を捧げた造仏聖の行動が、「木喰行道五行上人日本廻国遍路足跡畧図」に結実していったのである。

「家を出てより三界に家無きこと八十ヶ年。沙門の身となってより法に活きること七十二ヶ年。戒を守り身を修ること殆ど五十年。廻国せんと歩むこと三十有八年。踏みし里程上下凡そ五千里。刻みし仏軀一千余軀。」(「上人の日本廻国」)。木喰上人の一生は、資料の発見・研究と、全国にまたがる巡礼行路の調査と、各地で見い出された五百余体の造仏群や和歌や書軸の文献研究を主導した柳の熱意によって、歴史に姿を現すことになった。「和歌に現れたる上人の信仰」は、詩人的資質をもつ柳の和歌にたいする特筆すべき宗教的解釈である。上人は、「木喰行者行道」から「木喰五行菩薩」「木喰明満仙人」と三度自署を改め廻国した。その誓願と行動は、ひとつのマドレーヌがプルーストの無意識から全的な幼年時代を開示させたように、あるいは夢から覚めた現実や錬金術による変性物質や廃墟からの足跡線となって、柳の身体論的で全的な直覚と仮説から発見されたのである。

柳宗悦の集中的な木喰仏の発見と調査・研究は、出会いからわずか二年余の期間(一九二四年一月から一九二六年二月)に、今日、誰もが驚くほどの総合的なまとまりをもつ成果をえている。

柳宗悦は、大正デモクラシーや自由主義思想、そして「白樺」の恵まれた交友関係のなかで、人類愛や人間愛から庶民(常民)への水平的な親和力の視線を養いながら、垂直的な信仰に生きた木喰上人の境涯を発見した。わずか一体の地蔵菩薩から「上求菩提・下化衆生」の強い誓願と行動を明るみに取り出したのである。そうした造仏聖の姿が、大乗仏教の精神による衆生済度の巡錫からうかがうことができるのも、柳宗悦という存在とその研究によるものである。

柳の木喰仏と上人自身の生涯と行動の発見は、直観の〝詩学〟から空間の〝詩学〟へとその歩をすめることによって、点と点、断片と断片がひとつの星座（コンステラツィオーン）へと照射されたのである。

4　民藝運動の命名と出発

柳宗悦の木喰上人研究は、その後の柳自身の仕事の原点として思想史的にも大きな意味合いをもつものである。

一つは、日本の近代にあって、江戸時代の宗教や文化や行動にたいする見直しを提言する。「仏教に帰る」「徳川時代の仏教を想う」や円空仏や仏教美術につながる近世世界の仏教のありようと造仏にたいする評価は、ウィリアム・モリスの仕事と中世美術の関係に比定できるものである。

二つには、恩師の仏教哲学者・鈴木大拙（一八七〇―一九六六）との交流、とりわけ大拙の著作『宗教的経験の事実』や『日本的霊性』から『妙好人』で描かれた「妙好人」研究につながる営為である。それは同時に、「白樺」で紹介したロダンや、バーナード・リーチから薫陶を受けたブレイクやウィリアム・モリス、後のアメリカ滞在中に文献を渉猟したホイットマンなど、汎神論的な自然思想や神秘主義思想に通ずる世界から否定神学を経て、東洋思想としての不二（即如）の世界に至るものである。木喰仏の表情とかたちがブレイクの絵や挿画と照応するようだ。ここには、宗教哲学者としての柳宗悦がいる。戦後の『美の法門』『無有好醜《むうこうしゅ》の願』『美の浄土』『法と美』の仏教美学四部作による美の理念や浄土教に親炙する柳自身の一遍上人の発見となる『南無阿弥陀仏』へとつながってゆくのである。

三つには、木喰仏の発見と調査が、今日の民藝運動の命名と出発となったことである。初期の民藝運動の核には、木喰仏との出会いがあった。柳は、木喰仏研究によって、終生の友である河井寛次郎や浜田庄司との絆を深めていくことになる。京都滞在時代の「下手物」から「民衆的工藝」による「民藝」という包括的な言葉を新たに取り出したのは、和歌山への木喰仏調査の途上である。『日本民藝美術館設立趣意書』（一九二六年一月起草）へと結実するのも、直後の木喰仏探訪の旅であった。柳は、「倫理性や宗教性なくして、民藝運動はない」と戦後まもなく雑誌「工藝」に書いているが、民藝運動の裾野は、訪問した土地とその土地の具体の「もの」によってひろがり、木喰の歩いた行程と共時的に重なっている。『手仕事の日本』『民藝四十年』や民藝の紀行とのつながりをはたすものである。（講談社文芸文庫『木喰上人』解説を元に改稿）

第一章　民藝と野生の思考

1　司馬遼太郎の旅と柳宗悦

司馬遼太郎（一九二三―九六）の『街道をゆく 4』に「洛北諸道ほか」（カバー装画・芹沢《せりざわ》銈介《けいすけ》）の一巻がある。そのなかの「丹波篠山街道」の文章には、柳宗悦の名前が二回出てくる。「丹波焼」と「立杭《たちくい》から摂津三田《さんだ》へ」の章である。

「丹波の立杭は、薩摩や萩のような藩立の窯《かま》ではなく、百姓窯として成立し、存在してきたという点で、めずらしくもあり、貴重でもある。官窯《かんよう》でないために、農家で用いる雑器を焼いてきた」（「丹波焼」）と司馬遼太郎は書き、「かつて柳宗悦など民芸運動家がこの窯を再発見して有名になったが、それでも戦前は立杭の村の婦人たちがすゝの壺を背負って大阪や京都あたりに売りにでていたというほどだから、こんにちのように観光客までが村にやってくるほどではなかったのだろう」と書いている。

柳田国男（一八七五―一九六二）が生れたのは、播州、いまの兵庫県である。播州の隣に接する地方が、丹波である。関東大震災の後、柳宗悦は、兄の死やその係累の世話のために、千葉県我孫子から引っ越した東京の高樹町の家を処分して、京都に移る。「故郷喪失の文学」を書いたのは震災後の小林秀雄（一九〇二―八三）であったが、実は小林秀雄の父親も、ちかくの兵庫県出石《いずし》の生れである。京都に移転しても、柳は木喰仏の調査をしながら、たびたび丹波を訪れた。この地は、栗や黒豆、マツタケが名産で、京都の朝市でみた丹波布で知られる山陰道の一国である。

東京にて民藝同人たちと。1935年5月　前列左から、河井つね（寛次郎夫人）、バーナード・リーチ、柳兼子（宗悦夫人・声楽家）、後列左から、柳宗悦、中島陽三、富本憲吉、河井寛次郎。
（日本民藝館蔵）

司馬遼太郎は、日本の古窯のひとつである丹波焼について、「立杭は日本六古窯のひとつとされているだけに、起源は藤原末期にまでさかのぼることもできるらしい。（略）慶長期までのあいだは、原始的な穴窯を用いていた。山の斜面を掘りぬいて窯をつくるこの穴窯というのは山土ににじみ出る水気に邪魔をされて火力を高めにくく、このため焼きあがるのに半月もかかるが、そのかわり灰や、山肌の土を熔《と》かしこんで自然釉《しぜんゆう》が壺などにくっつくためときに怪しいばかりの肌をもった壺があらわれる」と焼きの特徴をこまかく書いている。さらに、民藝のひとたちの用語も使いながら、「もっとも江戸初期ごろ、京都の茶人が丹波のこの鄙《ひな》びた窯に目をつけ、指導さえすれば茶器も焼けるだろうということで、上手《じょうて》の知恵を入れた。下手《げて》ながらもその注文に応じ懸命に上手をつくったのが、古丹波の名品として遺っている。しかしながら立杭ぜんたいとしてはそういう芸術的経略性にわざわいされることがすくなく、あくまでも水がめやすの壺をつくる民窯としてのなりわいをつづけてきた。この質朴さが、昭和初年に柳宗悦を感動させることになったのであろう」と、二度目の柳宗悦に触れている。

丹波焼に関心を寄せた柳宗悦は、たびたびここを訪れると、その蒐集と再評価をおこなった。柳宗悦の古陶を探る心性は、どこにあったのだろうか。

幸いにも日本の各地には、日本固有の藝能が幾多残る。だがこの名誉を負うのは、もはや中央の都会ではない。日本の固有性はいつにかかって地方にある。そのためそれらのものをある人は、取り残されたものとして、古い形式の中に入れてしまう。だが今日のように国民の意識が擡頭《たいとう》して来ると、固有性の弱い都市文化では、力がないことが分る。振り返るとそこには日本性の退歩が著しいのを感じる。だから色々の点で、地方の文化が重い意味を示してくる。

（『柳宗悦　民藝紀行』「樺細工の道」）

地方の文化エネルギーを探る柳宗悦であるが、東北にも増して「丹波焼」で知られたこの土地には古物商がいる。柳が、どのように古物商（尚古堂）に出入りをして、「丹波焼の蒐集」

をしたのか、大変興味深い。「是等のものは一切の例外なく、窯の中で起った「失敗《しくじり》」なのである。陶工が狙って作ったものではない。否《いな》、出来るなら避け度いと思った事柄である。ところがその「失敗」の中に却って美を見たのであるから、この鑑賞は並々のことではない」(「丹波の古壺に寄す」)と、柳の丹波焼にたいする美の発見と蒐集は、批評そのものだ。

そして、柳の旅は、いくつもの蒐集をはたした。柳の直観力は鋭く、目の前にある芸術を瞬時に把捉する。目の前を通り過ぎていくものに働く直観こそ、真実の美の現象を見い出し、存在を直視する柳の独特の思想だ。

司馬遼太郎が朝鮮の旅を連載した。シリーズ『街道をゆく』の二巻目に当たる『韓のくに紀行』である。朝鮮への旅を繰りかえす柳宗悦の紀行文には、『全羅紀行』のエッセイがある。

ここで買った白碗は、茶道の方で「ますはかり」と呼ぶものの親属なのだが、朝鮮では今も濁酒《にごりざけ》(マッカリ)の桝《ます》であると同時に盞《さかずき》なのである。茶道の「ますはかり」が本来の用途から出た桝量りという称呼なのか、あるいは容《い》れる濁酒(マッカリ)から出た呼び方なのか、それとも主語「まり」から来たものなのか、いずれにしても興味を惹かれる。

(『柳宗悦　民藝紀行』「全羅紀行」)

民藝の名称を具体のものの発見と紹介によって論証する。そこには、柳の確かな眼と蒐集による批評があった。日本民藝館は、民藝という批評の館である。例えば、東北地方では、「角館《かくのだて》」の「樺細工」の発見がある。関東の大谷《おおや》では、「大谷石」が印象的だ。なかでも兵庫県の立杭の「丹波焼」の再評価は、九州の大分の皿山の小鹿田《おんだ》焼や、鹿児島の苗代川の「白」と「黒」の陶器とともに、隠れた神をよびもどすような再発見である。柳の旅は、現実に存在する具体を「再」の概念に呼び込む意味のある発見の旅であった。

　司馬遼太郎の小説『故郷亡じがたく候』は、九州の焼き物師の子孫たちの話である。「――コノアタリ、故山ニ似タリ。／というのである。天ひろく丘陵はなだらかで松すくなく、雑木多く、どこか南原《ナモン》の城外に似ている。幸い、荒蕪《こうぶ》の地で、倭人の影がなかった。ここを第二の居所にしようと長老がきめた。苗代川が、それである」。秀吉の晩年の失政とも言える朝鮮出兵（文禄《ぶんろく》の役《えき》＝一五九二年・慶長の役＝一五九六年）のときに、韓国の南原城ちかくで捕らえられたひとびとがいた。彼らは、帰りの兵糧船に乗せられると、東シナ海を南下しつつ、直接、薩摩半島に漂着した。苗代川という場所には、実際に川があるわけではない。固有の地名である。

　目の前に現象する白薩摩と黒薩摩がある。その意味作用から、白薩摩と御前黒《ごぜんぐろ》は島津家御用達となり、一般には黒薩摩が流通した。幕末のパリの万国博覧会で高く評価されたのは、白薩摩だ。しかし、柳は、「苗代川の陶器では吾々は躊躇《ちゅうちょ》なく白物より黒物を挙げる」と再評価の烽火《のろし》をあげる。民藝として、柳の美とかたちの再評価をえたものは、黒釉の黒薩摩だ。

今は三百余年の昔、文禄の役後、一《ひ》と群《むれ》の鮮人達がつれられて来て、窯を此の苗代川に卜《ぼく》した。累代《るいだい》の墓碑が南に面して日光を浴《あ》みながら今も建っているから、ここが始めから定住の地だった事が分る。その最初の頃作ったものを「古薩摩」と呼んで珍重する。得難いその「古薩摩」は実はほとんど皆黒釉である。（『柳宗悦　民藝紀行』「苗代川の黒物」）

柳宗悦の沖縄の文化にはたした役割も少なくない。壺屋などで具体に学んだ浜田庄司の陶磁器からはじまり、紅型《びんがた》を一生の仕事として推し進める芹沢銈介がいる。柳田国男や折口信夫に関係する沖縄の万葉集とも言われる歌謡集『おもろさうし』は、地元の研究者（伊波普猷《いはふゆう》）によって校訂と研究がなされた口承文化だ。島津家の影響があった沖縄の壺屋と、朝鮮からやってきた鹿児島の焼き物。沖縄の焼き物には、黒薩摩に似たものがある。

柳宗悦に影響を与えた浅川伯教《のりたか》（一八八四―一九六四）と巧《たくみ》（一八九一―一九三一）の兄弟は、朝鮮の陶器を語るときには必ず語られる存在である。特に弟の巧と朝鮮との関係は、兄の伯教とは別の意味で深いものがある。伯教は、朝鮮の窯を調査し、巧の蒐集した膳や水滴は、美術館に飾られた。その具体の仕事は、現在、『朝鮮民芸論集』（岩波文庫）に垣間見ることができる。巧は、残念なことに早世だった。浅川巧の愛した朝鮮への思いには、熱いものがある。そのことが柳の文章から窺われる。

今外にはこまかい雪がしきりなく戸を打っている。いつにも増して寒い京の夕べだ。君のいる京城の郊外は零度以下どれほど下っている事か。だが今頃はあの温突《オンドル》の室で朝鮮の膳を囲みながら、朝鮮の食器で一家団欒《だんらん》の食事をとっておられる頃かと思う。かくいう僕の一家も三度三度朝鮮の膳を離した事がない。どういう廻《めぐ》り合せか、君も僕も一生朝鮮とは離れられない結縁があるようだ。出来るだけお互いに朝鮮への仕事をしよう。

（『朝鮮民芸論集』「朝鮮の膳」柳宗悦跋）

さらに、柳の巧への野辺の送り歌は、名文である。

浅川の陰徳は鮮人の間には知れ渡っていた。（略）彼の死が近くの村々に知らされた時、人々は、群をなして別れを告げに集った。横たわる彼の亡軀を見て、慟哭した鮮人がどんなに多かった事か。日鮮の反目が暗く流れている朝鮮の現状では見られない場面であった。棺は申し出によって悉《ことごと》く鮮人に担《かつ》がれて、清涼里から里門里の丘へと運ばれた。余り申し出の人が多く応じきれない程であった。その日は激しい雨であった。途中の村人から棺を止めて祭をしたいとせがまれたのもその時である。彼は彼の愛した朝鮮服を着たまま、鮮人の共同墓地に葬られた。

（「浅川のこと」）

司馬遼太郎の『街道をゆく』（朝日新聞社）の単行本の「題字」は、棟方志功の書である。「白川街道」を読むと、妙好人《みょうこうにん》の赤尾《あこお》の土地や五箇山の城端《じょうはな》を訪れる。戦時中、東京の家を焼け出された棟方志功は、富山の福光に疎開した。そうした縁が、柳の富山訪問を実現させた。柳の仏教美学は、富山の城端の寺の滞在からはじまるものである。柳と浅川兄弟とのかかわりが、李朝の壺や木喰仏との出会いをもたらしたように、棟方志功との縁が、柳の「民藝論」に、「無量寿経」や「色紙和讃」をつなげる糸を引き寄せた。

『街道をゆく』シリーズの第二巻の『韓のくに紀行』は、「韓国へ」から「近江の鬼室集斯《きしつしゅうし》」で終える古代史から朝鮮の役や戦後の朝鮮動乱の歴史が語られている紀行文だ。司馬遼太郎には、戦争体験がある。戦車隊の影を引くモンゴル体験である。途中で滞在した朝鮮半島だった。思いのこもる名紀行となった。

2　英国人バーナード・リーチとの交流

柳宗悦とバーナード・リーチ（一八八七―一九七九）との出会いは、日本文化にとって、意義あるものだ。

リーチは、ロンドンで留学中の高村光太郎に出会うと、日本にくることを望んだ。幼年時代にわずかに滞在した日本への縁が糸を引く。リーチは、高村光太郎の紹介で、上野桜木町に住む。そこに、後の『白樺』の関係者が、エッチングを習いに通ってきた。そのころは、『白樺』創刊後の名編集長となる若き柳とリーチは、それほど親しくはなかった。

むしろリーチとの決定的な出会いとなったのは、陶芸家の富本憲吉(一八八六—一九六三)である。

奈良法隆寺のちかくに安堵村《あんどむら》がある。そこに生まれた富本憲吉は、大学の卒業前に、私費でロンドンへと渡った。「サウスケンジントン博物館の裏門から入って二階に上がった左側の室を通って左に廻った室が諸種の図案を列べてあるところと記憶します。私はそこで初めてモリスの製作した壁紙の下図を見ました」(『富本憲吉著作集』「ウィリアム・モリスの話」)と、毎日、ヴィクトリア&アルバート博物館に通いながら、ウィリアム・モリスを中心とするスケッチに参加して精を出した。

ウィリアム・モリス(一八三四—九六)は、陶板、壁紙、織物、ステンド・グラスなどの装飾美術の分野に注目し、当時の産業革命がもたらした芸術の機械化と量産化に反撥しつつ、素材や手仕事に重要性を見い出していた。日本では建築に関心のあった富本憲吉だが、モリスも好んだステンド・グラスを学んで帰国し、いちはやくモリスの紹介者となった。

民藝にかかわった寿岳文章《じゅがくぶんしょう》(一九〇〇—九二)には、「私たちはいま日本に、欧米のどの国においてよりもモリスにちかい、一人の熱心な工芸指導者と、その指導者に統率される工芸運動とを持っている。それは、柳宗悦その人と、その提唱による民芸運動とである」という、柳とウィリアム・モリスに関する文章がある。

柳は昭和期の日本に生き、私たちとはことに親しい間柄にあり、そのため、モリスに対して行なうことのできるような歴史的批判の対象とはなりにくいのであるが、柳の抱懐する工芸論が、モリスの工芸論と最も近い血縁を示しながら、しかもモリスの誤謬を、数多く指摘し是正し、モリスよりもさらに深い境地に達している点において、また、モリスが関心をもったよりもひろい範囲にわたる工芸品の美しさに対する直観が、モリスよりもはるかに鋭く、かつ歪みのない点において、柳の工芸理論と、その実際運動とは、モリスのそれよりも高い地位に置かれるのが当然だ、と私は思う。
(『柳宗悦と共に』「ウィリャム・モリスと柳宗悦」)

バーナード・リーチ作「楽焼駆兎文皿」
1919年　我孫子　6.9×33.8cm
(日本民藝館蔵)

帰国する船上で、富本が聞いたのは、日本にいる英国人バーナード・リーチの噂である。こうして、富本は、「国画創作協会」から組織変化する「国画会」で、梅原龍三郎や柳宗悦とともに、バーナード・リーチと交流することになる。国画会の第二部には、洋画、工藝、彫刻の部門がある。そのうち、民藝が関係することになったのが、工藝と彫刻であり、後の棟方志功の登場につながるのだ。

　高村光太郎から日本にむけてリーチの世話を依頼する二通の手紙が出されている。ひとつは父親の高村光雲宛てであり、もうひとつが、東京美術学校（東京芸術大学）の岩村透へ宛てたものである。岩村透の世話で、上野桜木町に居を構えたリーチは、当初はエッチングと英語で生計を立てていた。やがて、日本の陶芸である楽焼に関心をもつと、芸術家の交友の集まりの「パンの会」のメンバーと知り合う。さらには、「方寸《ほうすん》」の主宰者石井伯亭の紹介により、六世尾形乾山の弟子となる。詩文や版画にも独自の領域をもつ「方寸」は、山本鼎《かなえ》や森田恒友や後に坂本繁二郎や小杉未醒《みせい》、平福百穂がくわわるが、詩人の木下杢太郎や上田敏なども寄稿する美術の同人誌であった。石井伯亭は、当時の近代工場による印刷の勃興期にあって、創作版画を主張し、エッチングというものにも、強い関心を寄せていた。リーチの得意とするエッチングは、関心の対象だった。当時、乾山の窯も、上野桜木町のちかくにあり、現在でも、通りの交差点には、記念の碑が建っている。

　色絵陶器を得意とする初代の尾形乾山は、京都にあって兄の尾形光琳とともに、多くの作品を制作した。晩年には、慫慂《しょうよう》されて江戸に赴いている。その足跡については十分な資料がないのだが、寛永寺の根本中堂の門から入った境内の右手に、尾形乾山の顕彰碑が建っている。乾山の墓は、長い間、世間から見捨てられ、ちかくの寺にあったのだが、整理されて、今では西巣鴨の天台宗法養寺の一角にある。
乾山の名前は、代々世襲ではない。養子や弟子などで、つづいてきたのである。その六世には、男子の子供がいなかった。そうしたこともあり、六世乾山は、リーチを弟子に受け入れ、その通訳に当たった富本憲吉もともに、その仕事に協力することになった。リーチが描いた六世乾山（浦野繁吉）の似顔絵がある。なんと、七世として乾山の仕事を継承したのは、このリーチと富本憲吉であった。後に文化勲章を受章する富本憲吉の芸術にとって、「私が日本で暮らした一九一〇年から一九二〇年にかけて、富本と私はさながら仲の良い兄弟のようであった」と回想するリーチとの出会いは意義あるものであった。

富本憲吉作「楽焼線彫柳文筆筒」
1914 年　安堵　13.1× 9 ㎝　（日本民藝館蔵）

柳の富本憲吉にたいする名文がある。

沈む信仰のかかる時代に、再び自然への信仰を甦らせているのは富本君の作品である。（略）私は先日あの法隆寺の塔がま近くに見える安堵村に、富本君を訪ねたその日、京都で仁清、木米、及び乾山の遺作品展覧会を見る事が出来た。私はその時益々富本君の作品に対する尊敬の念を慥《たしか》める事が出来た。私は早くも近い将来に於て、それ等の著名な人々に並んで富本君の作が展覧せられ、人々が新しく驚嘆の眼を以ってそれを見る日の来る事を信じて疑わない。

（「富本君の陶器」）

富本憲吉は、植物《フローラ》の写生を好んだ。晩年、羊歯《しだ》の紋様に魅了されると、それをデザインとして、代表作となる陶器作品を製作した。そこにあるのは、草木に感応するフローラの陶工の姿である。フローラへの関心は、モリスのテキスタイルにも通ずるものがある。モリスとその運動は、日本の民藝運動に大きな影を落としているのだが、個人の陶工として、その活動に影響を見せているのは、富本憲吉の作品である。

柳宗悦とリーチの関係も、機が熟するに従って互いに認めあう間柄となった。ふたりは、奈良にある富本家に何度も足を運んだ。富本憲吉がリーチをちかくの法隆寺に案内している写真が残されている。安堵村には、富本憲吉記念館が設けられていた（二〇一四年閉館）。

柳宗悦の「バーナード・リーチへの手紙」で、特に関心を引くのは、柳がリーチに自分がいかに神秘主義を通過して思索を深めたかということを語っている部分である。ウィリアム・ブレイクの存在は、リーチから紹介されたものだ。

僕は一つには僕自身の性格から、また一つにはブレークの研究からキリスト教神秘主義に深い興味を抱くようになりました。僕はあまりにも長い間、この世の二元性の問題に取組み、精神と肉体、天国と地獄、神と人間といった甚だしい分離の状況に悩んできました。これらの二元性からいかに逃れるか、或いは解放されるか、いかにそれらを融合し、または秩序づけるか。この模索に僕は知的及び感情的欲求にかられて弛みない努力を重ねてきたのです。そういう時にブレークに出会いました。（「バーナード・リーチへの手紙」）

戦前だけでなく、戦後にも来日するリーチには、『東と西を超えて　自伝的回想』（福田陸太郎訳）がある。柳との交流は、リーチが柳にブレイクとホイットマンを紹介し、そのお返しに柳がリーチに東西の神秘論者である中国の老子、孔子、荘子やドイツのエックハルトなどを紹介するものであったようだ。福田陸太郎には、『バーナード・リーチ詩画集』（一九七四年日本翻訳出版文化賞）の翻訳もある。リーチの最後の来日の様子は、『バーナード・リーチ　日本絵日記』（柳宗悦訳）にまとめられた。「山陰・山陽の旅」や「九州小鹿田にて」は、当時のリーチの足跡を語るものだ。

建築家のブルーノ・タウト（一八八〇―一九三八）と一緒に写っているリーチや民藝のひとたちの写真を見ると、近代日本にとって、岡倉天心に影響を与えたフェノロサ（一八五三―一九〇八）や建築において影響を与えたタウトとともに、リーチの存在がさらに意味を帯びてくる。

それは、リーチ自身の陶芸家としての作品だけでなく、柳宗悦、富本憲吉、浜田庄司などに精神的な大きな影響を与えた功績によるものだ。

「私は彼にブレイクとホイットマンを与えたが、それは肥えた土に落ちた種であった」(『柳宗悦』)と回想するリーチから、柳は、ウィリアム・ブレイク(一七五七―一八二七)についても資料を得たり、話を聞いていた。おそらく、柳は、富本憲吉やリーチからウィリアム・モリスについても聞いていたにちがいない。柳にとって、ふたりのウィリアム――ブレイクとモリス――は、このふたり――リーチと富本憲吉――を通じて深く知ることになった。すでに、ウィリアム・モリスの『ユートピアだより』は翻訳されており、時を同じくするように、寿岳文章は『ウィリアム・ブレイク論集』と『ウィリアム・モリス論集』を出すなど、強い関心を寄せていた。寿岳文章は、英文学者であるが、戦前は、民藝の仲間と和紙の研究をともにしていた。その著作には、『日本の紙』や『紙漉村旅日記』がある。当時、芹沢銈介の装丁になる「民藝」に掲載されたものである。寿岳文章と京都時代の柳宗悦には、共同編集の「ウィリアム・ブレークとホイットマン」がある。

柳宗悦には、ウィリアム・モリスについての賛辞があると思い、いろいろと読んだが、モリスにたいする対抗的な、批判的な文章にしか出会わない。まことに不思議なことがあるものだ。モリスの保存法(修復)にしても、ステンド・グラスにしても、デザインや本作りを見れば、モリスは、富本憲吉や芹沢銈介のような、製作者である。モリスは高貴なものへの嗜好がある。柳の活動は、逆に民衆の芸術にこだわる。そこに、差異があるのだが、当時のロンドンにはマルクスも滞在していた。モリスは晩年には、マルクスのお嬢さんとともに社会主義活動をおこなっている。モリスの『ユートピアだより』は、名著として早くに翻訳された。テムズ川を船で上流へと航行する様子は、感動する場面のひとつである。まるで、「布川に行って二、三日目に、私は、その低い松林の上をだしぬけに、白帆がすうっと通るのを発見した。（略）今までついぞ白帆など見たことのなかった私にとって、このように毎日、門の前からほんの少し離れたところを、何百という白帆が通るというのは、本当に新しい発見であった」（柳田国男『故郷七十年』「利根川の白帆」）の文章を髣髴《ほうふつ》とさせるものがある。

そこに共通して存在するのは、「手仕事」という具体の事象である。

> 今日眺めようとするのは、他でもありません。北から中央、さては西や南にかけて、この日本が今どんな固有の品物を作ったり用いたりしているかということであります。これは何より地理と深い関係を持ちます。気候風土を離れて、品物は決して生れては来ないからであります。
>
> （『手仕事の日本』「第一章　品物の背景」自然）

我孫子に窯を作って、東京から週四日通っていたリーチを求めて、ひとりの陶工がやってくる。浜田庄司（一八九四—一九七六）である。栃木県の益子《ましこ》の浜田庄司の土と火と風と水を元素とする作風は、泥臭いが、とても華美な印象がある。これにたいして、河井寛次郎（一八九〇—一九六六）の作品は、初期の中国陶器をモデルにした色鮮やかな色とかたちの陶器であった。やがて、モダンからポスト・モダンを突き抜けるような物質的想像力の印象をもつ色彩の木工、金工などの作品へと変貌する。

沖縄の壺屋を知り、東京近郊の益子に目をつけていた浜田庄司は、リーチの帰国とともに、イギリスのセント・アイブスに行って、現地の陶器を学んで帰ってくる。セント・アイブスは、イギリスの最西端の半島にちかい港町である。「図録　セントアイブス」にあるように、イギリスの西端のランズエンドの土地に築かれた登窯で、リーチと浜田は仕事をする。東洋と西洋の大地から生まれ出た陶器の融合は、日本とイギリスの伝統がもつ奥深い世界の融合となる。特に、その土地の土や水や空気と密接にかかわる陶磁器は、浜田の心身のなかで、ケルト的な民衆の伝統文化と沖縄をはじめとする日本の民衆の伝統文化との融合をはたした。リーチというインターナショナルかつシンクレティズムを体現する人物との出会いである。最終的には、浜田は、益子の陶土と釉薬の開発により、文字通り、世界に通じる陶工となった。益子館には、浜田が蒐集した世界や日本各地の品々が、陳列されている。

そこには、民藝のひとびとを魅了したイギリスのスリップ・ウェアとの出会いがある。

その時一緒に居た私は、富本が其《その》大きな本を嬉しそうに抱えて持って帰る姿を今もありありと思い出す。吾々が、'Slip Ware'「流描手《ながしがきで》」を知り出したのは実に其本からである。著者は Lomax と云った。一九〇九年に出版された。既に珍本であるが、後に濱田も私も買い、石丸も手に入れたから、日本には五冊位は来ているかと思う。

（「スリップ・ウェアの渡来」）

浜田庄司は、沖縄の壺屋にも居住したことがあり、のちの柳と沖縄の出会いを準備した。それは、民藝の沖縄の旅となった。河井寛次郎は、関東大震災後の日本には仕事が山積している旨の手紙を浜田に送った。浜田は、ロンドンで個展を開き、自らの創作にひとつの道筋を見い出すと、帰国の途に就いた。こうして、柳宗悦と河井寛次郎のふたりの仲を取りもったものこそ、浜田のもたらしたスリップ・ウェアであり、浅川兄弟を通じて出会った木喰仏の微笑であった。

バーナード・リーチを論ずることは、リーチが実際に民藝運動に深いかかわりがあるというだけでなく、ふたりのウィリアムとの出逢いと理解、摂取および応用と批評についての重要な人物だからである。柳の「ウィリアム・ブレーク論」は、神秘主義思想の解明をする大著である。この本に果敢に挑戦したのが、『柳宗悦とウィリアム・ブレイク——還流する「肯定の思想」』（佐藤光・東京大学出版会）である。また、ウィリアム・モリスとその運動は、柳の思想と行動を理解するうえで、貴重な存在である。リーチは、英国のブレイクとモリスのふたりと柳宗悦とをむすぶ蝶番《ちょうつがい》の役目を果たす国際人である。と同時に、陶器の作製を中心とする日本の原風景にたいするファンでもあった。

3 『白樺』とかかわる柳宗悦

柳宗悦にとって、『白樺』の創刊は、多くの可能性を内に秘めた活動だった。柳宗悦の我孫子時代には、浅川伯教との出会いや窯を築いたリーチとの生活があり、浜田庄司との出会いがあった。『白樺』関係では、『暗夜行路』の前半を書き終えた京都にいくまえの志賀直哉も、九州の「美しき村」にでかけるまえの武者小路実篤もちかくに住んで、家族ぐるみの交友の時期である。この文化のコロニーの地には、現在、「白樺文学館」が設立されている。志賀直哉の娘が柳宗悦の次男と結婚した。志賀直哉には、『樹下美人』という美術評論集がある。小林秀雄は、奈良の志賀直哉を訪れて娘の家庭教師をしながら食客になっていた。先行する志賀直哉の『樹下美人』があってこそ、小林秀雄の『藝術随想』やヨーロッパ渡航後の『近代絵画』はあるのだろう。

柳宗悦の活動の原点は、『白樺』にある。『柳宗悦全集』には、「十人餘りの白樺の記者は、外から寄せ集めたものではない。内から集まり合ったものである。(略)従って白樺には絵の事を書くと思へば歌や詩も出る、小説が現われると共に厳しい論文も生れる、範囲は藝術以外に出て時としては宗教にも、哲学にも又科学にも亙る事があると思ふ」(「発刊に際して」【第一巻第一號、明治四十三年四月一日発行】)といった『白樺』創刊の辞」をはじめ、柳が書いたと特定できる膨大な「白樺」の「後記」が編集されている。

彫刻家のロダンの生誕七十周年を祝って、『白樺』でロダンの特集が組まれた。柳は、手紙を送ったり、後に七十枚の浮世絵も贈ることになる。そのロダンから『白樺』に届いたものが、「ロダン夫人胸像」「ある小さき影」「巴里ゴロツキの顔」の三点の彫刻である。

柳たちは、当初、マチスやゴッホなどの後期印象派の紹介に務めていた。しかし、『白樺』の編集者として力量を発揮する柳は、中国や朝鮮の陶磁器を紹介するようになる。若いころより、中国や朝鮮の陶磁器に関心があった柳であったが、『白樺』同人の様子を見ながら、朝鮮の陶磁器の紹介をはじめている。先の志賀直哉の『樹下美人』を見れば、東洋の文化にたいする関心は『白樺』同人にもかなりあったと考えられ、西洋の絵画とともに、徐々に東洋の美術が紹介されている。

先の「バーナード・リーチへの手紙」には、次のような文章がある。

禅の語源上の意味は「静慮《じょうりょ》」であり、それは自然の平和と統一の状態を示します。僕はキリスト教神秘主義に「愛とは何か」を教わり、東洋の神秘主義から「帰一とは何か」を教わりました。そしてこの「帰一とは何か」という思想のもっとも優れた形の一つを示しているのが、めざましい発達を遂げた禅の象徴主義なのです。御承知の通り、殆どすべての神秘主義は究極的な合一に達するために否定道（ヴィア・ネガティヴァ）を用いています。

（「バーナード・リーチへの手紙」）

宗教学者としての柳宗悦について、見過ごしてならない点は、肯定神学から否定神学への思想的な深まりとしての転換である。これにより、柳の日本文化と宗教への、はっきりした着地点を窺うことができる。柳の読書歴にも、小林秀雄が読んでいたベルクソンがある。ベルクソンの『道徳と宗教の二源泉』に示された「開かれた社会」という概念が、現代社会の危機を救うと言われた。人口が増加し、食糧問題が発生すると、国家間の戦争が脅威となる。それにたいする贅沢から簡素へと反転する時期にきている。人間の精神世界における死後の存続に関する精神科学の究明がなされれば、現世における欲望や快楽の追及が癒され、人間のむさぼりといかりと無知を避けることができる。『道徳と宗教の二源泉』にある「閉じた宗教」と「開いた宗教」とは、否定神学から日本的宗教への理解と観察を深める柳にどのような影響を与えたのか。また、それは同時に、小林秀雄の背景にあるベルクソン哲学が、『本居宣長』とどのように影響し、関係しているかは興味が尽きない。否定神学によって、西洋から東洋への思想と文化を結ぶ道筋をしっかりとした一筋の線で引くことができる。

リーチとの出会いはその後に大きな影響を残したが、ロダンとの出会いももうひとつの重要な出会いを柳宗悦にもたらした。ロダンとの連絡係をした柳の我孫子の自宅には、ロダンから贈られた彫刻が置いてあった。この彫刻をぜひ見せていただきたいといって訪問したのが、浅川伯教である。

浅川伯教がそのときにお土産として持参したのが、朝鮮李朝の壺「染附面取草花瓢型瓶」の下の部分である。浅川兄弟との出会いから、柳の朝鮮文化、とくに李朝白磁への関心や朝鮮美術館の創設をはじめ、李朝の陶磁器や木工、金工、石工、民画などの蒐集がはじまる。

また、浅川伯教と巧の兄弟の出身地の山梨の関係者を訪問することで、「木喰仏」の発見と調査・研究につながった。弟の巧の世話により、柳の朝鮮での調査活動が本格的になされ、巧の死後は、奥さんと娘が日本民藝館で柳と一緒に生活をした。巧の娘は、柳宗悦の秘書もしている。「この本は、私が過去四十年の間に書いた一聯の論編を、時代順に発展の跡を追って編輯されたものである。凡ては民藝館の浅川園絵さんの注意深い編輯によった。同姉はかつて私の年譜を編纂した経験があり、おそらく誰よりも私の著述に詳しい」(『民藝四十年』「後記」)と書かれるように、柳の民藝活動を一般に紹介したはじめての『民藝四十年』の編集作業をおこなっている。

浅川兄弟の人生と活動については、映画ができている。郷里の山梨県北杜市《ほくとし》高根町には、「浅川伯教・巧兄弟資料館」がある。わたしはまだこの資料館を訪問していないが、韓国のひとや在日のひとからは、柳宗悦とともに、彼を超えると思われるほどの尊崇の念であがめられている兄弟である。柳は、終生、浅川巧の写真を机の上に置いていた。それは、柳を尊敬する芹沢銈介が、柳の写真を仕事場に置いていたのと同じである。「若し私が一生のうち此の世に何か甲斐ある仕事を遺せたら、それは大方友達のお蔭である」（「浅川のこと」）と語る柳にとって、多くの「友達」との交流が実を結んでいた。これによって、『「喜左衛門井戸」を見る」に展開する茶道への思索にかかわり、朝鮮の石工から河井寛次郎の「陶硯」の視点につながり、朝鮮民画からは大津絵の脱構築的な再評価とも関係していくと考えられる。柳とその民藝の仲間たちの生き様は、「近代」の「個我」中心の相互性と様式以上に、中世的なあるいはポスト・モダン的な「個」と「個」を結ぶつながりに特徴がある。

4　青山二郎とその周辺

小林秀雄（一九〇二―八三）は、「骨董」に関しては、青山二郎（一九〇一―七九）の弟子である。小林秀雄のエッセイ集『藝術随想』には、「徳利と杯」「壺」「古鐔《つば》」「鐔」「高麗剣」「染付皿」「信楽大壺」のタイトルをもつ文章が編纂されている。

信楽にしても備前にしても、壺の工人達は、石器時代から、殆ど変らぬ壺を使ふといふ日常生活の基本的な要求に黙従して来たまでだ。改新も革命も知らず捏ね上げた泥の焼け具合を、注意深く見守って来たまでの事だ。この無口な器物が、何を語るのか。それは、壺を傍に置いて撫でてみれば誰にも解る事だ。それは、自然に直に触れてゐる人間の手の表情の如きものである。

（「壺」）

ここには、「私は、焼き物を李朝物から買ひ始めたから、李朝の壺には親しみがあり、いろいろなのを買ったり、売ったりしたが、今は、これ一つしか持ってゐない」と書く小林秀雄が、ことばとものの関係をはるかに超える、深層としての物質的想像力や四大元素への直観が表現されている。しかも、そこには、青山二郎と同じように、朝鮮陶器の李朝に関する反歴史的な柳宗悦の影がある。

小林秀雄の骨董に関する有名な一説がある。

「壺中天」といふ言葉がある。焼き物にかけては世界一の支那人は、壺の中には壺公といふ仙人が棲んでゐると信じてゐた。焼き物好きには、まことに真実な伝説だ。私の部屋にある古信楽の大壺に、私は何も貴重なものを貯へてゐるわけではないが、私が、美しいと思って眺めてゐる時には、私の心は壺中にあるやうである。

（「信楽大壺」）

白洲正子（一九一〇―九八）は、『いまなぜ青山二郎なのか』のなかで、師匠の青山二郎について「ジィちゃん」といっていたと書くほどの弟子である。

白洲正子が古寺巡礼をはじめたのは、五十歳の後半である。地方の神社仏閣や「十一面観音像」や「かくれ里」の発見と再考をする優れた目利きの文章のなかで、意外と少ないのが、骨董そのものの記述である。白洲正子には、『白洲正子　私の骨董』や『やきもの談義』という本があるが、骨董そのものについての理論は書いていない。それは、青山二郎や小林秀雄の書いたものや柳宗悦の書いたものにたいする比較ともなる。青山二郎の弟子として、小林秀雄にも忌憚《きたん》のない批評をする白洲正子ではあったが、柳宗悦については、かなり意識している。特に柳宗悦のお茶にたいする意見や河井寛次郎の晩年の作品には、距離をとっている姿が見られる。もちろんここには、青山二郎や北大路魯山人《ろさんじん》（一八八三―一九五九）との接触が関係しているだろう。陶器に関する人間関係は、入れ子細工のように、入り組んでいる。柳宗悦の甥である柳悦博（一九一七―九五）は織物の大家であり、白洲正子と深い関係にある。

通常の人間関係や生活からすると、青山二郎は、相当に恵まれたひとであると同時に、変わり者として知られている。その青山二郎が、民藝運動の早い時期から、柳宗悦とかかわっていた。

一方では民芸運動に力を入れ、片方では中国古陶磁の選定にとりかかる。その間に朝鮮の工芸にも興味を持ち、それについての講演や執筆を行っているのみか、昭和七年には、みずから朝鮮へ渡り、その時蒐集した陶磁器の展覧会も開いているのだから、青山二郎のほんとうの好みが奈辺にあるのか、急には理解できない読者も多いと思う。

(『いまなぜ青山二郎なのか』)

この人物が、若いころに、画家の中川一政(一八九三―一九九一)から絵を学んでいる。当時、中川一政は、詩集『見なれざる人』を上梓して、『白樺』と関係をもちながら、詩人としての活動をしていた。一九二一年には、「静物(一)」「静物(二)」「静物小品」を二科会に出品して、二科賞を受賞した。一九二四年(大正十三)、青山二郎が二十六歳の時である。『甌香譜《おうこうふ》』と名づける横河民輔コレクションの図録が「無名の専門家」であった青山に委嘱された。出版するまでに、四年の歳月がかかった。学歴や年齢とは無関係に、陶磁器関係者の「眼」を信頼した見識の高さを物語るものである。『甌香譜』そのものは手にすることはかなわないが、東京国立博物館で出版されている『横河民輔コレクション　中国陶磁名品選』や当館での特別展でそれらの一端に触れることができる。

「先づ支那に入門するべし」と書く青山二郎の仕事は、誰もが一目を置くものであった。尾久彰三の「柳と青山――李朝と民芸運動」を見ると、柳宗悦と青山の交際とその接点が書かれている。柳の朝鮮陶磁器や民画への思いにたいして、青山の『呉須赤繪大皿』(倉橋藤治郎共編）などに見る中国陶器への経験の豊かさは、類を見い出せない。柳にも中国関係の蒐集物はある。その中国陶器は、民藝の名の通り、民衆的藝術としての中国陶器であった。青山二郎の骨董には、小林秀雄と写っている壺中居での「絵唐津草文筒茶碗」や「日本民藝美術館設立趣意書」の表紙に掲載された「平猪口洋歯文」と横光利一に買わせた「梅瓶《めいぴん》」などが知られる。『柳宗悦全集』第七巻の口絵の写真に、青山二郎が写っている。柳と青山には、幾つかの接点があった。関東大震災後の「日本民藝美術館設立趣意書」の事務局を柳の甥の石丸重治（一九〇二―六八）と青山二郎が務めている。「趣意書」の表紙を飾った陶器は、青山二郎が所蔵していたものだ。柳の甥の石丸重治は、『英国の工藝』で、「スリップウェア」を初期に紹介した。青山二郎の書いたものは、戦後の十年に集中しているが、初期に書いたものは、石丸重治編集の「山繭」が主な掲載誌である。そこには、柳宗悦の所蔵品をめぐって青山が尽力する姿や浜田庄司後援会の記事がある。次に、青山高樹町の柳の家を、頻繁に訪問している麻布一ノ橋の青山の姿がある。木喰仏に関心のある柳に、新宿の骨董屋で、木喰仏を見つけると、柳に連絡したのも青山二郎であった。一九二五年（大正十四）四月の「木喰五行上人木彫佛展覧会」の会場で、小宮山清三、式場隆三郎、浅川伯教とともに、記念写真におさまる青山二郎の姿がある。

そして、朝鮮陶器と言えば、浅川伯教と巧兄弟との柳との関係だが、この浅川と協力して輸入雑貨商・中華料理の名店として有名だった「晩翠軒《ばんすいけん》」から出資を得て朝鮮に渡り、朝鮮陶器を大量に購入した。晩年の青山二郎は、「俺は日本の文化を生きている」と豪語していた。柳の「李朝の壺」も、民藝の抒情にあふれている。

しとやかな女の風情にも譬えようか。高き背、なだらかな肩、柔らかき肉づき。ほんのりと青ずむ白絹に身を包み、裳裾《もすそ》には一もとの蘭が静かな藍で染めてある。優しい心根や、慎しみ深い性情が誰にでも気附かれるであろう。黙してはいても、いつだって呼びかけているように見える。だから振り向かないわけにゆかないではないか。見れば涙ぐむようにさえ思える。独りでは淋しそうである。だが打ち明ければ人間だって同じ求めが胸に閉じてあろう。（略）朝鮮のものには大概同じ心が読める。特別な自然や歴史がそうさせたのである。

（「李朝の壺」）

青山二郎と柳宗悦の年譜を比較すると、たいへん興味深いことがわかってくる。青山二郎には、『青山二郎全文集』（上下）があるが、小林秀雄の本の装丁をするなど、装丁家としての仕事があった。柳宗悦と出会った芹沢銈介にも、多くの装丁の仕事があるのも、共通した仕事の創出である。柳宗悦の思想は、自由主義思想であるが、青山二郎には、そうした気風も感ぜられるが、さらに個人主義的なダンディズムが真骨頂である。

京都を旅行中に、富本憲吉展が京都市立美術館で開催されていたので、出かけたことがある。

そこには、奈良の富本家という資産家を背景にした建築や美術にたいする関心と、ロンドンやインドを旅行する富本憲吉のもつ高貴性を見ることもできる。柳宗悦の庶民への水平性と民藝への現象把握の磁場にはやくから参加し、やがて遠くにいて光を放つ存在として、青山二郎と富本憲吉がいた。別れていったひとたちの存在は反省という批評である。閉じた賛辞にくられた世界をより自由な開放系へといざなうのも、別れていったひとたちが意味する大切な存在感である。それにたいして、はじめは遠くにいたが、晩年まで親炙したのが、浜田庄司、河井寛次郎、芹沢銈介である。また、ひとつの仕事を通じて出会い、その周辺に光のように輝く存在が、寿岳文章と棟方志功であった。

『民藝四十年』（岩波文庫　一九八四年）のなかで、柳宗悦は、自ら歩んできた道について、「自分の踏んできた経路を鳥瞰図的に見ることが出来る」と書いている。

その具体の姿は、「朝鮮工藝（明治末から大正にかけ）――木喰仏（大正末から昭和初めにかけ）――諸国民藝品（昭和初め頃から今日に及ぶ）――美術館の建設――沖縄訪問――茶の湯の問題――美の問題」と総括している。柳宗悦の全体像は、テクスト的には『全集』によるしか方法がない。また、柳宗悦『全集』とは別に、『柳宗悦蒐集民藝大観五巻』がある。第一巻が、陶・磁（上　日本各地）の「工藝の美」。第二巻は、同じく陶・磁（下　沖縄・朝鮮・中国・西洋）の「民藝の意味」、第三巻は、染・織の「収集に就いて」。第四巻は、漆・木・革・石・金・編組・ガラスの「民藝館の蒐集」。第五巻は、絵・拓・彫の「美の浄土」であり、それぞれの巻の総説と各論・解説を柳宗悦の文章が飾っている。日本民藝館が監修したもので、責任編輯・構成を息子の柳宗理、題簽《だいせん》は芹沢銈介になる。

このように自らの人生を総括する柳宗悦のひとと思想およびその周辺の芸術家や陶工を通して、「民藝と仕事」の意味について考えて見る。民藝の運動は、地下茎（リゾーム）のように、次から次へとつながる運動となり、民藝による全国の文化図となる。「貴方がたはとくと考えたことがあるでしょうか、今も日本が素晴らしい手仕事の国であるということを」（『手仕事の日本』「前書」）、『「手仕事の日本」地図』や「私と一緒に日本の地図を広げて下さい」（『手仕事の日本』「前書」）と柳は書いている。

5　棟方志功と芹沢銈介の仕事

柳宗悦と河井寛次郎と浜田庄司との交友は、具体の陶器を通して、ものとこころの世界を美の世界へと交信するものである。

それにたいして、棟方志功（一九〇三—七五）と芹沢銈介（一八九五—一九八四）との出会いは、具体の板画と織染（型染《かたぞめ》）を通して、つながれている。

棟方志功は、大地という元素の深みから出てきたひとである。そこには、東北青森の地母神も現われ出てくる。フランスの思想家ガストン・バシュラールは、『大地と休息の夢想』のなかで、土に関する論を展開した。土への想像力には、外向性と内向性があるとし、固い鉱物性や樫の木のような植物性とともに、鍛冶屋の存在と大地との関係を取り上げている。さらに軟らかい土の物質には、「生れ故郷への帰還、つまり生誕の家への帰還は、それを力動化するすべての夢幻状態をともない、母への回帰という古典的精神分析によって特徴づけられたものである」として、「大地は、冬の厳しさと共に、忍耐力を科している」とつけくわえている。大地は、硬さと軟らかさをもっているが、鍛冶屋職人の息子に生れ、青森の自然の厳しさに培われた棟方の芸術の激しさは、物質的想像力である大地を基盤として、土、水、火、風（空気）から第五の元素である木の素材を使用した錬金術と言えるかもしれない。

棟方の作品は、器用仕事として、神話や仏教の説話などとも強いむすびつきを見せた。富永惣一の「棟方志功の人と藝術」によれば、「土」（「血」）と「藝術」の密着による棟方には、「ネプタ」を生きる大地性があり、その芸術家としての人柄よりも、郷土的地盤をもつ土地柄から原始的な地母神性としての直情純一の木版画の製作となったと書いている。青森から東京に出てくると、棟方は、中村不折の門をたたいた。その出会いは、不十分なものであったが、そこでローマ時代の「女神臥像」をひと目見るや、「お母《が》ッ！」と叫んだという話がある。棟方志功の「女神臥像」から「観音像」やその後の多くの「倭画《やまとえ》」の女性像は、故郷と密接な関係をもつ地母神的な世界と重なるところからきている。

横浜のカツレツ専門店「勝烈庵」には、先代の主人との交友があった棟方志功の作品が展示

棟方志功作 大和し美し版画巻 倭建命（ヤマトタケル）の柵 1936年 （日本民藝館蔵）

されている。店のなつかしさと食事処の調和があり、なじみの味と棟方の作品との共存がある。その明るさは、何処からきているのだろうか。はじめは、油絵を志していたが、その後、版画へと転換した。川上澄生（一八九五―一九七二）の影響をうかがわせるヨーロッパのモダニズムやキリスト教の芸風があった。その後、「わたくしも板画をはじめたころは、版という字を使っていたんだが、板画の心がわかってからはやっぱり、板画というものは板が生れた性質を大事にあつかわなければならない」（「花深処無行跡」）と語るように、版画から板画へと木の材質をより意識した独自の名称と概念への変更となる。やがて、板画のうえから油絵で培った色彩による彩色を施すのだが、どうも不自然でしかたなかった。

そのとき、裏から色彩をにじませるほうがよいと、柳宗悦が忠告した。

「大和し美し」の時、着色の分を持ってきてくれましたが、又その着色法が小生の気に入りません。濃い不透明な顔料を版画の上から塗ってあるので版の線が埋れて見えません。それで私は絵具を裏から差すようにした方が、更によいとの考えを述べました。棟方は又素直に之を受入れ、後年之を「裏彩色」と云って凡てに用いました。之は大変成功したと思います。この裏彩色は早速「観音経」に施され、よい効果を見せてくれました。用いたのは藍色と代赭《たいしゃ》との二種類でした。民藝館には後者の分が揃って軸仕立にしてあります。
（「棟方と私」）

「これ（裏彩色）は裏から絵具を着彩するのではなくて、しみ込ませるというところにねらいがあります。（略）描かれたものではなく、しみこんで行くことによって、板画と同じ他力による出来栄えを見ることができるのです」（「板画の話」）と棟方は述懐している。裏彩色の他力の美の板画の道は、こうして開かれた。棟方の作品は、さらに「倭絵」の肉筆画へと芸筋の拡大を図る。版画から板画へ、さらに倭絵へと、その色彩感は、絵と板画の統合による錬金術による曼荼羅への接近とも言える。棟方との交流については『言霊《ことだま》の人 棟方志功』（石井頼子・里文出版）に詳しい。

棟方志功の書には、民藝のひとたちのなかでも、縄文的活力と日本人の深層にあるエネルギーの激しさをにじませるものがある。そこには、ピカソや岡本太郎がたどる原始芸術（プリミティヴィズム）への希求がある。河井寛次郎や芹沢銈介も書をなすが、柳宗悦も、晩年は揮毫をすることがあり、「色紙和讃」の書字の影響を受けていると言われる端正な書が残されている(巻頭口絵参照)。棟方志功と柳宗悦の書作品は、古書店でも高値がつくほどに、味わいのある貴重なものだ。
　ガストン・バシュラールの「物質的想像力四部作」の最終の著作は『大地と意志の夢想』であった。その第六章に「鍛冶屋の力動的抒情」の章がある。「鍛冶屋のイマージュの価値を本当に感じるのは、筋肉と神経が一種の協調の状態におかれたときの男性的魅力を教えるものとしてである」。「鍛冶屋の仕事場にあるものはなんでも武骨である。ハンマー、やっとこ、ふいご。動いてなくとも、すべて力強い感じがする」。「鍛冶屋はよく神々と人間との仲介者となる」。これらの言葉は、フランスの詩を愛する科学思想家の文章の翻訳ではあるにしても、なんと棟方志功の具体の作品を言いあてた言葉ではないだろうか。この鍛冶屋の陽気さは、「もの」と「ことば」や「身体」とかかわる人間の野性の思考が、身体の深層と緊密なつながりを示すものである。

　自然人としての人間、大地という物質に対し肉体によって直接関与するならば、どんな労苦といえども一種の快感をもたらさずにはいない、というバシュラールのゆるぎない確信である。バシュラールのことばでいうならば、人間は大地により精神分析の治療を受けるのである。この労働による一種の充足感、満足感は意識や無意識のなかにあったさまざまなコンプレックスを解放するために生じるのだ。このメカニスムはもっぱら物質的想像力をとおして解明されるのである。　（『大地と意志の夢想』訳者・及川馥「あとがき」）

毎年五月に開催される国画会の彫刻の会場で、青森出身の棟方志功の世界が、民藝のひとたちの目に留まる。そこにあったものは、西洋の遠近法から東洋の布置法による棟方志功の木版画のはじまりであった。ここには、共時的な平面性や空間性の問題が潜んでいる。絵画からゴッホがジャポニズムとしてこよなく愛した日本の木版画に転回する棟方の世界はここからはじまるが、柳宗悦との関係は、戦後から晩年に至るまでつづいた。晩年の柳の妙好人の調査は、戦争で富山県西礪波《にしとなみ》郡福光《ふくみつ》町に疎開した棟方との交友に端を発するものだ。柳の宗教美学の考えは、浄土真宗に親和力を示す棟方にとって「板画と肉筆（倭画）と書」に至る芸術の確信をささえるものである。

棟方は、柳が晩年に体調を崩して入院すると、河井寛次郎の勧めにより、「心偈頌」の「今日空《きょうそら》　晴レヌ」や「泉タバシル／トハニ　新《あらた》に」の柳のことばを板画に製作した。病床にあった柳も名著『棟方志功の世界』（筑摩書房）によって、棟方の作品を誰よりも温かく、確実な芸術として紹介した。

奈良に生まれ育った保田與重郎（一九一〇―八一）は、戦前の民藝の沖縄訪問団に加わり、晩年には、河井寛次郎と棟方志功の作品に関心があったことがわかる。棟方が世界に認められる契機となった「釈迦十大弟子」は、キリスト教も仏教も超えた板画空間の作品である。民藝そのものは、地方や土着のものと関係が深いが、それ自体でナショナリズムということはない。柳宗悦も、この時代に、いたってリベラルな自由主義者であった。しかし、保田の『日本浪漫派の時代』などを読むと、民藝の世界と相通ずるものを彼は感じているようだ。棟方と保田との交友は、柳との交遊とは別のものがあったが、棟方には、多くのひとにかかわっていく姿勢がある。谷崎潤一郎の『鍵』のカットだけでなく、詩人の草野心平との共同制作の仕事など、多岐にわたる。草野心平とは、小高根二郎著『歓喜する棟方志功』に書かれているように、インドに同行し、『富士山』の板画を製作しているのだ。棟方の作品は、詩を板画によるかたちに形象する独自の感性がある。そこには、「野生の思考」にちかいものがあると考えられる。民族学から入った構造主義者のレヴィ・ストロースが「器用仕事」として取り出した「ブリコラージュ」の手法による詩と板画のコラボレーションである。ここには、日本の風土から生れ出た芸術家の国際性と民族性の問題が、芸術と民族の地熱と血となって生成している。

「棟方志功記念館」は、青森にある。以前は、鎌倉にも棟方板画美術館があった。一度鎌倉駅からバスで訪れたことがある。美術館を運営する財団の理事長を保田與重郎が務めた。玄関を入ると、大きな「華厳」という書が目に入ってきた。六朝書を愛する柳宗悦は、「このほかに将来認められるに違いないと思うものに、棟方の書があります。之は或書家達からはもう評判にされて居りますが、特に大字に見事なものがあります」（『棟方志功板画』「棟方と私」）と棟方の書について触れている。本来の書家の書からははるかに逸脱した中川一政や井上有一などのエネルギッシュで自由奔放な力の書と同じく、生命力のある「華厳」の書は、民藝館にも飾られるので見る機会があるだろうが、人知の限りをつくした迫力の書である。

芹沢銈介は、河井寛次郎や浜田庄司と同じ現在の東京工業大学の卒業生だった。大学卒業後、静岡の地元で働いていたために、柳との出会いは、ずうっと後のことになる。柳田国男の民俗学の発生と絵馬の話は有名であるが、若き芹沢の絵馬の蒐集も、ひとの知るところとなり、柳の訪問を受けた。蒐集した絵馬は、戦時中、蒲田の仕事場で空襲にあって灰燼に帰している。そうしたこともあり、戦後の芹沢は「日本民藝館」に住み込んだ。河井寛次郎と浜田庄司と同じように、民藝運動と称される地方の産業と密接に関係する世界に、芹沢の指導もくわわることになる。芹沢の仕事である小間絵のカットや沖縄の紅型のデザインなどは、和紙や織物を素材としており、棟方志功の板画とともに、ヨーロッパで高い評価を呼んだ。

銀座をはじめとするしゃぶしゃぶのお店で知られる「ざくろ」では、芹沢銈介のアイアンワークが店内に飾られている。切り絵のデザインが、なつかしいふるさとの影をしたう夕餉時の雰囲気をかもし出す。

棟方志功が大地のひとならば、芹沢銈介は、空（風）のひとである。

作品に表現された構図や図柄には、明るい空間としての空そのものがある。空からの視線による空間の世界が横たわっている。バシュラールは、『空と夢——運動の想像力にかんする試論——』で、「地上のものにとっては、地を離れるとともに一切が散り一切が失われてゆくのに、空に住むものにとっては、昇るとともに一切が集まり一切が豊かになる」(『空と夢』第1章「飛行の夢」)と書き、「世界にとっては風が、人間にとっては息が、《無限なるものの溢出》を表わす。風と息は内在的なるものを遥かの彼方にまで運び、宇宙のあらゆる力を分有せしめる」(『空と夢』第11章「風」)と書いている。芹沢銈介の作品群には、空から鳥瞰した作品が多く見られるのが特徴のひとつだ。縄暖簾《なわのれん》の作品からも、空や風からの視線をともなう物質的想像力が読み取れる。

色調も美しい。力の色ではないかもしれない、併《しか》しこの世を美しく楽しくさせる色だと思う。心を静かにさせ幸福にさせる色だと思う。渋味をねらって作ることは誰でも或点まで出来ることだが、綺麗でほんとうにいいものを作るのは並々の力量では出来ない。綺麗なもの派手なものは、とかく軽さや浅さや甘さと結びつき易いからである。

(「芹澤のこと」)

芹沢銈介美術館のある静岡駅に降りると、京都・大阪にむかって北側に駿府城や静岡浅間神社がある。南側には、発掘された登呂遺跡がある。その登呂遺跡の一角に、白井晟一設計になる「静岡市立芹沢銈介美術館」が、東京蒲田から移築された仕事場とともに建てられている。芹沢の作品に公に接する場所は、東北仙台の東北福祉大学内の芹沢銈介美術工芸館のほか、岡山の倉敷の大原美術館内の工芸館もそのひとつである。柳宗悦とともに活動した浜田庄司の蒐集も、『浜田庄司参考館』に収められている。浜田の蒐集品は、三巻の本になっていて、「日本」「ヨーロッパ」「その他」に編集された立派なものだ。

一方で、芹沢銈介の展覧会や記念館を訪れると、今度は芹沢が集めた蒐集品に出会う。そこには、古代のものもあれば、世界の国々のものがあり、それぞれ個性的なみごとな民族品である。芹沢銈介には、『芹沢銈介全集　全三十一巻』があるが、『芹沢銈介作品集全五巻』も色彩感覚に優れた編集による選集である。芹沢の展覧会の図録には、『生誕百十年芹沢銈介展』『生誕百二十年記念　デザイナー芹沢銈介の世界展』や『柳宗悦と芹沢銈介——美と生活がとけあう世界——』『芹沢銈介のいろは——金子量重コレクション——』などがあり、ユニークな『芹沢銈介の文字絵・讃』（芹沢長介・杉浦康平）もある。

柳宗悦は、棟方志功と芹沢銈介を身近において、民藝の発展の象徴的な存在として、両者は個性と仕事の成熟による芸術性を相互に高め合ったのだ。

6　河井寛次郎と浜田庄司の仕事

富本憲吉と棟方志功と浜田庄司が、文化勲章を得た。長生きをしたが、芹沢銈介は、得ていない。河井寛次郎は、賞というものを辞退する反骨の精神の持ち主である。民藝運動は、理論や思想はあるが、イデオロギーに偏らないところに特徴がある。時代の変化にも、左右されることがない思想である。

芹沢銈介作　琉球風物　木綿　型染　1939 年　（日本民藝館蔵）

近代社会の様々な問題を抉り出すために、古今東西の学問によって、この社会がどのような秩序と宗教や民族から成立しているか模索する活動がある。レヴィ・ストロースの『野生の思考』やミッシェル・フーコーの『言葉と物』だ。民藝のひとたちが相手にしたものは、自然の四大元素によって製作された民衆的工藝である。民衆的工藝は、「野生」や「物」との深甚なつながりをもつ。それを製作する陶工たちや民藝家たちの「思考」や「言葉」と深いかかわりがある。

河井寛次郎の作品は、文人気質の江戸後期の陶工青木木米《もくべい》（一七六七―一八三三）に似ている。文人気質とは、よく詩をものすることだ。柳宗悦も、理論と直観の詩人の資質をもっているが、職人河井寛次郎には、ポエジーの塊が現象する作品を見る思いがする。浜田庄司の作品には、デザインにポエジーがある。ケルトの感性の根源には、野生の思考が働いている。ガレナ釉によるブラウンとイエローの紋様に、ケルト人の深層にある集合的色彩感や紋様、かたちがある。沖縄の壺屋の焼き物にも、古代からの海洋国沖縄の集合的色彩感や紋様が同質性として存在する。野生の四大元素である大地と水と空気と火に、空と識をくわえると、アニミズムやトーテミズム、シャーマニズムなどの宗教の特質や民族の婚姻制度や習俗に至る、さまざまな生活雑器とのかかわりが現象してくる。水によって、大地の土をこね、色という水の釉薬をデザイン化し、最後は祈りと火の力で焼きあげる。祈りは、火に等しく、火は祈りである。硬いレンガ質の土を必要とする登窯の前に、榊をお供えして、火をつける。祈ることとの総合力にかかわる神秘の力学が、全てである。

土を練るのも、柄杓で釉薬を流すのにも、水の流れのイメージがある。大地と水と火が結合して、粘土は変化して陶器になる。浜田庄司の作品は、生活世界とパラレルであった。安定した作品は、安定した生活習慣から生れた。浜田の生活と作品は、大地のようにしっかりとして不動である。その元素を見ると、どのようなものにも適応していく水が素地としてある。時にはサディズムやマゾヒズムも内包する海水のように、大胆で深い色彩と光沢が輝きはじめる。陶器の職人は、窯の焼きあげのたびに、造物主となる。河井寛次郎は、畏友の浜田について、「何処へ行っても、何をしていても一筋に立派な事と物を仕上げている。かつてあまり間違ったことがない。浜田は何時も三本足で立っている。どんなでこぼこでの上でも立つ」(『火の誓い』「浜田（庄司）のこと」）と書いた。

若き日には、板谷波山に憧れた。日下部《くさかべ》鳴鶴《めいかく》の弟子である丹波《にわ》海鶴《かいかく》に書を習っている。沖縄の海を越え、イギリスに渡る前に、栃木県の益子を検分した。

柳宗悦邸内の窯場で陶器を焼いているバーナード・リーチを訪ねて、浜田庄司は手賀沼湖畔を訪問した。

大正八年秋、その頃我孫子《あびこ》の柳の庭に窯を持っていたリーチを訪ねて、初めて柳に会った。床に梵字の大幅をかけ、漢の緑釉博山炉があり、宋の絵高麗の壺があった。志賀直哉さんも見えた。翌年リーチと英国に渡り、十三年春帰って京都の河井寛次郎の家へ滞在中、震災後京都へ移っていた柳が来て、英国から持って帰ったスリップ・ウェアの皿に大変感心した。柳はその前李朝の陶器の会を神田の流逸荘で開き、「白樺」の李朝特集号を出していたので、神楽丘の家には、今民藝館に陳《なら》んでいる李朝もいくつかあった。

（『無盡藏』「柳宗悦の「眼」」）

浜田は、すでに沖縄にも仕事場を構えるほどに、独自の陶工としての生きかたを模索していた。リーチとともに、イギリスに渡る。そのイギリスは、西方のランズエンドの地、セントアイブスだ。そこは、海港の小さな町である。浜田は、リーチとともに、リーチ窯を構え、ケルトの土地と血の濃い英国の文化に触れる。そのひとつは、後の日本での河井寛次郎に影響を与え、また柳と河井の縁をふたたびよびもどすほどの磁力と機縁をもつ、スリップウェアやガレナ釉である。

図録には、「英国の代表作にみるバーナード・リーチ」（一九八〇年）と「セント・アイブス」（一九八九年）、「生誕１２５年　バーナード・リーチ」（二〇一二年）と「日本民藝館所蔵　バーナード・リーチ作品集」（筑摩書房）などがある。どれも、「東と西の出会い」と銘打たれていることは、その「自伝的回想」が「東と西を超えて」となっていることからも、民藝の世界を超えて考えさせられるものがある。

ある年、浜田庄司の益子陶芸美術館を訪問した。浜田が滞在するまでは、益子では、ちかくの笠間焼とともに、庶民生活の器を焼いているだけだったので、それほどの名陶工は出ていない。繰り返し繰り返し絵筆で描くおばあさんたちの土瓶絵を柳が紹介して有名になった。「益子は東京に一番ちかい大きな窯場とて、東京の台所で用いられる雑器の多くは、この窯から運ばれます。鍋、行平《ゆきひら》、片口《かたくち》、擂鉢《すりばち》、土瓶、火鉢《ひばち》、水甕《みずかめ》、塩壺など様々のものを作ります。中で一番盛でもありましたよい仕事ぶりを見せたのは土瓶の類であります。山水や四君子《しくんし》の絵を好んで描きます。黒の線描《せんがき》に緑や飴《あめ》色を差します。一日に何百と描くその技の早さは見ものでさえあります。中に「窓絵《まどえ》」と呼ばれ、白い丸を窓のように胴につけこれに梅の花などを描いたものもあります」（柳宗悦『手仕事の日本』「関東」）。「益子の絵土瓶」は、他力思想の妙好人と関係があると、後に柳は書いている。「手仕事」の原型は、器用仕事である。陶器の作製は、土と水と火と空気の結合による錬金術的作業による祈りに似ている。そこでは、陶工たちのそれぞれの物質的想像力がかたちになる。

浜田の得意とするものこそ、「流掛《ながしかけ》」の手法である。流掛は、表焼きした素地の上から、柄杓や土瓶に入れた釉薬を流しながら掛けていくことで、微妙な絵柄のデザインを付着させる技法である。「六十年一瞬の大皿流掛け／下野益子」の浜田庄司は、「指に導かれて うごめき ひろがり／伸びあがり 波うち うねり つぼむ」（水尾比呂志の詩）の陶工だ。それをバシュラールは、「水は土に命令するはずである。それは**大地**の血なのだ。それは大地の生命だ。風景全体をおのれ自身の運命に向かって引いて行こうとするのは、水にほかならない」（『水と夢―物質の想像力についての試論』「第二章 深い水――眠っている水――死んだ水。」）と書いている。西洋のシンメトリー（左右対称）とは異なる不可能性が息づき、それはアシンメトリー（左右非対称）の偶発的な造形美として破形と間がかもし出される。「技巧的に考えたり、心に逡巡を生じては成功することの出来ない抽法」は、柳の「直観」の作法も関係づけられて解釈されるものであり、動的な自由さがもたらす芸術の可能性も、他力思想との関係から語ることができる。「浜田庄司の焼き物にはしばしば「唐黍紋《とうきび》」が繰返し描かれている。茶碗に皿に瓶に水差に、また鉢にも、何度同じこの唐黍紋が反復されて描かれたか分らないほどである」と言うのが、柳の浜田評であり、つづいて次のように書いている。

かかる美となる時、それは只の反復ではなく、描く一つ一つが新鮮な意味を現すに至ろう。故に反復し乍も反復がない。私は之を「即今紋」と言うが、それは「永遠の今」に活きる紋の謂となって、同一であって而も同一ではなく、何れにも活き活きした創造が見られるのである。かくて成り得てこそ、初めて一生涯「受用不尽」の紋に熟するのであって、決して只の反復ではなく、活きつつある生命の紋となり、不変化中の変化、又は変化中の不変化を示してくる。私は之を東洋的表現で「円境紋」と呼びたいのである。

（「浜田庄司の仕事」）

ここには、ハイデッガーの現象学である「同一性と差異」から構造主義を突き抜けようとするドゥルーズの運動性に力点を置いた「差異と反復」の哲学が敷衍《ふえん》されて語られている。差異は繰り返されることによって、未来性のなかで、同一性に至るのだ。

「柳を知って四十余年、いつでも驚くのは、美しいものに対するこの柳の眼の力だった。物差なしで直かに観た。はっきり自身の焦点をしぼった。（略）物を作る自分達にとっては、いつも柳の厳しい眼を想うことによって、どれほど仕事の間違いを少なくさせて貰ったか知れない」（『無盡藏』「柳宗悦の「眼」」）。浜田庄司の壷を砂糖入れにしていたのが、晩年の志賀直哉だ。志賀直哉の真の思いは、自分の骨壷を考えていた。関東大震災の直前に、我孫子から京都、奈良へと引越しをした志賀直哉は、やがて、熱海の大洞台《おおほらだい》から東京渋谷の常盤松の谷口吉郎設計の永住の地へ移り住む。葬儀は、簡素にとのことで、献花と孫の弾くピアノ演奏だけだった。祭壇には、志賀の写真と浜田庄司作の益子焼の壺があった。その砂糖壺は、「小説の神様」の骨壷に変化した。

戦後、毎日新聞社の文化使節として、浜田庄司と志賀直哉は、柳宗悦とともに、ヨーロッパを旅行している。随行には、画家の梅原龍三郎もくわわった。ロンドンでは、柳宗悦と浜田庄司の講演と実技が披露された。かつて、水を象徴する海辺にあるセントアイブスにいた浜田庄司は、関東大震災の報により、帰国の途に就かなければならなかった。渡航費用は、ロンドンでの個展を開いて得たものだった。

浜田庄司が水の元素のひとであるならば、河井寛次郎は、火の芸術家である。河井寛次郎の想像力は、内的な火と強い関係をもち、浜田庄司の作品には、「玉蜀黍《とうもろこし》」の紋様を釉薬で流す水のイメージとの結合が顕著に現れている。

「わたしが病気のとき、父はわたしの部屋で火をおこしたものだ。彼は焚付けの柴の上に薪を真直ぐに立て、薪でうまを組み、その間にひとにぎりの木屑を滑りこませることに細心の注意をはらった。(略)わたしが父から学んだ「火起しの術」は今でもわたしの自慢のひとつである」(『火の精神分析』)と書くバシュラールは、その冒頭で、「火は超——生命である。火は内的であり、かつ普遍的である。それはわれわれの心のうちに生きる。それは天空のうちに生きる。それは実体の内奥からたちのぼり、愛のように身を捧げる」（第一章　火と尊崇　プロメテウス・コンプレックス）と書いている。

河井寛次郎の著作に『火の誓い』がある。この本は、窯がたけなかった戦時中に書いたものをまとめたものだ。そのなかに「火の願い」という詩のアフォリズムがある。「開扉　焼けてかたまれ　火の願い」「もうもうと煙吐いている　火の祈禱」「閉門　何ものも清めて返す火の誓い」の詩句に象徴されるのは、陶工の物質的想像力である。水のなかで生れたものが、火のなかで完成する。河井も浜田も、ともに栽培的思考よりは野生の思考を駆使する。ふたりは、陶器における水と火の錬金術師であり、ブリコラージュの造物主であった。

柳宗悦は、宗教学の立場から、「神に打たれる心のさまを、宗教家は「火花」と呼んだ」と書いたが、木喰仏や円空仏を愛する河井の本性に、宗教性の「火花」を見つけたのも、柳であった。

河井の本性は著しく宗教的である。宗教的というより心霊的という方が更に適当なのかも知れぬ。私が信仰のことを話しする場合、河井より更によい聞手はない。すぐ反応してくれる。それが屢々《しばしば》素晴らしい受取方をしてくれるので、それから又私が教わることが多い。（略）河井は坊さんになっても、優れた仕事を見せるに違いないと、いつも思う。河井は読書家だが、信仰の書物が多い。

（「河井寛次郎の人と仕事」）

火の職人である河井寛次郎は、現代の文人陶工家としての顔がある。河井は、一九二一年、神田流逸荘で開催された日本で最初の「李朝陶磁展」に魅了された。李朝白磁の発見者である柳宗悦との出会いがもたらした「中国古陶磁」から「生活陶磁」への転換は、まさに「実用即美」にある。柳の発見した木喰仏と英国から帰った浜田の仲介もあって、河井の陶工としての精神の焰は、火のように燃えあがり、造型された。河井は、柳宗悦について、「美しいものしか見えない眼」「歩いたあとが道になる人」(「柳(宗悦)にささぐ」)と、同じ地平を歩むものとして、絶賛する。

河井寛次郎は、詩的な独白に随した衰弱した藝術の多い現代において、片々たる個我をつきぬけたところで、ひたすら自己の歌を歌い続けた真に個性的な土と火の詩人であった。
(乾由明《いぬいよしあき》「造型の詩人　河井寛次郎」)

乾由明によれば、交友のあった寿岳文章が、河井寛次郎の詩人としての姿を高く評価しており、種田山頭火や尾崎放哉を超える詩人に比すべきだと考えていたようである。
京都の国立博物館や三十三間堂、智積院や妙法院などのある大通りから清水寺の方面にむけてバスが走る。馬町という停留所で降り、細い路地を入っていくと、そこにあるのが、「河井寛次郎記念館」だ。ここには、かつて知られた清水六兵衛の登窯があった。河井は窯をゆずり受けると、自宅兼仕事場とし、思索の場とした。

河井の書いた『いのちの窓』は著名であるが、ヴィジュアルな入門編の『河井寛次郎の世界』(河井寛次郎記念館編)がある。記念館のなかをゆっくり歩いて見学しているひとたちがいる。奥の登窯にいく途中に、轆轤《ろくろ》をまわす仕事場の一角が見える。そこには、あの木喰の薬師如来像もあった。美しい陶器の河井の初期の作品群である小物が置かれていた。「柳の眼」は、これを模倣に過ぎないと断罪するかのように作用し、河井も自省するなかで、自らの作陶のかたちを見失いそうになっていた。素人の眼には、初期の中国銘器のデザインや彩色を模したと言われる作品群は、かたちもよく、美しいものだ。柳の民藝論は、古典主義ではない。

私たちは、酒田に降りることを怠らなかった。河井と二人である。昭和十年十一月四日昼。(略)国は北だから晩秋の風が身にしみた。しかし空は青々と、吾々の訪《おとず》れに味方してくれた。どこの細道も知り抜いている人力である。小路《こうじ》をぬって目指す町へと向った。だがある横丁を過ぎた時、はたと私たちの眼に映ったものがある。車を急に止めさせて降りた。軒の低い古家で、右の片隅に貧しい飾り棚を設け、硝子《ガラス》ごしに様々な彫《ほり》のある金具《かなぐ》が並べてある。どれも埃《ほこり》でぼんやりしている。だが幸にも私たちはこれを見逃さずにすんだ。これこそは私たちが前から求めていた船簞笥《ふなだんす》の金具をうつ鍛冶屋《かじや》ではないか。

（『柳宗悦　民藝紀行』「思い出す職人」）

棟方志功をいち早く評価したのは、梅原龍三郎だった。柳宗悦とともに河井寛次郎も、すぐに棟方の秘めた可能性に狂喜して、京都の自宅へと招いた。「河井先生のお宅では、朝、近所にいる若いお弟子さんたちが集まり、先生の仕事と生活の話や禅の講話を聞きました。先生はこの事々を普段のお話振りでつづけました。／一朝一話、多くは禅書『碧巌録』にある話を、わたくし達若い者に判りやすいように、話して下さるのでした」（『わだばゴッホになる』「河井先生の京都」）。柳宗悦も、先に書いたように、河井寛次郎の資質の中心に、宗教（仏教）性を置いている。

「京は五条坂　鐘渓窯の主人《ぬし》」である河井寛次郎は、「物を悦び　人を悦び／創る悦びを悦ぶ悦びの人」。「出雲から来た民族造形の神」（水尾比呂志の詩）の島根県の大工の棟梁の息子だった。

柳のアフォリズムは、宗教家の詩人であるが、河井のアフォリズムには、職人が詩人となった姿がある。わたしの家は、天台宗から臨済宗となった寺の檀家だが、『碧巌録』や『大工道具の歴史』などの父の本がわずかに残っている。お勝手には、木造の形の美しい恵比須様が神棚のようなところに置かれていて、母はいつもご飯と水と榊《さかき》を供えていた。職人の家では、家を建てるということにまつわる祭事として、神道と仏教や道教的な方位や間取りは必須なものである。

思いのほか、書や軸装を愛する柳は、河井寛次郎について、「河井に色々の優れた作品はあるが、全体として最も素晴らしい行績は、その陶硯に見られる。支那、朝鮮に見るべき作がないではないが、恐らく古往今来、河井ほど夥しく陶硯を作った陶工は絶対になく、又河井ほど名陶硯を沢山遺した人は、恐らく今後も出まいかとさえ思われる。陶工としての絶頂を、その陶硯に見ないわけにゆかぬ。それほど素晴らしいものがある。恐らく何十年かの後には重要美術品や国宝に指定されるものが出るであろう」(「河井寛次郎の人と仕事」)と書いている。この視点も、棟方の書と同様に、朝鮮の数の少ない陶硯類を探求した柳の際立ったものである。

柳は、棟方の作品を富岡鉄斎になぞらえて語り、河井の作品を青木木米になぞらえて語る。筆・紙・墨・硯の文房四宝については、その歴史は書道や日本画や水墨画の文化史と等価である。当然、民衆の陶磁器も、文化史を支える。民藝の仕事が意味するものは、多岐に及んでいる。民衆文化史とのかかわりも見逃すことはできない。しかし、いまだ棟方志功の「書」と河井寛次郎の「陶硯」の貴重さについて指摘するものは、柳以後は、少ないのだ。『蒐集物語』には、「行者の墨蹟」に書かれている寺で、「四大天王　大迦葉波　阿弥陀如来　不動如来　釈迦如来　金光明最勝王経　慈民菩薩　宝相如来　天鼓音如来　阿難陀　帝釈天」の大板に書かれた書を求める柳の姿がある。その返礼として柳は、「摩訶　真言　即身　成仏　宗悦」と揮毫した逸話がある。

浜田庄司や河井寛次郎の作品に、具体の作品を見る。河井の木彫は、日本の伝統を継承する部分である。木彫は、高村光太郎が、父光雲から最終的に引き継いだ伝統芸術である。河井寛次郎が土で原型を作り、仏師の松久武雄が木を彫り刻む。コラボレーションの方法は、現代美術や工藝のあり方にひとつの指針を提示した。

7　野生の思考と民藝

柳宗悦の世界には、いくつかの大きな視点がある。そのひとつは、柳宗悦の「野生の思考」である。植物学者や動物学者が、その分類と生態を研究するように、柳は、民衆的藝術を地域的に区分・分類し、言語（言葉）によって、その細部を記述した。その記述こそ、他の誰もが成しえない「具体の科学」であった。

たとえば、グラスやタンブラーや籠や織物は、その実用的価値が時間を超越するとき、すなわち時代や文明の異なるさまざまな人間に対してその機能を完全に果たすとき、完璧なものと見えるのである。製作の困難が完全に克服されると（たとえば製作が機械にゆだねられる場合）、用途はますますはっきりし、特定化され、工藝は工業美術となる。逆の場合、われわれはそれを民藝と呼ぶ。さらに、未開美術はプロ美術ないしアカデミックな美術とは正反対の位置にある。　（レヴィ・ストロース『野生の思考』「具体の科学」）

大地の土を捏ね、水とかかわりながら彩色をし、窯のなかの火で焼く。陶工の仕事は、四大元素をあつかう職人であり、仕事の原初的形態は、土地にあるあり合わせのものによる「ブリコラージュ」（器用仕事）である。器用人こそ、さまざまな製作に従事する陶工である。その手仕事は、民藝というひとつの開かれた秩序にある。それは植物の生態や動物の生態と比較した人間の社会学的アプローチに似た、大地と水と火と風による生活雑器の生態学である。

柳宗悦の民藝論の『工藝文化』とそのアルシーブ（蒐集）である『日本の手仕事』は文脈としてつながるものだ。景徳鎮を中心とする中国の焼き物から、新羅《しらぎ》、高麗《こうらい》、李朝の韓国の焼き物、そして朝鮮出兵以前の焼き物とそれ以後の日本の焼き物の生産地は、陶磁器としてどこにも中心となる場所がない。四大元素による造形美術としての生活雑器の点のような生産だけがある。この風景は、どこにも中心がない禅や浄土教で象徴される大乗仏教と相似的な姿を写している。それぞれの風土に根ざした中国、韓国、そして日本の陶器の歴史とそこに根付いた仏教の歴史は、わたしたちの生活と密接な関係がある。

柳宗悦とその活動である民藝の運動には、これまで論じてきた河井寛次郎、浜田庄司、棟方志功、芹沢銈介と富本憲吉やバーナード・リーチ、浅川伯教・巧兄弟などと関係した多くの言説がある。しかし、それらにたいする反言説も、日本の文化にとっては、非常に大切なものである。柳宗悦と距離を置いた富本憲吉、青山二郎、北大路魯山人にも、一定のファンがいる。民藝運動の初期にいっしょだった青山二郎も、当初から白磁、染付、色絵に独特の意匠と造型を見せた富本憲吉も、やがて独自の道を開いていった。青山二郎は「青山学院」と称して、骨董談義を中心に、河上徹太郎、小林秀雄、白洲正子などを周囲に集め、日本の文化を生きていると豪語し、骨董の世界を生きた。富本憲吉は、端正な草の紋様の焼き物で文化勲章を受章する。その他、柳宗悦のもとで、浜田庄司と棟方志功が文化勲章を受章した。人間国宝の芹沢銈介は、柳門下の最終ランナーであった。

わたしたちが今日読む柳宗悦に関するユニークな文章が、「書をよくし、篆刻が巧であり、絵も描き、焼きものも造った。（略）料理の名手でもあった」北大路魯山人の、「柳宗悦氏の民藝論をひやかすの記」や、「柳宗悦氏の筆蹟を通じその人を見る」など「星岡《ほしがおか》」に書かれた文章である。苦難の幼少年期を過し、「昭和の光悦」といわれた魯山人は、東京に出てくると、日下部鳴鶴や巖谷一六やその門下の書家に満足せずに、岡本太郎の祖父であり、岡本一平の父である岡本可亭に弟子入りをした。朝鮮から上海を巡り、上海では書家で篆刻家の呉昌碩に会っている。「染付詩文花器」の文字は、書家としての魯山人が、焼き物の上に書ける当時最高の文字であると言われた。魯山人には、北山文化と東山文化を統合した安土桃山期の失われた貴族階級への思いが本歌としてあった。

「星岡茶寮」が開設されたのは、「民藝」という新語が相談された年である。「日本民藝美術館設立趣意書」が出されたのは、魯山人が北鎌倉の山崎に登窯「星岡窯《せいこうよう》」を建てた年である。民藝運動がさかんになり、その活動が活発化するとともに、全国で古窯跡の発掘と調査がおこなわれた大正から昭和にかけての時代である。魯山人は、その性格から梅原龍三郎や小林秀雄なども険悪な関係になった。「古法帖」を師とし、書を造型鑑賞の基本とする魯山人の元には、美濃で「古志野」の破片を発見した荒川豊造やイサム・ノグチ、岡本太郎などがいるが、民藝論者や伝統的な茶道界と摩擦を起こすこともあった。しかし、魯山人の作品は、桃山期の志野や織部や黄瀬戸などの古陶の写しもの（ミメーシス）であり、そこには引用と模倣の才が同居していた。

アルカイック美術、未開美術、および初期段階のプロ美術だけが古くさくならないのは、偶然事を生かして製作に役立てるからである。すなわち、与えられた生のものを意味づけの経験的材料として完全に使おうとするからである。

（『野生の思考』「具体の科学」）

民藝によったひとびとは、一般的に世界にも認められる日本の具体の「もの」づくりのひとたちによって担われていた。例えば、保田與重郎も戦前に民藝のひとたちと一緒に沖縄を旅行している。保田の晩年には、河井寛次郎の個展に出かけ、横光利一とも会っている。富山に疎開していた棟方の家には、二回ほど泊まった。小林秀雄と「人間の建設」の対談をした岡潔とは、奈良から高野山にも旅行している。一九七九年になると、保田は奈良の猿沢池畔で、戦後、はじめて小林秀雄に会った。わたしたちは、ここで、大岡信の『保田與重郎ノート』や小林秀雄の『本居宣長』について考える。さらには、逆に高橋英夫の『花田清輝』についても考える。これらに共通しているのは、イデオロギーでものを見たり、ものを判断したりしないことだ。横光利一の「梅瓶」は、ナショナリズムの象徴ではなく、すぐれた陶磁器の象徴である。そこに、判断停止されたものそれ自身である「民藝」の現象が具体として見えてくるのである。柳宗悦の思想と行動には、ナショナリズムに偏向する姿は微塵もない。そこに、柳宗悦の教養の広さと深さがあるように思える。

野生の思考の特性はその非時間性にある。それは世界を同時に共時的通時的全体として把握しようとする。野生の思考の世界認識は、向き合った壁面に取りつけられ、厳密に平行ではないが互いに他を写す（そして間にある空間に置かれた物体をも写す）幾枚かの鏡に写った部屋の認識に似ている。多数の像が同時に形成されるが、その像はどれ一つとして厳密に同じものはない。したがって像の一つ一つがもたらすのは装飾や家具の部分的認識に過ぎないのだが、それらを集めると、全体はいくつかの不変の属性で特色づけられ、真実を表現するものとなる。野生の思考は、imagines mundi（世界図――複数）を用いて自分の知識を深めるのである。

（『野生の思考』「歴史と弁証法」）

ここに書かれている「野生の思考」とは、「日本民藝館」の「具体」の「日本民藝地図」や「民藝樹」のことではないだろうか。さらに、わたしたちが柳の特徴として考えることができるものが、柳の「物質的想像力」といってよい視点である。「野生の思考」と「物質的想像力」は、民藝の根本思想である民衆的芸術にとって、その基盤となるものに通底する。大地と水と火と空気の四大元素による大自然に、生命体としての人類が誕生して以来、その生活の全般にわたる活動の総体は、物質的な文明軸と精神的な文化軸となって、歴史を累々と築いてきた。歴史を本当に担っているものは、当然一部の記述された歴史ではない。歴史のターニング・ポイントには、いつでもそうした固有名の人物が登場する。しかし、歴史全体を担ってすすめているのは、名もなき大衆のひとりひとりである。名もない民衆による活動の成果の一端が、民藝の水平軸であり、民衆的芸術である。

柳田国男も柳宗悦もよく歩き、よく旅をした。柳宗悦の野生の思考が、物質的想像力と融合するところに、民藝の世界がある。そこに、近世の民藝と古代のプリミティヴな縄文土器や朝鮮半島の民画との境界を超える結合による拡張があった。河井寛次郎の「火」と浜田庄司の「水」、棟方志功の「大地」と芹沢銈介の「風」によって、土と水が、さらには火と風が融合する四大元素は、民藝となって羽ばたくのだ。さらには、富本憲吉の「植物性（フローラ）」と魯山人の「模倣（ミメーシス）」をくわえたブリコラージュ（器用仕事）こそ、多様な生活雑器の美とかたちに通ずる。「リモージュは、ルノアールの故郷である。七宝も陶器も、彼には子供の時から親しい工藝であった」と、小林秀雄は『近代絵画』のなかで、ルノアールの芸術が宗教の贈物である職人（アルティザン）の手織（メチエ）に価値の回復を考えたと指摘する。期せずして、水尾比呂志による『現代日本の陶藝』の「用《はたらき》の美の巨匠」は、民藝の河井寛次郎と浜田庄司とバーナード・リーチ、そして富本憲吉と魯山人を同列に編集している。

なぜ衣川の漆器が手堅いか。それは単に素地《そじ》の乾燥がいいとか、塗が丁寧だとか、材料がいいからとかいうことだけではない。想うに村の人々の暮しに誠実なものがあるからである。最も大きな力となっているのはおそらく「かくし念仏」の行《ぎょう》であろう。この念仏宗は今は東本願寺の系統に属しているが、別に僧侶を設けない。文字が示す通り一種の秘密宗派であるが、篤心な念仏行者の集団である。（『柳宗悦　民藝紀行』「陸中雑記」）

柳宗悦が若き日より関心があったのが、宗教学である。民藝のエートスとなる仏教美学の思想が、創案される。そこには、「直観」する「心身」が「言葉」と「眼」で対象とする「物」（造形藝術＝民藝）の姿が織りなす美がある。「直観」とは、「直下《じきげ》」に見ることであった。「直観」と「他力」の力動的な解釈による探訪がある。「見るということは具体界に関わり、知るということは抽象界に繫がる」（「見ること」と「知ること」）と柳が書くように、「見る」事を先にせよと言うのである。

それで物の美を見るには、「見」を先にして、「知」を後にするのが緊要である。これが逆になると、美しさは見えなくなる。なぜなら、知識は分析的で、直観の綜合性《そうごうせい》を生まない。（略）見は知に転ずるが、知は見に転ぜぬ。

（『柳宗悦茶道論集』「茶人の資格」）

「物」と「言葉」を西洋の神秘主義思想を踏まえて東洋の宗教とつなげるのが否定神学である。そこに不二的世界が「聖なるもの」と「日本的霊性」を包摂する。ポッタリーは、ひとつの神話である。神話は、身近にある物語をつなげて作るブリコラージュである。美的な直観によるブリコラージュは、見るものと使うものとの一元化を図る。「ブリコラージュは、およそ土器や織物を人間がつくりはじめた新石器時代以来、今日の文明社会に至るまでのひとびとの間で依然として存在しつづけている人間活動の一形態である」と、中村雄二郎は『知の変貌』のなかで、構造的知性のために「ブリコラージュのすすめ」を書いている。柳の「もの」にたいする「見」ることと「使う」ことから、「野生の思考」の「ブリコラージュ」がつながる。「不断使い」や「自宅使い」によって、「平常の暮らし」と「質素な生活」とがむすびつく。

品物のよさは見るだけでも楽しめる。併し使うことによって、もっと楽しめる。否、よく使わずば、真に楽しめないとも云える。ここで使うと云うのは、日々の生活に美しい器物を取り容《い》れて、それと共に暮す謂《いい》である。生活と美とを結ぶ意味である。生活で美を味うと云っていい。
（「見るものと使うもの」）

柳の垂直性である宗教性がウィリアム・ブレイクの対立をそのまま受け入れる否定神学から影響を受けているのにたいして、柳の水平性としての活動の総体が、中世の工藝から「アーツ・アンド・クラフツ運動」へと展開したウィリアム・モリスの活動に比較される。同じように日本の地方文化に関心を寄せて、それにかかわる柳田国男も柳宗悦も、社会主義思想そのものにはいかなかった。モリスは、当時の社会の矛盾を社会主義というイデオロギーと自らのユートピアを重ねながら、造形芸術の市民化と商業化を図った。柳田国男は神道的世界とも通底する口承文学から時間をさかのぼるようにして「海上の道」を中心とする民俗の概念を打ち出す。柳宗悦は、四大元素を元に空間の詩学としての仏教美術へとむかいながら造型美術の思想を取り出した。

文明人の思考と異なる具体の論理である古代の思考や神話的思考は、近代が見失ったものに光を当てる民藝の思考に通じるものがある。そこには、自民族優越主義を超えた普遍的な「野生の思考」がある。「物質」の「物」は、民藝の「もの」であり、常数としての「モノ」である。「職人の功績」「実用と美」「健康の美」といった柳宗悦の思考が、期せずして、民族学で論ぜられた文明人と野生人をつなぐ構造主義的な回路をもっていると理解できる。

第二章

妙好人という存在へ――木喰仏、色紙和讃

1　木喰仏への旅

柳宗悦には、『蒐集物語』（一九五六年）という名著がある。

そのなかに、「木喰上人発見の縁起」と「木喰上人遺跡佐渡調査の思い出」の文章がある。それは、まことにドラマチックで、読者を興奮の坩堝《るつぼ》に投げ込む読後感がある。そこに繰りひろげられるのは、ひとりの無名の遊行僧がなした造仏と全国廻国の旅であった。

その出会いと発見は、一九二四年の一月、若き柳宗悦、三十五歳の時であった。

柳が小宮山清三宅の庫《くら》のまえで偶然に眼にとめたのが、「地蔵菩薩像」と「無量寿如来像」である。座敷にはいると、「南無大師像」の木彫りの仏像も安置されている。これらの「もの」は、不思議な具象の木彫像であった。そのとき、柳の対象の美を直接に感じとる直観が、脳裏をすばやく過《よ》ぎった。

小宮山氏の家にあった地蔵菩薩像は、すぐ柳宗悦の手元に送り届けられた。のちに「最も鮮やかに彼の微笑の心境を表現するもの」（「挿絵小註」）と書かれた木彫による微笑仏《みしょうぶつ》である。「地蔵菩薩像」は、現在、日本民藝館に所蔵されている。『芸術新潮』では、後に単行本となった「日本民藝館へいこう」の特集が組まれた。「あかるいもの　日本」「のどかなもの　李朝」「はるかなもの　中国と西洋」（「古道具屋・坂田和實の選択」）が、印象深い。そして、「ほこほことした笑顔が柳をとりこにした」と言われる「地蔵菩薩像」（享和元年〈一八〇一〉・木彫・高七〇㎝）は、ときおり民藝館を訪問する客のために、正面の一階から二階の踊り場に、開陳されることがある。

弘法大師像の「南無大師像」は、ながいあいだ山梨の政治家の家にあった。現在は、山梨県立博物館の所蔵である。

三体の仏像は、朝鮮陶磁器の関係者として柳の前に登場する浅川伯教が、当時、山梨県下に出回っていた木彫りの仏像の価値を認め、朝鮮陶磁器の収集家であった小宮山氏に購入することを強く勧めたものである。

意外に思うかもしれないが、小宮山氏と浅川兄弟は、ともに、日本基督教団甲府教会の所属である。柳宗悦の木喰上人発見の縁起に立ち会ったひとびとが、キリスト教徒であることに、不思議な因縁を感ずるかも知れない。また、そうした出会いによる短期間での仕事の成就が、柳宗悦の若さのなかでなされたことは、驚きに値するものだ。柳の木喰研究の期間は、わずか二年余りの短い期間であるだけでなく、三十代の半ばという時間軸にあり、一般的にはまだ多くの人生の苦難を経験できたとは言えない年齢であった。

僧籍にある友人・知己《ちき》を多くもっていた柳の朝鮮陶磁器や木工、民画の観照から木喰仏の発見に至るひとととの交流に見えてくるものは、心理学から宗教哲学へと転換しつつ、神秘主義的な宗教性にはいった柳とキリスト者との共感と言ってもよい。そこにあるものは、宗教者の共生共苦を基層とするつながりであろうか。このことは、日本近代の要因である朝鮮問題とキリスト教に触れることなど、多くを考えさせるものがある。

木喰仏の発見とその偶然の出会いは、柳の「もの」をみる直観と眼によるが、こうした「ひと」とのつながりとともにもたらされたものだ。直観による対象への包括的で、不二的な把握をささえる柳の審美の眼がそこにあった。民藝運動に収斂《しゅうれん》される「もの」と「ひと」との多様な出会いによる蒐集物語は、あらたに浜田庄司や河井寛次郎などの民藝の創作家とかかわりながら、「こころ」の深まりに接続された柳の批評眼となって、次から次へと対象の「テーマ」を準備していた。

柳の晩年にまとめられた『蒐集物語』を、ゆっくりと読んでみよう。

『蒐集物語』(『中公文庫』)は、晩年にまとめられた民藝の『丹波の古陶』『民藝四十年』『船簞笥』のなかでも、『民藝四十年』とともに人口に膾炙《かいしゃ》して、よく読まれていた。柳が六十七歳のときに編集され、出版された。同時期には、『南無阿弥陀仏』(一九五五年)『心偈《こころうた》』(一九五九年)『美の浄土』(一九六〇年)『妙好人因幡の源左《げんざ》』(一九六〇年)『法と美』(一九六一年)がある。

さて、読者は、「色紙和讃に就いて」から「行者の墨蹟」「丹波焼の蒐集」「京都の朝市」、そして「那覇の古着市」と読んでくる。

すると、次に出会うのが、「木喰上人」との出会いである。柳のロマン主義的な語りの息遣いにこそ、感動的な出会いの縁起は、物語られる。

それは大正十三年の正月九日のことでした。私は思いついたまま甲州への旅に出ました。一つは小宮山清三氏の所に朝鮮の陶磁器を見に行くためでした。一つは八ヶ岳や駒ヶ岳の冬の自然が見たく、日野春あたりを散策したいのが望みでした。また甲州で何か郷土的作品を購いたいと欲していたのです。この旅に私を誘ってくれたのは私の畏友浅川巧君でした。

（『蒐集物語』「木喰上人発見の縁起」二）

東京の街は、前年の九月一日の関東大震災によって、大きな混乱のなかにあった。柳の高樹町の自宅は、震災の影響をそれほど受けなかったが、実兄の悦多が千葉で亡くなっている。その後、遺族への経済的な配慮を終え、柳は京都へと生活の場を移す。すでに、恩師の鈴木大拙は、京都の真宗大谷大学で教鞭をとっていた。

その前年のことである。「お前のお母さんは、お前が私に非常に似ていたと幾度か云っている」（「亡き宗法に」）という、三男宗法を出生とともに亡くしている。宗教論集『神に就いて』は、「亡き宗法に」と捧げられていた。さらに遡る二年前、「妹の死」を経験する。「逝くものは黙する、だが残る者はその魂に向って叫んでいる。死す者の血は冷かになるとも、弔うものの心によってそれが温められる」（「死とその悲しみに就いて」）と、妹の千枝子を京城で亡くしている。柳の心中を察するとき、「白樺」の同人の有島武郎の『小さき者へ』を彷彿とさせる生活と信仰にたいする思索が、柳のなかで深まっていたかも知れない。

わずかに、二歳という早い時期に父を亡くした。生後間もない息子を失ない、信頼していた利発な妹と死別した。そこには、息子や妹の死が直接的経験となり、幼いころに逝去した父親に投影され放下するものが、柳の内部に流出する宗教精神として顕現して働くとも考えられる。

柳宗悦にとって、キリスト教的感性を経て、日本仏教への関心と理解が共時的に深まっていたと言っていい。そうした精神的なバックボーンのもとに、木喰仏を発見する研究と旅は、柳の無意識に仏教的な感応力を応じさせた。

日本廻国から帰郷した上人の丸畑には、わずかな造仏と遺品が残されていた。


上人の故郷といわれる丸畑は、富士川の下七、八里の所にあるのです。鰍沢において私は一行と別れ、ただ一人夕ぐれの流れに沿うて道を下りました。その夜は飯富に宿ったのです。六月十一日、運命はついに私の足を上人の故郷丸畑へ入らせました。波高島で舟を捨て下部に入り、そこで幸に案内を得、二里余り常葉川を遡りました。暑い午後の光りに山路を縫うて歩む私達は汗にひたりました。

（『蒐集物語』「木喰上人発見の縁起」三）


上人が廻国を決心するのは、神奈川県の大山《おおやま》である。

伊勢原市から大山の中腹にある阿夫利《あぶり》神社には、いまはバスとケーブルカーで登ることができる。

　大山は、修験道の聖地として特異な山である。海と山のあいだに生きる日本人にとっての民俗的な心性が、そこに見てとれる。秩父や坂東の巡礼のある関東地方には、幾重にも巡礼路がはしる。そのなかで、江戸からも、武州の各地方からも、講衆たちが大山参りの旅路におもむいた。近世の巡礼には、大山参りから弁才天を祀る江ノ島へとむかう旅人たちがあり、その憩う姿は、浮世絵のなかの風景である。

　現在の大山は、山の中腹にある大山阿夫利神社が、中心である。そこから頂上に登ったり、下ったりする。しかし、明治以前ここにあった本堂は、ケーブルカーを降りた途中の崖腹の狭い場所に鎮座している。回り道をしたり、階段を登ったりして、本堂にはいっていくと、奥にある国宝の不動明王が霊力をはなっている。黒光りした不動明王だけが、奥座敷で異様な姿を見せていた。ようやくにして、参拝者たちは本尊を拝むことができるのだ。

　江戸時代までは、神社は石尊大権現《せきそんだいごんげん》として、山頂の奥の院に祀られていた。さらには、寺の本堂は、真言宗系の雨降山を山号とする大山寺《たいさんじ》という別当寺であり、現在の神社の境内にあった。江戸時代から明治の初め、日本の「神々」と「ほとけたち」を取り巻く風景には変化がある。バスもケーブルカーもない時代であった。麓の街から徒歩で登るだけである。ここには、現在のわたしたちが詳細を知ることのできない、宗教的風景の移動がある。

　木喰上人の廻国出発への決心は、大山の頂上にある奥の院だった。

故郷を出奔した木喰上人は、迷える青春前期を過したらしい。大山に詣でる前後に、宿泊地である街で、古義真言宗の僧侶と出会う。十四歳で故郷を出で立ち、さまざまな苦難にまみえた人生を振り返るように、このとき、青年は仏門にはいることを決定した。

四十五歳で、常陸国の羅漢寺の住職・木喰観海上人から木食戒を受け、木喰僧として生きる。真言系や浄土系の僧侶が多く関与したと言われる木食戒とは、「肉食せず、火食せず、即ち火によって料理せるものを断ち、五穀を食さず、塩味を取らず只蕎麦麦粉に水を交えて常食となした」(「丹波に於ける木喰仏」)と言われた。木喰は、穀類の食を断つ、厳しい戒律のもとに生きる僧形となったのである。柳によれば、甲州にも、「観正」という木喰がいた。上人が四年間留錫《るしゃく》した佐渡には、弟子の木喰「丹海」(両尾木喰《もろおもくじき》)の存在がある。

木喰上人(甲斐木喰《かいもくじき》)が生きた時代は、享保から文化・文政の江戸の時代であった。


もう夕ぐれは近づいて来ました。私は文書を得る望みを棄てて山を降りようとしたのです。しかしもう一度と思って上人の筆になる書類がないかを繰返して尋ねました。その時一人の若い農夫が、手に古びた紙片を齎《もた》らして、これに書いてある筈だがと言って私に手渡ししました。私は薄あかりの中に紙を近よせて文字を辿ったのです。「クワンライコノ木喰五行菩薩事ハ」と書き起された文句、それに奥書の自署花押、それが上人自筆の稿本であり、且つ自叙伝であるということは疑う余地がないのです。

（『蒐集物語』「木喰上人発見の縁起」三）

こうして、大山という修験道の地から出発した木喰上人の日本廻国の旅を確かめるように、柳は木喰仏発見の旅に出立した。

当時の柳の身体は、若さによる情熱とともに、気力も充実していた。旅の準備と移動の時間、木喰仏の発見と調査・研究の成果と落胆も、帰りの車中のことであった。柳の感得した木喰上人の発見と研究から得られたものは、日本的な仏教の深まりの精緻な自省を含むものと言っていいだろう。木喰上人の発見と研究を反映した思索は、日本仏教に関する知識や思惟となって、後の柳宗悦の思索と活動に生きてくる。

2　我孫子にて

千葉県の我孫子にある志賀直哉邸跡のちかくに、「白樺文学館」がある。

そこには、雑誌「白樺」（一九一〇年から一九二三年の八月号・全百六十冊）の全号がそろっている。『白樺派の文人たちと手賀沼』（山本鉱太郎著）では、手賀沼から見た「白樺」の若き日の柳たちの交友が甦る。西洋美術を専攻する柳の次男宗玄と志賀の四女萬亀子の結婚によって、後に縁戚関係となる志賀直哉には、民藝と木喰仏を統合する柳の持続する直観が予想できた。志賀直哉が、柳の初期の活動に見たのは、ウィリアム・ブレイクから木喰上人へと流れる道筋と、李朝の陶磁器から木喰上人へと流れる道筋が、ひとつになる合流点である。

木喰上人の研究は、民藝運動の創設とそれを担う柳の友人との関係をさらにおしすすめていた。式場隆三郎と東京の青山二郎が、柳の蒐集と調査の支援をする。

青山二郎は、木喰仏発見以前から柳のちかくにいた。『日本民藝美術館設立趣意書』では、諸般事務として、麻布一ノ橋の青山二郎の名前がある。趣意書の表紙は、青山所蔵の「伊万里染付猪口」で飾られた。「李朝の染付陶器の価値を認めたのは柳宗悦氏の力で、李朝自身は勿論柳宗悦氏以前にはこれ程しっかりと認められてはゐなかった」（「朝鮮民族工藝概観」）。「先づ支那に入門するべし」（「朝鮮考」）と青山二郎が語る李朝の陶磁器である。

越後では、「木喰仏通信」の小宮山清三と吉田正太郎による事前の調査があった。京都の木喰仏の展示会を契機に、各地から情報が届くと、木喰仏の存在は、さらにひろがりを見せていた。柳は、京都滞在からはじまる天神さんや弘法さんの朝市による「下手物《げてもの》」へと志向をひろげるが、木喰発見による研究と調査以後、それらとの統合をはかる経験にむけた活動にいそしむ。

多くの関係者が語るように、浜田庄司の帰国による柳宗悦と河井寛次郎との関係の修復も、木喰仏とのかかわりのなかでなされた。さらには、民衆的工藝から民藝への命名も、木喰仏を探すための旅の途上での出来事である。紀州の旅を経て、丹波への柳の旅の同行者は、河井寛次郎、浅川巧、岡本恒一、柳兼子であった。
現在、河井寛次郎記念館には、十一面観音像と玉津嶋大明神《たまつしまだいみょうじん》の二体の木喰仏がある。この大明神は、形の整った艶《つや》のある美形な容貌をもつ木喰仏である。同時期に作仏されたものには、松尾大権現と和歌三神の人麿《ひとまろ》大明神、そして山邊赤人《やまべのあかひと》尊がある。柳の晩年には、木喰から円空への関心のひろがりがあった。河井寛次郎は、木喰仏だけでなく小ぶりの円空仏も所有している。

残してある二冊の「御宿帳《おんやどちょう》」を見ますと、それには日々の日付けと地名と宿りし家とを隈なく記してありますが、その中に日付のとんでいる箇所があり、また「何日より何日迄」と滞在の日を数えている場合があり、また「何日たつ」と短く記してある個所があるのです。私はこれによって日付のない期間を滞留期と見做し、その期間の長い場所には、必ずや遺作がなければならぬと判断したのです。
（「木喰上人発見の縁起」四）

下野《しもつけ》の栃窪、佐渡、遠州の狩宿、九州の日向へと、柳の木喰仏発見と調査の旅はつづく。長州と四国への旅は、研究を発表しつつ、資料の提供をもとめる呼びかけがなされた。日向の国分寺では、武者小路実篤と「美しき村」の仲間たちが、「五智如来」の所在を知らせてくれた。武者小路実篤も志賀直哉も、我孫子の地に生活し、湖畔に舟を浮かべる交友があった。

ふたりが所有した木喰仏は、薬師如来像である。

手賀沼ちかくの道を歩くと、山とも丘とも見える小高いところに、柳の妻兼子の母方の嘉納治五郎の菜園が見える。母の勝子は、嘉納治五郎の姉であった。

嘉納の別荘の隣の新居で、新婚時代の柳は、細川護立が会計を務める雑誌「白樺」に寄稿した『キリアム・ブレーク』(一九一四年)を春陽堂から上梓する。宗教哲学に関する論考も、この時期に多く書かれた。『宗教とその真理』(一九一九年)『宗教的奇蹟』(一九二一年)『宗教の理解』(一九二二年)『神に就《つ》いて』(一九二三年)にまとめられる宗教論の論考である。

当時の柳にあっては、こうした宗教に関する「こころ」の現象へと関心を示すいっぽうで、後に民藝運動ともつながる「もの」としての朝鮮陶磁器も、『陶磁器の美』(一九二二年)にまとめるなど、強い関心事であった。

柳の邸内に窯を築いたバーナード・リーチや浅川兄弟や浜田庄司などの「ひと」との交流が、我孫子の高台の柳宅を中心に繰りひろげられていく。

浅川伯教は、横浜経由でパリからやってきたロダンの三つの彫像を縁として、「朝鮮李朝」の伝説の陶器をもたらした。

浜田庄司は、青山二郎が初期に注目した陶工だ。バーナード・リーチは幼年期を日本で過ごし、高村光太郎の紹介でロンドンから再び日本へやってくると、一度は中国に赴いたが、柳のすすめで北京経由で再来日していた。そのリーチの窯場を縁として、浜田は柳宅を訪問した。

浅川伯教の出会いからは、弟の巧との出会いがもたらされる。朝鮮慶州の仏国寺や石窟庵から海印寺への訪問以来、「朝鮮人を想う」「朝鮮民族美術館展覧会」「失はれんとする一朝鮮建築のために」「李朝陶磁器展」、そして木喰仏発見前夜の「朝鮮民族美術館の設立趣意書と開設」（一九一九年から一九二四年）など、柳の活動は、木喰仏を機縁として、日本仏教、特に近世の仏教と、朝鮮の実情や李朝陶磁器への関心を示すことになる。

朝鮮忠清南道、鶏龍山古窯跡にて。右から浅川伯教、柳宗悦、浅川巧。1928 年　（日本民藝館蔵）

柳の書くものには、発見と感動がある。現象するものにたいする書くという書記行為には、日本的仏教に非常な親和力を見せていることが特徴だ。現象学的な日本の「もの（木喰仏）」にたいする志向性は、像立する詩的なポエジー（仏教的感性の書字による意味の深み）によって可能であった。純粋直観による柳の内部で、日本仏教の「もの」へと志向する確かな転換があった。

木喰上人が木食戒を受けたころ、

父親の六兵衛（伊藤姓）も半年間の西国巡礼と四国遍路に出かけている。

今、柳も四国にいた。

もはや夕ぐれに近づいている。私達は又もとの山路を奥へと辿った。暗き松の樹立を過ぎれば、ネーブルの林である。暖国のことなれば丘の斜面を利して日光に浴させてある。その辺は光明と呼ばれる部落。まもなく緑の葉を越えて苔に青い瓦が見えた。形からして明かに目指す庵である。破れはてた壁に沿うて入口に到ろうとした時、庭の奥に祠が見えた。そうしてその中に立木の像がかすかに見える。「木喰さんだ！」私は思わず叫んだ。

（『木喰上人』「四国中之庄木喰仏」）

「木喰の　けさや衣は　やぶれても　まだ本願は　やぶれざりけり」。上人の廻国の旅は、和歌の旅でもあった。旅路の姿は、いくつもの歌に寄せられている。「木喰の　おもかけ見れば　なむあみだ　くるも　もどるも　なむあみだ佛」。木喰というひとりの菩薩（造仏聖）が、無明《むみょう》のなかにひかる一点の光明として発見された。「かたみとも　思ふ心の　ふでのあと　心にかけよ　堪忍の二字」。歴史に隠れた無名の僧侶の生涯と強い誓願が、明るさのなかに取り出される。「東西に　ほどこす内に　ふく北る　神も仏も　南なりけり」。大乗仏教徒の誓願と本願は、「衆生無辺誓願度、煩悩《ぼんのう》無尽《じん》誓願断、法門無量誓願学（知）、仏道無上誓願成《じょう》」（「四弘誓願」）である。大乗の僧となり、大乗の僧として生きる、総願の道しるべがある。しかし、本願の成就は、長くて遠い道のりであった。「木喰も　めいどのたびに　つれもなし　もどりてみれば　とふば一本」。「木喰も いづくのはての 行きだおれ　いぬか　からすの　ゑじきなりけり」（『木喰上人』「上人の和歌」）。そこに、ひとり巡錫《じゅんしゃく》の道中を歩む、晩年の木喰上人の覚悟が、歌による誓願の明るさのなかに見えてくる。

3　恩師・鈴木大拙との関係

鈴木大拙の代表作『日本的霊性』からふたつの線がはしる。ひとつは、法然浄土教への理解であり、もうひとつは赤尾の道宗《どうしゅう》や浅原才市の妙好人への視点である。この『日本的霊性』から「聖なるもの」をたどる柳の影響がある。『南無阿弥陀仏』と『妙好人論集』に収録される、諸論文とエッセイの集積体である。

柳宗悦が発見・調査した木喰上人と、それに影響を受けた師の鈴木大拙が見い出し、やがて柳が引き継いで調査と研究を重ねる妙好人とは、どのように関係するのだろうか。ふたりは、浄土教からの究極の接線と、禅からの究極な接線が合流するところに、一遍上人の宗教的深層を見ている。さらには、真宗から生まれた信仰的常民としての純正の信仰者を妙好人の存在に見てもいる。浄土教と禅思想を場所論的な限界点までちかづける一遍上人の思想と行動は、妙好人の他力を内実化する本願として見ることができるのだ。

金沢に生まれた鈴木大拙は、故郷の友人西田幾多郎とともに、若いときから参禅し、禅の世界にはいっていた。戦争のはじまるころになると、浄土教への志向性も強めている。ふたりの書くものには、思想的な接近と友情（竹村牧男著『西田幾多郎と鈴木大拙――その魂の交流に聴く』）がすけて見える。大拙は、学習院から京都の真宗大谷大学へと移った。禅とともに、浄土真宗の「還相回向《げんそうえこう》」や「横超《おうちょう》」に隣接した思索の縁にはいってくる。「称ふれば仏も我もなかりけり　南無阿弥陀仏　南無阿弥陀仏」と、不二思想を体現する一遍上人の世界に、心身ともに悟入《ごにゅう》し、さらには、次のようにも語る。「真言系の思想には、法身説法の説、即身即仏の説などがあって、余程真宗的浄土系思想に近よって居る」（『日本的霊性』第二篇「日本的霊性の顕現」）。ここには、鈴木大拙の「臨済の真人」（禅）から「親鸞一人」（浄土教）へと、形而上学的な思索がつながっている。

柳は早くに父を亡くしたのだが、それは、師と仰ぐ鈴木大拙も同じであった。晩年まで、大拙の秘書をしていた岡村美穂子によると、大拙と宗悦の関係は、普通の父と子でもなかなかできないような父子相愛の師弟関係であったらしい。

柳がわずか二歳のときに亡くなった父楢悦《ならよし》は、津藩の藤堂家に仕える和算家であった。楢悦は、明治政府のなかで海洋測量学者・軍人として立身出世をはかるが、その後背地には、佐幕派的要素が伏在している。

柳は、近代における江戸時代の見直しを考える。「私は徳川時代の仏教を想う者の一人である」。この文章が書かれたのは、昭和八年（一九三三）のことである。

鎌倉松ヶ岡文庫にて師と仰いだ鈴木大拙（左から２人目）と柳（左端）。1951年　（日本民藝館蔵）

人はその時代の鎖国の風を呪《のろ》うが、これによって日本が模倣の桎梏《しっこく》から脱《のが》れたことも知らねばなるまい。日本の花はこの時期に咲き乱れている。文学における近松や西鶴や芭蕉や、青丹《あおに》における光悦や宗達《そうたつ》や、私たちはそこに日本の日本を見るではないか。工藝といえば天平や藤原を想うかもしれぬが、それはまだ支那や朝鮮の羈絆《きはん》から脱し得たものではない。まして一般の器物にまで日本の美が開かれていたのではない。諸々の工藝が純日本のものとして鬱然《うつぜん》と起ったのは徳川時代においてである。民器に如何《いか》に見るべきものが多いかを人はいつか悟るであろう。工藝の一般化を想いみれば、私達は徳川時代を第一に押さねばならぬ。

（『柳宗悦　妙好人論集』「徳川時代の仏教を想う」）

柳が木喰仏の研究にいそしみ、ヨーロッパやアメリカの見聞と滞在を経て、ますます民藝運動の本格的な活動がはじまるころ、「工藝」という言葉に象徴される時代は、日本が西欧社会を先進モデルとしていた近代そのもののなかにあって、木喰仏の存在＝工藝の時代であると考えたことに特色がある。柳の「民藝樹」の形成は、「工藝」の出版がひとつの根幹だった。

そこには、「近代以前のもので現代に生きているもの」への自省と批評的な着眼がある。柳は、江戸の時代と文化にその思考の触手をのばし、近世社会の生活と「もの」への直観的美論によって、具体的で実証的な視点から思索する。ここには、「日本民藝美術館設立趣意書」以後、柳の欧米滞在の影響からその後に発刊された、総合的な「工藝」（一九三一年から一九五一年・全百二十冊）に集約する民藝運動への導線がある。芹沢銈介や棟方志功をはじめ、柳に賛同する工人達による美意識が、加味されたのだ。

戦後、柳は、「私は明治の子である。その半ばに生れた者である」（「仏教に帰る」）と書いた。まず、志賀直哉の『暗夜行路』や美術論に見るように、「白樺」の西洋志向から東洋志向への転換がある。同時に、キリスト教から神秘思想へ、エックハルトから鈴木大拙へいたる宗教思想へのさらなる転回がある。

戦時中から戦後の時代になると、柳は鈴木大拙から寄贈された『浄土系思想論』『禅思想史研究・第一——盤珪禅《ばんけいぜん》』『日本的霊性』や『金剛般若経』の解釈を深く読み込んでいた。そこには、『金剛経』の「即非《そくひ》の論理」から「応無所住而生其心《おうむしょじゅうにしょうごしん》」（「応に住する所無くして、其の心を生ずべし」）への禅の解釈が、戦後の「もの」を書く柳の引用のスタイルに深く投影している。鈴木大拙には、禅の経験と仏教研究や『老子』や『大乗起信論』などの翻訳による学問の架橋が見られるが、晩年になると、浄土思想に接近する姿がある。

いっぽう、「私は思想上、君に負う所が多い」と大拙について書く哲学者の西田幾多郎（一八七〇—一九四五）は、『善の研究』以来、哲学に宗教を架橋しようとする。晩年になると、「人間は神の絶対的自己否定から成立するのである」「絶対的否定から個が成立すると云ふ所に、私の場所的論理と神秘哲学とが逆の立場に立つのである」（「場所的論理と宗教的世界観」）と、まことに鈴木大拙の世界と密接な不二の場所へとたどりついている。

柳の大著『ヰリアム・ブレーク』は、鈴木大拙によって翻訳紹介されたスウェーデンボルグ（神秘主義哲学者）の影響を受けたものだ。その神秘主義と直観を志向する感性は、秘かに鈴木大拙によって関心となっていたエックハルトとも通じており、これは、プロティヌスなどのネオ・プラトニズムの系譜に連なるものだ。柳は、恩師の後を忠実に歩むかのように、仏教（大乗仏教）こそが、世界に発信できる思想であると推奨する。

木喰上人と民藝が取りむすばれ、禅の思想と妙好人と南無阿弥陀仏が、文脈によってむすばれた。柳宗悦のなした民藝運動という出来事は、ひとつの誓願による成就ということができるかも知れない。「日本の仏法は十三派もあるが、しかし不二という思想においては全く一致しているのである」。ここでは、不二思想における浄土三宗（法然・親鸞・一遍）との統合と、木喰上人から妙好人へと架橋する思索者に出会うことができる。

敗戦から戦後という時代にあって、「木喰上人」から「妙好人」と『南無阿弥陀仏』へと持続する日本仏教（大乗仏教）への転回が、鈴木大拙の思索を通して、同一性と差異のなかに見えてくる。そこにあるのは、共時的な深層の合流点という可視性である。

4　木喰上人の廻国の足跡線

木喰上人が、全国廻国の旅をはじめたのは、五十代の半ばだった。

はじめに、北への紀行があった。関東から東北に、木喰上人の最初の視線がある。関東の坂東三十三ヵ所巡礼や秩父三十四ヵ所巡礼から森敦《もりあつし》の小説の舞台で知られる、東北の月山・湯殿山・鳥海山を経て、帰郷する。

このとき、木食戒を得た師のちかくに滞在し、修行をしているように見える。百日参の修行の軌跡には、廻国の決心と出発がどのようなものであったかが想像できるようだ。十年前に、西国巡礼と四国の遍路をはたした信心深い父親は、すでに逝去していた。

木喰上人の姿を次に見るのは、北海道の地である。弟子の白道とともに、木彫の造仏にかかわっていた。逗留先である江差《えさし》には、遺作の二体が残る。造仏僧の木喰上人の出発は、宗教民俗学者の五来重（一九〇八—九三）によって、円空仏との出会いによるものと論ぜられた。木喰上人が近江の伊吹山で修験の修行をし遊行の廻国聖《かいこくひじり》となった円空を知るのは、東北から北海道にかけてと言われる。この時、弟子とともに木喰上人の発願《ほつがん》は、誓願の旅の行程から、造仏聖としての具体的な布施行を伴う存在となっていた。

木喰上人は、まったくと言っていいほどの無名の僧であった。しかし、円空仏については、江戸時代後期の歌人で国学者の伴蒿蹊《ばんこうけい》（一七三三―一八〇六）の著『近世畸人伝』によってわずかに知られていた。五来重は、この円空像をもとに、『菅江《すがえ》真澄《ますみ》遊覧記（全五巻）』（内田武志・宮本常一訳）の第二巻の「えみしのさへき」にある記述をヒントにして、木喰仏の発生に関する論文を書いた。専門家による後日の研究をくわえると、造仏は先に弟子の白道がしていたらしい。その影響によって、東北の巡錫から北海道での江差の滞在期に木喰上人の造仏がはじまった。相州大山から北海道江差までの八年間を、柳は木喰の第一期として区分する。

江差から一路、東北を下ると、薬師如来像と日光、月光の両脇侍《わきじ》像や十二神像で知られる栃窪の造仏を残し、信州、新潟から佐渡へと渡る。佐渡に四年間逗留して、檀特山御堂の建立と地蔵尊、歌集『集堂帳』や書軸を残した。この五年間が、第二期である。

こうして、東国の江戸、上州、鎌倉、秩父、坂東、富士から東北、北海道、東北、坂東、新潟、佐渡、長野の巡礼を終えると、上人は、西国へと廻国の歩行の舵を切る。

信州から岐阜、北陸、紀州、大阪、京都、奈良、そして備州から四国へ渡り、逆まわりで一回目の四国巡礼を終了すると、船で四国から九州へ渡る。旅すること三年間、九州の日州国分寺での住職としての十年間の滞在をくわえた、上人の第三期である。

日向では、国分寺本尊の五智如来像と伽藍、自刻像の造仏がなされたが、滞在中には、鹿児島すなわち薩摩、熊本、長崎に長く逗留し、歌集『青表紙』を遺している。旅から帰り、国分寺とは、四月八日に別れを告げた。北海道や下呂では、円空仏との遭遇があった。九州を北上するときには、俳画的墨絵の画僧で人気のある、同時代人の仙厓《せんがい》（一七五〇—一八三七）との出会いがあった。

こうして、九州を北上して、中国地方へ渡る。

長門の国では、秋吉村の毘沙門堂と本尊の造仏、福井村の願行寺の立木観音像、そこから出雲、伯耆、因幡、但馬、丹後、若狭からは踵《きびす》を返して、美作、備前、備中、備後、安芸から周防にはいり、いくつもの造仏と滞在を遂げると、ふたたび四国へ上陸して、二度目の八十八ヵ所を順法で巡礼する。四国からは、船で瀬戸内を渡り、大阪に着いた。

大阪からの帰路、遠州静岡の狩宿では、十王堂の建立と十王尊の造仏がなされた。そのころ歌集『心願』もなり、甲州にはいると薬師堂の建立と本尊の造仏をはたした。ここにおいて、誓願の千軀仏がかなうことになる。日本廻国の祈願は、満願した。日向を出て、満願をはたし八十三歳で故郷丸畑に戻る五年間と八ヶ月の期間が、第四期である。

しかし、さらに故郷を後にして、上人が最後にむかったのは、かつての佐渡が見渡せる越後である。惜しいことではあるが、同時代人としての出雲崎の良寛（一七五八—一八三一）との出会いはなかったらしい。良寛も、西国から、四国、九州を巡錫している。上人の後の行跡が、一転して、京都を経由し、釈迦像、阿難《あなん》像、迦葉《かしょう》像の三尊像や九十歳の自刻像で知られる丹波にその姿を認めたのは、後日の発見である。

上人の最後の足跡は、甲州善光寺の大幅阿弥陀如来像であり、甲府の教安寺の七観音像の跡を最後に、途絶えた。故郷を発って、越後で二千体の誓願を誓い、ついにはひそかに別れを告げた、九十三歳の死に至るまでの八年間を、柳は第五期とした。

日本順國八宗一見之行者　十八
大願之内本ぐわんとして　佛を
佛師國々因縁ある所にこれをほ
どこす　みな日本千體之内なり
日本しま〳〵修行すること　今
年まて七十五年　心ごゝろの中
に住ス
文化五辰歳三月廿一日ニ　　木喰　九十一歳
コレヲカク　神通光明　明滿仙人　（花押）

柳によって発見された木喰仏は、一本の木彫りである。一番多く造仏されたのが、観音像と薬師像だ。晩年には、故郷の「四国堂」の八十八体仏や越後に残る十六羅漢像や十三仏、京都丹波の十王像のように、圧倒的に群像を作仏した。ここには、巡錫しながら見た多くの「ほとけたち」をミメーシス（模倣）しつつ、みずからの「ほとけ」を創造する旅があった。

柳は、これらの木喰仏がもつ諸尊の造像の多様性を儀軌《ぎき》により解釈する。そこに、日本近世の時代の彫刻の聖性美を発見し、習合的日本文化の造仏の存在を証明した。丸彫りの像の背には、墨書がある。木食戒をもち、巡礼に添いながら廻国する、ひとりの本願を誓った仏者が、廻国の途中から仏像を布施し、忍辱《にんにく》・精進する利他の大乗仏教の行者となる。阿字観をとなえ、光明真言《こうみょうしんごん》をたずさえ、五智如来から十界を生きる菩薩（解脱）をめざす禅定《ぜんじょう》・智慧とともにひたすらに歩んだ。

望遠鏡で覗き見ると、時間の奥に、現象する木喰仏が微笑んでたたずんでいるようだ。時には、巡礼地から逸脱して、草津や紀州、四国の道後、九州の別府、山陰の城崎の温泉を自由に歩み、そば粉と酒を嗜む遊行の上人となる。そこには、土の香りが匂う彫技の微笑が円熟する。上人の誓願から、六道の闇夜を照らす七観音が生まれ、十六羅漢や十王、そして阿弥陀如来像が作仏された。そこには、真言僧として大日如来から毘盧舎那仏《びるしゃなぶつ》へ、如来蔵《にょらいぞう》思想から阿弥陀如来へと横断する姿がある。

誓願による菩薩行として、慈悲による庶民にたいする利他行をはたす木喰上人がいる。衆生済度への堂の建設や仏の作仏が救済であり、廻向《えこう》であった。末法の時代には、仏教は廃れ、個人はばらばらとなって、無明を生きている。現代社会では、木喰上人の存在は、近世社会の見直しと仏教にたいする批評を表現する具体的な出来事であると言えるかも知れない。

5　木喰仏の発見が語るもの

柳宗悦の全仕事をコンパクトに紹介する雑誌『柳宗悦の世界』（「別冊太陽」二〇〇六年）を見ると、ひと際目をひくのが、特集「柳宗悦が見つけた美の世界」である。写真を交えて、柳宗悦の仕事の概要が紹介されている。その出来事は、八項目に分けられ、それぞれの項目の発見者として、柳の仕事は区分されている。

一　健やかなる日本の手わざ
二　ウィリアム・ブレイク
三　李朝の美
四　木喰仏
五　大津絵
六　沖縄の手仕事

七　スリップウェア

八　仏教美学

これらは、民藝運動の核である朝鮮李朝の陶磁器と日本の手仕事、その理念を仏教美学に求めた、宗教学から仏教美論への文脈に総括できるように思う。

しかし、四番目の木喰仏については、柳宗悦の全仕事に流れる影響の大きさから比較して見ると、これまであまり語られることが少なかった。例えば、鶴見俊輔（一九二二―二〇一五）の『柳宗悦』には、年譜以外、ほとんど「木喰仏」についてふれられてはいない。二〇一三年に出た『柳宗悦――「複合の美」の思想』（中見真理著・岩波新書）でも、わずかに三箇所でふれられているだけである。しかし、「民藝の発見」や「「信」と「美」の一致を木喰仏にみる」の項目では、木喰仏への取り組みと研究が柳の民藝運動に大きな影響を与え、ふたつは不即不離であり、仏教美論と通底していると書かれている。

すでにふれたように、「木喰上人発見の縁起」は、『蒐集物語』に収録され、つづいて『民藝四十年』に収録されている。最近では、『柳宗悦コレクション1　ひと』にも再収録された。こうして見ると、柳宗悦の仕事のなかで、木喰仏との出会いとその調査と研究は、柳宗悦の日本的な大乗仏教への接近と信仰の深まりを語る場合に欠かすことのできない出来事である。その全容は、十分知られるところではないというのが現状であるかも知れない。

柳宗悦にとっての木喰仏との出会いは、その後の「民藝運動」のひろがりや、近世江戸時代の宗教への関心とつながるものとして理解できる。それは、探求したキリスト教や西洋文化からの近代からの回心にちかいものであるかもしれない。しかし、これによって、柳宗悦の日本仏教にたいする親和力のある長いつきあいがはじまる。

上人は日本廻国の祈願を成就し、故郷で四国堂の造立と九十七体の造仏を成す。その後の離散によって、大正期の木喰仏発見騒動につながるのだが、その時、柳は、一体の仏像から歴史に埋れたひとりの木喰上人の姿を取り出した中心にいた。調査では、上人の足跡と宿泊逗留した寺と自作の木喰仏や和歌、書軸の発見を伴った。それは、名も知れぬ遊行僧のこころを読み、作仏された木彫の図像と種子《しゅじ》（梵字）をおしはかる作業となる。さらには、地方に名をとどめる寺社との、日本の風景との対話となり、仏教的釈教歌である和歌から上人の誓願を読んで解釈を施す旅となった。

点と断片とが、一本の線でむすばれる、柳の旅が見えてくる。柳は、木喰上人の起源を探し出すようにして、自筆の稿本と地図を照らし合わせた。そこに、日付と宿として見える地名を点と点でむすび線とする。木喰上人の足跡線は、「全国廻国図」となる。ウィリアム・ブレイクやホイットマンを研究した詩人的資質をもつ柳には、上人のこころのありようがつづられた和歌の解釈がある。多くの仲間による「木喰上人研究会」の成果のひろがりが、さらに柳の旅を後押しした。

柳の営為によって、自らの木喰上人に関する出会いから調査・研究による新たな発見が、星と星を一本の線でつなぎ、夢から覚めた現実や錬金術師の合成や廃墟の道跡のように足跡線を描いて、星座（曼荼羅図）を示す図像となったのである。

柳宗悦は本来的に宗教的人物である。宗教哲学の探求という一貫した道程を一歩も踏み外すことなく歩み続けてきた人であった。ブレイクの藝術も木喰佛も、朝鮮の工藝も民藝も茶器も、すべて彼の眼を惹き心を捉えたのは、それらの美となって具現されている宗教性であった。彼がつねに拠りどころとした直観とは、宗教性に感応し得る能力のことにほかならない。美醜未生、不二の美という、宗悦の見出した美の究竟相は、すなわち信の世界での究竟相でもある。美と信を一如とした柳宗悦のこのような悟達の境地では、もはや民藝からの離脱とか宗教への回帰とかの二元界内での移ろいは有り得べくもない。ただともに深めて行く魂の営みがあるのみだったのである。

（水尾比呂志『評伝　柳宗悦』「第三章　美信一如」）

柳より六歳年上の志賀直哉は、書いている。「我孫子に住んでゐた友人は、柳宗悦、それから一年位だが武者小路、それに、滝井孝作、中勘助さんなどで、文士ではないが雅邦《がほう》の李子《すゑつこ》の橋本基《はしもともとい》もゐて、橋本はそれから京都、奈良までついて来て、僕の為に「座右宝《ざうはう》」を作る事で、大変働いて呉れた。／バーナード・リーチはその頃、住ひは上野の桜木町にあったが、陶器を焼くカマと仕事場を柳の屋敷の中に作り、始終来てゐた」（「我孫子にゐた人達」）。柳とともにあった我孫子で、志賀直哉は、『暗夜行路』の前篇と『和解』を書いている。

この志賀直哉が、柳が亡くなったとき、「私は前から柳の民藝運動はいまにたいしたものになるとよくいった」（一九六一年「柳宗悦の遺産」）と、雑誌「民藝」に有名な文章を書いた。親友の志賀直哉については、武者小路実篤も、書いている。「この世に生きて君とあい　君と一緒に仕事した　君も僕も独立人　自分の書きたい事を書いて来た　何年たっても君は君　僕は僕よき友達持って　正直にものを言う　実にたのしい　二人は友達」（武者小路実篤「直哉兄」）。ともに、雑誌『白樺』の同人として、新婚時代の柳宗悦と我孫子で近所に暮した存在であった。

6　柳宗悦ブーム

柳宗悦にまつわるブームが再来している（二〇一八年）。

NHKの美術番組では、柳宗悦の思想と芹沢銈介の作品に影響された「柚木沙弥郎《ゆのきさみろう》」の染織が放映された。山梨県の身延町では、生誕三百年を記念する「木喰展～故郷に帰る、微笑み～」が開催されている。東京国立博物館の「縄文――一万年の美の鼓動」では、最後の展示会場に民藝が姿を見せた。柳宗悦が芹沢銈介から譲り受けた「石偶《せきぐう》」と柳による収納箱、芹沢銈介と浜田庄司が創作の一助とした「土偶」が展示されたのである。

他方で、柳宗悦に関する著作が、近年、三冊上梓された。書評にも取りあげられ、高い評価を得ている。陶磁器の世界から描いた『柳宗悦――「無対辞《むたいじ》」の思想』(松竹洸哉・弦書房)。「無対辞」とは、柳宗悦が晩年に用いた言葉である。英文学の内在性と比較文学の視点をもつ『柳宗悦とウィリアム・ブレイク――漂流する「肯定」の思想』(佐藤光・東京大学出版会)は、ブレイクと柳宗悦との関係を本格的に論じた大著である。特に、ブレイクとインド哲学の出会いは、感動的である。民俗と民藝をつなげる『民俗と民藝』(前田英樹・講談社選書メチエ)は、すでに『民俗の思想』(筑摩書房「現代日本思想体系」)にも同様の編集を見るが、民俗学の柳田国男と民藝運動の柳宗悦とが、戦前に対談をしている事実がある。原田マハは、小説『リーチ先生』を書く。

柳が、木喰上人を調査・研究していたころは、キリスト教から禅への転換の時期である。当初、柳は、キリスト教文化から禅仏教との「あいだ」を模索していたが、やがて、鈴木大拙の禅仏教から浄土教思想の「あいだ」を模索するようになる。鈴木大拙が抹茶をふるまうときに、亡き夫人と西田寸心博士の位牌に献茶する姿は、柳の目に「かけがえのない人」として映り、「早くから、先生の学生の一人であった私は、幾分なりとも東洋的自覚に立って、先生の衣鉢《いはつ》の幾分かを継いで、先生の恩に報いたい念いに強くかられる」と書いている。

こうして、二十歳ちかくも年配である大拙の禅から浄土教への道行きが、神秘主義思想の通過から浄土教との出会いとの「あいだ」の思索となって、戦後の時期にさしかかる。大拙の没後五十年を記念する『浄土系思想論』『大乗仏教概論』や晩年の『東洋的な見方』の文庫の出版もあって、鈴木大拙の存在は、今日再認識されようとしている。柳宗悦の存在とふたりの師弟関係の影響もあって、さらに注目されているのだ。

柳宗悦の「木喰仏」の発見と調査のはじまる一九二四年（大正十三）から、三十年もの月日が過ぎていた。『南無阿弥陀仏』がひとつの道を指し示すことになる。『南無阿弥陀仏』は、柳の六十六歳のときに出版された主著である。

その間、柳と民藝に関する出来事のなかで、日本浄土教とかかわる事項について、戦争末期から戦後初期の時空間を取り出して見る。

一　一九四五年（昭和二十）七月、富山県南砺《なんと》の光徳寺と棟方志功のアトリエを訪ね、浄土真宗の門徒の生活に溶けこんだ「お講」や「民家」の実際を見る。

二　一九四五年の末、北鎌倉の鈴木大拙を訪ね、『日本的霊性』に紹介された禅と念仏の交流や「妙好人」の赤尾の道宗や浅原才市《あさはらさいち》の存在に接する。

三　一九四六年（昭和二十一）五月、河井寛次郎、浜田庄司、外村吉之助とともに、城端《じょうはな》の本願寺別院に一泊する。そこで、「色紙和讃」（文明五年本による天文《てんぶん》期の重版）に出会う。その後、五箇山《ごかやま》の風景と妙好人赤尾の道宗の調査をおこなう。

四　一九四六年（昭和二十一）六月、京都にて、「色紙和讃」（城端別院と同じ、天文期の重版）に出会う。

五　一九四七年（昭和二十二）七月末、鈴木大拙、末綱恕一（数学者）、西谷啓治（哲学者）とともに、加賀、越中、飛騨の地の真宗寺院に泊まり、講演旅行をおこなう。

六　一九四八年（昭和二十三）七月、再び、城端別院の客となり、「大無量寿経」の誓願のうち、第四願の「無有好醜《むうこうしゅ》の願」に美と信の一如を見い出し、「美の法門」の草稿を書く。

七　一九四八年（昭和二十三）十一月、鳥取を訪れ、妙好人「因幡の源左」の調査と研究に入る。

「木喰上人」の発見と調査・研究から鈴木大拙の思索の諸影響を経て、和本としての「色紙和讃」の書物工藝や仏教美術品の蒐集、「妙好人」への関心と「無量寿経」の誓願から仏教美学の発端が見えてくる。「南無阿弥陀仏」へのテーマは、柳宗悦の日本の大乗仏教にたいする接近であった。「木喰上人」あってこそ「南無阿弥陀仏」への志向性である。ここには、「なお念仏称名なるものを独立の研究課題とすることにつきては、他日を期したい」（『日本的霊性』）という鈴木大拙の一文を継承する伏線がある。

そこに、柳宗悦の「色紙和讃」「妙好人」「美の法門」「南無阿弥陀仏」が並立共存し、曼荼羅のように、究竟のテーマが取り出されている。

7 色紙和讃との出会い

柳は、一九四四年（昭和十九）の十二月、東京が空襲される状況の下で、狭心症と診断される。一九四五年（昭和二十）、静岡に冬季の転地療養をはかると体調も一時は回復するが、戦火のなかでの民藝館の疎開の手配や、荷物の整理と荷造りに忙殺された。身辺には、息子の結婚というお祝い事もあったが、空襲下による過度の生活疲労と食糧難が影響した。富山県南礪に疎開している棟方志功から手が差し伸べられた。若き日の棟方の京都滞在を河井寛次郎のもとに世話をしたのは、柳であった。しかし、疲労のため、病臥を余儀なくされ、重態ともなる。信頼する芹沢銈介と鈴木繁男が、柳のちかくで仕事をする。終戦の年の暮れ、北鎌倉の円覚寺の正伝庵に師の鈴木大拙を訪ねた。そこで贈られたのが、『日本的霊性』である。

こうして翌年一九四六年一月から二月にかけて、五箇山の赤尾への滞在を念願する柳は、念仏門に惹かれている旨を語っている。

昭和二十一年五月二十七日のこと、私はたまたま越中東礪波《となみ》の城端《じょうはな》別院の客となった。この旅では高坂貫昭、石黒練州両師の厚誼に浴した。その夕べ私は寺宝「弥七の御文《おふみ》」を見ることが出来た。それは蓮如上人が赤尾の道宗に与えられた消息である。

（『蒐集物語』「色紙和讃に就いて」一）

蓮如（一四一五—一四九九）という存在が、これらの「色紙和讃」や古版の「和讃」ばかりでなく、妙好人の「赤尾の道宗」にかかわっている。浜田、棟方等とともに、城端別院に宿泊したおり、めったに見ることができない天文版（天文期一五三二—五五の重版）の「色紙和讃」を拝眉することができた。五箇山に赴くと、鈴木大拙が紹介する道宗の遺徳をしのぶ時間を経験する。

城端別院を訪ねたその翌月、私が京都に旅をしたのは、一つには仏書を得たいためであった。特に浄土系のもの、法然の勅修御伝や、語灯録や、親鸞の撰述や蓮如の御文や、一遍の法語や伝絵などのよい古版本をまたも得たかったのである。

（『蒐集物語』「色紙和讃に就いて」三）

翌年の倉敷からの帰途、京都にて偶然にも、柳は、城端別院で見たのと同じ天文版の「色紙和讃」を得ることとなった。

二〇一八年の夏、日本民藝館では、特別展「書物工芸——柳宗悦の蒐集と創造」が開催された。

民藝館の設立は、スウェーデンのストックホルムの北方民族博物館が背景にある。なかでも稀有な展示が、「二階の第四室」の「浄土教と仏書」だった。展示物を直観で見ることを薦め、知識や情報を遮断し、「モノ」をじかに見ることが大切であるとされた展示室は、プレートと現物の「モノ」が、静寂のなかに示されているだけである。展示は、複合性や総合性による世界が開陳されるが、そこには、柳の個別の事柄にたいする現象学的な理解が必要となる。

はじめて、「選択本願念仏集（浄土教版）」や「一枚起請文《いちまいきしょうもん》（法然著・雄誉霊巖筆）」や絹本の「阿弥陀三尊来迎図」とともに、『蒐集物語』に出てくる色鮮やかな「色紙和讃（三帖和讃・正信念仏偈）」の四帖をまのあたりにすることができた。

今はもう稀な版本であるから無謀な求めとも思えたが、再びもしやとも考えられて、次から次へと厭《あ》かず本屋を探った。焼け去った東京から来ると、京都の町々は物で埋もれているほどに思えた。店々は美しく着飾っているのである。書物も眼を忙しくさせるほどであった。私は幾冊かのものを得たが、しかし求める古書は容易に姿を現さなかった。

（『蒐集物語』「色紙和讃に就いて」三）

「四帖」の「色紙和讃」は、鎌倉時代からはじまる浄土教版で、古版本の「和讃」や「御文」とともに展示されていた。親鸞と蓮如にかかわるものだけでなく、法然や一遍に関するものも蒐集されている。『華厳経』が『観無量寿経』にながれこみ、観自在菩薩の「空」が観世音菩薩の「阿弥陀」に統合される日本の大乗仏教である、浄土教に関するものだ。親鸞の「和讃」は、一般的には、「浄土和讃」「高僧和讃」「正像末《しょうぞうまつ》浄土和讃」の三種類からなる。真宗の中興の祖である蓮如は、これに『教行信証』の「正信念仏偈」を加えて開版し、日常の勤行に使用した。

室町時代の天文版の「色紙和讃」の蒐集には、ウィリアム・モリスの中世の造本や蒐集に関する柳の知識があったにちがいない。戦前の西欧滞在後の柳は、モリスの「アーツ・アンド・クラフツ運動」から総合芸術としての書物の概念を獲得していた。モリスの「洋書」から影響を受けた「和書」としての「工藝」の制作には、「和書」としての「色紙和讃」の歴史的存在に、柳の強い美的な関心が見えている。

紙は白でもなく、またその雲母引《きらびき》でもなかった。世にも美しく朱の紙に黒々と文字が摺ってあるではないか。頁を操ると、次には黄檗に染めた紙が現われてくる。かくして一つおきに色が変る。それに想い懸けなくも周囲は金銀の箔で、砂子《すなご》や大山椒《おおざんしょう》や芒《のぎ》が散らしてある。既に年古りて色の味わいは渋い。書体は古式でよく初期のものであることを示している。

(『蒐集物語』「色紙和讃に就いて」一)

『親鸞和讃集』（名畑應順校注）は、親鸞の七十代から八十代の作といわれ、『観経』と『阿弥陀経』が『大経《だいきょう》』に統合する三経を歌う「浄土和讃」と、龍樹、天親《てんじん》、曇鸞《どんらん》、道綽《どうしゃく》、善導《ぜんどう》、源信《げんしん》、源空の七高僧を歌う「高僧和讃」、正像末（正法・像法・末法）の仏法を歌う「正像末和讃」を読むことができる。「色紙和讃」は、「浄土和讃」「高僧和讃」「正像末和讃」と「正信念仏偈」の四帖からなる。「これらの片仮名を沢山用いたのは門徒衆であるから、さながらそれを「真宗仮名」と呼びたいほどである。それほど初期の「和讃」や「御文」の片仮名には古格が高い」。民衆とまじわるために、蓮如以後に開版されたものである。それは、現在の『浄土真宗本願寺派　日常勤行聖典』の「正信念仏偈」「和讃」「御文章」により、その一端をうかがうことができる。さらには、一九七〇年代初頭の『蓮如　一向一揆』『近世仏教の思想』（日本思想大系）を見れば、研究者や専門家だけでなく、ひろく一般にも理解されやすいように、「蓮如」や「妙好人伝」の項目が掲載されている。「妙好人」がありのままの人間として、真宗の生態をあらわすとすれば、「和本」としての「色紙和讃」や古版の「和讃」は、蓮如と密につながる総合芸術としての和書の歴史的文化財である。

　柳宗悦と関係のあった多くの僧侶がいる。芹沢銈介の仕事とかかわる浄土宗の小川龍彦と望月信亨は、知恩院の「法然上人絵伝」の制作に関係した。「工藝」のあとの「月刊民藝」誌の編集発行は、本所の真宗源光院の浅野長量である。柳が河井や浜田とともに、「色紙和讃」の古版本を見ることができ、翌年、これに類する「色紙和讃」を偶然にも京都で発見することができたのは、真宗の高坂貫昭や石黒連州などとのかかわりと言える。

8 色紙和讃と工藝

柳宗悦の活動の軌跡をたどるとき、若き日の宗教哲学から木喰仏との出会いと発見・調査や継続する民藝の「モノ」と「信」の世界とのつながりが、まことに特異な姿として映る。

この「モノ」と「信」のつながりは、早くから身近にいた志賀直哉が直観で摑んでいたものだ。それはやがて戦後初期の他力本願の思想への接近となる。その端緒にあたるものが、「色紙和讃」と「妙好人」との出会いである。

『南無阿弥陀仏』に見る浄土系理念の表層から深層への検討と思索は、それらとの出会いを含む経緯を語るものではあるが、「信」の証明を開示するものである。

これらは、「モノ」と「信」を結ぶ「美」をはさみ、民藝理論から「仏教美学四部作」の実現につながるものである。

私のこの頃の生活は、とりわけ浄土系の信仰や思索に惹かれている。法然この方、特に親鸞、覚如、存覚、蓮如と伝え来った法灯に信の深さのゆらぐのを見た。しかもそれらの高僧のみではない。真宗の驚異は寧ろ無学な民衆の間にこそ閃《ひらめ》いている。数々の妙好人がその短い言葉において、至純な行いにおいて、素朴な信心において、私どもの心を打つではないか。そうして民と信との結縁《けちえん》は、民と美との関連にも及ぶ。民藝に私どもが心を惹かれているのは、そこに数々の「妙好品」とも名付くべきものを見出しているからである。かかる品々に流れる美の掟《おきて》を、いみじくも説いてくれるのが、念仏の教義ではないか。一冊の「歎異鈔」も、一巻の「安心決定鈔《あんじんけつじょうしょう》」も、美の経典だと思える。

（『蒐集物語』「色紙和讃に就いて」三）

ひとつの体系が、輪廻転生の無明《むみょう》の「不覚」から究竟の「覚」に円環する。「民藝理論」の「民」と「美」との「有」が表層から深層へと薫習《くんじゅう》する。「南無阿弥陀仏」（六字名号）から「色紙和讃」や「妙好人」という「有」の表層現象にむすばれるのは、大乗仏教の言葉が「誓願」によってたどりつく深層の倫理的「場所」（形相的意味分節のトポス）であろう。

戦中から戦後にかけての状況のなかで、柳の心性の深層から流出する浄土教の表層言語が宗教意識の「有」との出会いを深化させた。

柳のこころのなかには、五十歳をこえて「無」（「空」）から「有」へと思索する京都に滞在する鈴木大拙の存在があった。何年も前のこと、日本民藝館の別館である柳宗悦邸の二階にある書斎を訪ねた。そこでは、多くの仏教書の背表紙を見ることができた。それらは、浄土教関係の書籍であった。晩年まで引用された禅関係の書籍は、現在は松ヶ岡文庫に寄贈されている。

東京の空襲によって、真宗の寺が多くある富山に疎開した棟方志功の慫慂《しょうよう》が寄与し、さらに身近には、浄土宗との縁も強い静岡に生まれた芹沢銈介の存在もあった。ふたりは、柳宗悦の思想と行動に信頼を寄せ、独自の創作活動にはいる。ともに浄土真宗や浄土宗に親和力を示す、すぐれて現象的な「有」への意識をもつ工人である。

禅と浄土教の「あいだ」にある「無」（「空」）と「有」の多重多層の分節を仲介する場所に統合し、浄土教を表層からも深層からも観察する柳宗悦は、具体の「モノ」を目の前にして、先の引用文章を次のようにつづける。

私が浄土系の仏書に心を誘われるのは、その教義が物を通し目前にゆらぐからである。私の身辺には漸次仏書が積み重ねられるに至った。私の傍らから証如御判の「御文章」は離れたことがない。私はその箱にも心をくばった。遠いその時代の信仰を想いみると、心を温め浄めるものがあるではないか。私は能《あた》う限り古版の美本をと漁《あさ》った。読むからにはまた持つからには、最もよき本文と書体と装幀と紙質とを選ぶべきではないか。

（『蒐集物語』「色紙和讃に就いて」三）

真宗の表層文化については、芸術性との縁がなぜか少ない。茶室に見られる禅宗の「茶道」との関係や真言や天台宗の「声明《しょうみょう》」や時宗の韻律的な「念仏や踊躍《ゆやく》念仏」、天台から持続する浄土系の「聖衆来迎図《しょうじゅらいごうず》」「二十五菩薩来迎の図」や「山越の弥陀」「来迎三尊仏」にくらべると、それは明らかなようである。

そうしたなかで、柳宗悦は、真宗の特色に、「工藝」的存在である「色紙和讃」を取り上げる。

『浄土三部経』や『浄土和讃』や蓮如上人の『御文』が、「工藝」的表層を形象し、浄土系の深層の意識を探求して、潜在的で不可視の「真如」の「アーラヤ識」にたどりつく。そこに、存在と意識の未分節態を「横超」する力動性が流出するのだ。『正信偈』や『御文』は、法然の『一枚起請文』を継続する蓮如上人と大衆との「無」(「空」)が柔軟に浮遊する「有」の存在と意識との対話である。具体の「モノ」は、「工藝」の美の存在から意識を問い、「小版の美本」に工藝の美を統合する。真宗の理念による「非僧非俗」の「在家仏教」は、「工藝」の表層である「色紙和讃」という「モノ」によって、僧侶の存在と民衆意識の深層の「あいだ」によこたわる「アーラヤ識」に美の架け橋を得た。

「智者のふるまいをせずしてただ一向に念仏すべし」(『一枚起請文』)は、「浄土宗の安心起行この一紙に至極せり」とする源空法然の言語表出としての「遺言」である。ここに、『浄土三部経』を一点に統合する『一枚起請文』を経て、『選択本願念仏集』や『教行信証』(『顕浄土真実教行証文類』)にいたる信仰を「色紙和讃」と「妙好人」の表層と深層構造の具体のうちに見い出す。そこには、法然、親鸞、そして一遍という浄土教の主要な「信」が、持続する

「空」と「有」の相互転換を鏡像のなかに見る。

　鎌倉以後に開版された『浄土三部経』や蓮如による「色紙和讃」は、歴史を持続して反復された「モノ」である。それは蓮如上人という、「モノ」と意識にすぐれた思索者がかかわった、表層を具現するものだ。阿弥陀如来像の両脇には、「南無不可思議光仏」や「帰命尽十方無《きみょうじんじっぽうむ》碍《げ》光如来《こうにょらい》」の中国浄土系の文字言語が光る。表層から深層を分節する言葉へ。『無量寿経』の「誓願」と『観無量寿経』の「下品下生《げぼんげしょう》」の「往生」と、『阿弥陀経』の「西方極楽浄土」への希求が、無分別態の「あいだ」の「場所」を貫く。「妙好人」とは、それらとの関連で言えば、即時的な行動と言葉を生きた存在である。無明のなかから限りなく真如にちかづいた、柔軟な複合体として生成する「妙好人」は、「南無阿弥陀仏」の存在（原型）を顕現させる泥沼のなかに咲く白い一輪の蓮である。

「色紙和讃」や開版された『浄土和讃』による「工藝」の力によって、表層的な「工藝」性が、生身の「妙好人」の信仰として花開く。表層の「工藝」では、美への呼びかけは、深層の信への呼びかけに等しい。存在の表層（あるがままの「存在」）は、深層の意識（あるがままの「信」）に呼びかけられて、「直観」のもとに、応答する。

　柳は、批評家であったが、創作家ではなかった。しかし、創作家としての立場から距離を置きつつ、シュルレアリスム運動の無意識や夢の領域を探求し、詩的言語の革新と新たな文学史を結合させるアンドレ・ブルトン（一八九六―一九六六）には、『シュルレアリスムと絵画』がある。それと同じように、創作家たちへの現実的な支援と助言を惜しまなかった。
そこに、終生変わらない河井寛次郎や浜田庄司やバーナード・リーチだけでなく、紅型《びんがた》の芹沢銈介や板画の棟方志功などの工人との交流があった。楽焼の絵柄と造型を継承する富本憲吉や、「存在と眼」の青山二郎やイギリス文化史の研究家である石丸重治、広義の「白樺」を継続する小林秀雄や河上徹太郎との共有した初期の活動もある。今や伝説となった、河井寛次郎の中国陶磁器の表層的再現による、色彩豊かな釉薬《ゆうやく》と造型の仕事にたいしても、民衆的工藝から助言し、生活工人としての「民藝」の活動を示唆したのである。

阿弥陀仏は救世《ぐぜ》の仏である。わけても下品《げ》下生《ぼんげしょう》の者を救わんがために、大願を立てた仏である。わずか六字の名号《みょうごう》を口ずさむことで、浄土への往生がかなうと契《ちか》ったその仏である。この六字に一切を任せきったのが妙好人の安心《あんじん》である。
（『柳宗悦　妙好人論集』「妙好人の存在」）

一九二九年（昭和四）、柳は浜田庄司とともに、シベリア鉄道で欧州の旅に発った。モスクワからドーヴァーを渡り、ロンドンにてリーチと再会する。市内のいくつもの美術館や郊外のケルムスコットではモリス旧邸のレッドハウスを訪ね、半島の西端にあるセントアイブスのリーチ窯へと移動する。パリとロンドンを飛行機で往復し、式場隆三郎と合流した。浜田と式場とともに、ベルリンからスウェーデンへ、首都ストックホルムでは北方民族博物館を訪問する。ハンブルクからケルン、ベルギーからパリへと旅はつづく。その年の八月にはル・アーブルから米国のボストンに到着している。ハーバードの大学で講義をしながら、各地を巡る。ホイットマンや小泉八雲の文献や書籍類、その他アメリカ東部に蒐集された日本の陶磁器や掛軸などを眼にし、積極的に蒐集する。ロスアンジェルスから乗船し、横浜に着く。帰国は、一九三〇年（昭和五）の七月下旬であった。

その年の十二月、雑誌『工藝』の刊行趣意書を、富本憲吉、河井寛次郎、浜田庄司、石丸重治、青山二郎との連名によって発表する。創刊号は、翌年の一月である。

あわせて、寿岳文章と共篇の研究雑誌『ブレイクとホヰットマン』を創刊。

アメリカ・ヨーロッパへの「体験」が、「経験」へと深まることが、雑誌『工藝』の出発であった。ウィリアム・モリスも、北フランスやヴェネツィアを旅行して帰国すると、「古建築物保護協会」を設立した。モリスの晩年は、「ケルムスコット・プレス」による美しい本づくりにささげた「書物工藝」の人生でもあった。

こうした副産物から前人未到の雑誌『工藝』の出版が実現した。小間絵担当の工人たち。芹沢銈介や富本憲吉、河井寛次郎、棟方志功。海外での「見聞と留学」から「工藝」へ、事業家としての柳は、手仕事を大事にした。古書蒐集家であるウィリアム・モリスのアナロジーとして、「設立趣意書」から雑誌『工藝』の書物工藝により、近代化のなかでの再組織化の民藝運動をすすめる。そして「色紙和讃」と「妙好人」の発見が、「美の法門」との結合を獲得する。存在と意識のゼロ・ポイント（形相的意味分節のトポス）は、今、現実から「民藝」の運動（表層と深層との結合態）となって転換する。

柳宗悦は、敗戦によっていささかもみずからの思想や行動の方向を転じる必要のなかった、数少ない人物のひとりであった。日本人の大多数が、未曾有の価値基準の顚倒に呆然自失して道を見失っていたあのとき、知識階級のある者は早々と変身を遂げ、ある者は我が世の春の到来を謳歌するなかにあって、彼は戦前も戦中も変ることのなかった信念をそのまま持続け、歩み続けることのできた人だった。

（水尾比呂志『評伝　柳宗悦』「第三章　美信一如」）

柳にとって、木喰上人によって、日本の大乗仏教への接点があり、くわえて、キリスト教的神秘主義思想や禅思想から浄土教への接近となった。また、名もなき工人たちの他力の反復性による陶磁器の造型と美を、至上の理念とした。「民衆」へのまなざしは、日本浄土教のなかで、特に真宗の理念をつなぐ「民藝」的な表層存在である「色紙和讃」の発見と、「工藝」文化にたいする関心の深まりとなって現れた。また、真宗の理念を即時的に体現する「妙好人」の存在は、宗教の理念と美学の理想のゆきつく信仰の現存在を指し示すものである。「妙好人」への関心は、フィールドワークによる現地調査や地方の現地主義である「民藝」の収集にひとつの文脈をもつ。

これらは、「南無阿弥陀仏」の「六字名号」の文字言語が示した存在と理念の意義を、生老病死に苦悶する民衆のひとりひとりの人生へとかけ渡すためのものである。「法然上人が『一枚起請文』で勧められた趣旨が、妙好人に丸彫りとなって、端的にそのまま現われている」（「妙好人」）と柳宗悦は書く。柳の浄土教への接近は、「色紙和讃」による工藝的な存在意識と、「妙好人」という生身の信仰の顕現による「真宗」の存在を見るものである。このふたつは、「六字名号」の現象的「有」意識を一気に次元転換をはかる。真如は、法身＝如来（「色紙和讃」）となり、衆生（「妙好人」）に悟りの可能性を語りかけた。「南無阿弥陀仏」の理想が、宗教理念を具体とする「モノ」の存在を生成させる。そこには、庶民の救いとむすばれた「信」があった。

柳が「民藝」として取り出した「色紙和讃」と「妙好人」は、雑誌『工藝』のなかで「仏教美学」の理念を形成する。この「色紙和讃」「妙好人」「仏教美学」の三者は、「南無阿弥陀仏」をこころとし、雑誌『工藝』を入れ物として、互いに連関しながら、表層文化を統合するリアリティをもつ身体（肉体）によって、「民藝」を多様な光と影のプリズムと見ることを可能としている。

こうして阿弥陀如来と六字名号の結合は、存在（表層）と本質（深層）のあいだを横超して有の形象に至る。

9 「妙好人」との出会い

「かつて私は越中城端《じょうはな》を出で、五箇山《ごかやま》の赤尾に妙好人道宗の遺跡を訪ねた事がある」(『柳宗悦妙好人論集』「地蔵菩薩のことなど」)。五つの谷からなるこの地方の「こきりこ節」は、日本で一番古い民謡である。この唄が世に知られるきっかけとなったのが、一九三〇年(昭和五)の西條八十(一八九二―一九七〇)の訪問であった。

平家の落人伝説や吉野朝遺臣の歴史さえも見せる五箇山は、遠く穏やかに冠雪する白山への信仰による天台宗系の密教の地である。江戸時代には、加賀藩の流刑地だった。この土地にはいるには、葡萄づるの橋を渡るしかない。一九〇九年(明治四十二)、柳田国男が訪れると、紀行文「木曽より五箇山へ」を書いている。道宗は、蓮如の警備にもあたったと言われるほどの信頼関係をもち、直接に「御文」も書いてもらう妙好人である。その遺された『二十一カ条』には、「後生《ごしょう》の一大事、命のあらんかぎりは油断あるまじき事」など、自戒の念の厳しい韻律が見える。

隣接する岐阜県の大野郡の白川郷《しらかわごう》とともに、いまではその美しい造型の合掌造りは、世界遺産に登録されている。富山地方には、民藝運動の同志である安川慶一がいた。彼は、富山の立山の出身である。

ここから、柳宗悦の「妙好人」をめぐる風景の旅は、こころの旅となって、はじまる。

「妙好」とは、もともと、梵音《ぼんおん》で「芬陀利華《ふんだりけ》」と記され、元来は「白蓮華《びゃくれんげ》」を意味すると言われる。それで「妙好人」とは、白い蓮華のような浄らかな信心を、篤《あつ》く身につけた信徒たちを讃えて呼ぶ言葉なのである。それゆえ妙好人は、何も念仏系の仏者のみに現われるわけではないが、それがいちじるしく念仏者の間に多く、わけても真宗の信徒に多いことは注目されてよい。

(『柳宗悦　妙好人論集』「妙好人」)

柳宗悦の「妙好人」への関心は、師の大拙の著作『妙好人』(鈴木大拙・大谷出版社)にとまとめられたことが寄与したことは勿論のことである。さらには、大拙のちかくにいた西田幾多郎門下で、『ニヒリズム』や『宗教と非宗教の間』の著作をもつ西谷啓治(一九〇〇―一九〇)から示唆されたものと言われる。西谷は、ドイツ神秘主義思想や仏教の修行法(禅)などを研究していた。北陸地方を講演旅行する大拙と西谷啓治の姿がある。「妙好人」にたいする戦後の柳は、若き日の「木喰仏」に比せられるほどに強いものを感じていた。

特に、柳が関心を示したのが、「因幡の源左」である。「因幡」とは、現在の鳥取地方のことだが、そこには、民藝運動の同士である吉田璋也がいる。

鳥取市から西に進み、右には砂丘、左には湖山池《こやま》を見て、更にいけば程なく青谷《あおや》の駅に達する。北はすぐ海寄りであるが、南に日置川をつたって進むこと一里余り、漸《ようや》く山が迫ってその間に奥崎、大坪、早牛などの村々を過ぎると山根と呼ぶ里に入る。見ると何よりも先ず願正寺の赤い大きな甍《いらか》が川を隔てて眼に映る。遠く南の山手には鷲峰山の頂も見える。ここが源左の故郷である。

（『柳宗悦　妙好人論集』「源左の一生」一）

源左には、父親が亡くなるときに「おらが死んだら、親様を頼め」という、残された遺言の声があった。彼はそこから信仰の道を開いていった。以来、「親様」は父親の身代わりとなって、源左の身近に存在した。「親様」は、源左の生活のなかで、心身を統合する阿弥陀如来の姿と声でありつづける。明るい法身《ほっしん》の意識と応身《おうじん》の身体をもった「親様」が、人生の苦難の連続であった源左の業縁《ごうえん》に親和力となって寄り添うのである。そこに、誰にも肩をもみ、お灸を据えてやる庶民、源左の「妙好人」の生活即「真宗」の生活があった。三昧とは源左にとって、他力の発得《ほっとく》である。

「暖簾《のれん》」に型どる「ようこそ　ようこそ」の文字絵で知られる芹沢銈介は、民藝運動の工藝家である。「ようこそ、ようこそ」といっては、降りかかる人生の苦難に逆らうように、身体と言葉で対処し生きてきた人間がいる。「妙好人　因幡の源左」の言行録としてまとめられた著書は、柳宗悦のオリジナルの妙好人伝である。

五箇山の「赤尾の道宗」からはじまる「讃岐の庄松」の生活や「浅原才市」の宗教歌（詩）への鈴木大拙の関心と研究があった。それにつづくようにして、柳宗悦の「因幡の源左」の「妙好人」への調査・研究がすすむ。まことに、江戸時代以来、いくつもの『妙好人伝』があったが、学問のなかで取りあげたのは、鈴木大拙であった。しかし、世の中にひとつの著作に纏《まと》めあげ、その「妙好人」という固有名を社会的に世に知らしめたのは、柳宗悦の功績である。数多くの逸話と面影の断片を集めては、まるで柳田民俗学の先祖観を求めたフィールドワークのように、「妙好人」の歴史が、蒐集された具体の「モノ」（言行録）として取りまとめられて、庶民史のなかに位置づけられることになった。

「妙好人」は、法然以後の浄土教のなかでも、とくに蓮如以来、浄土真宗の在俗の篤信者にその存在が認められている。視覚から身体へとはいってくる風景（表層）は、全身体性の核としてのこころ（深層）に宿り、存在としての信仰者の意識から未分化な無意識へと流れ込んで「信」なる心象風景を描いた。生きることは、それ自体が、生活に溶け込んだ識の風景である。それが、いまは「信仰」となって、「親様」（南無阿弥陀仏＝阿弥陀如来）をしたう言語の意味生成となった。「妙好人」の言動の総体が、口称の「六字」に象徴的に比喩表現されて顕現する。妙好人の多くは、無学であるが、朴訥《ぼくとつ》で率直な、下層の農民や職人や商人であり、時には信女であった。

有り難いことである。名も知れない片田舎に名も知れない妙好人が、あちらこちらに今もあらわれてくるのである。真宗のみが有《も》つ不思議な力であるといわねばならぬ。彼らは多く無学の人たちであるから、新《あらた》なまた詳しい教学などを、どうして持つことができよう。だが無量寿経や観無量寿経や阿弥陀経の教えが、そのまま活きた姿で現われてくるのである。もし妙好人が出なかったら、真宗の教えは偽りを述べていることにもなろう。

（『柳宗悦　妙好人論集』「源左の一生」一九）

「妙好人」の姿は、浄土三部経の『観無量寿経』と直接にかかわる。熊谷直実のように「上品上生」を願う武士もいた。たとえ「下品下生」に生きる在家にたいしても、「下品下生」の往生を約束する。それが、念仏によって人生の機趣を得た阿弥陀にたいする信仰である。「私は妙好人の伝記や、言行録を読むのを好みますが、なぜかと申しますと、ものの受取り方の素晴らしい名人を、そこに見るからであります」（「受取り方の名人」）。そこには、「妙好人」の生きる知恵があるばかりでなく、生死が「六字名号」の「信」によって転換された解釈の妙味となる。観念の念でもなく、学問をして申す念仏でもない。知識の上昇や集積からではなく、自己否定から肯定へと転換する「信」への「横超《おうちょう》」によって死を生きる信仰者の死生観がある。

大陸的な大河と山々と平原の地平から生まれた老荘や孔孟の混交する中国仏教から、あるいは半島の歴史に息づく華厳と禅を受容した朝鮮仏教から、列島の狭隘《きょうあい》な山々と川と谷が山岳信仰や神道と先祖崇拝をおりなす日本仏教へと変容するエートスの伝播がなされた。そのなかで、浄土系は、源信の『往生要集』を経て、法然によって選択された善導《ぜんどう》(六一三―六八一)に依拠して受容されており、その存在は、仏教史のなかでも特筆に価する。「「芬陀利」といふは、人中《にんちゅう》の好華と名づけ、また希有華と名づけ、また人中の上上華と名づけ、また人中の妙好華と名づく」(善導『観無量寿経疏』散善義)。そこに、一輪の花が言葉となり、言語が「妙好人」の原初を示している。北陸から島根への柳の旅は、生き仏(菩薩)である「妙好人」へと重なるが、「色紙和讃」との出会いと『無量寿経』の「願」への思索を同じくする。この同定域には、大拙の「妙好人」研究から引き受け継承する柳の「色紙和讃」や「無有好醜の願」や「南無阿弥陀仏」の探求へと至る大乗仏教のこころを見るような気がする。

柳には、雑誌『白樺』の年長者たちと過ごしつつなされた理想社会や人間観が基底にあり、さらに飛びぬけて進取の気質に富んでいた。大拙の「スエデンボルグ」(一九一三年)の研究は、柳の「ウィリアム・ブレイク」(一九一四年)の研究と同時期の研究である。大拙の禅研究から「妙好人」の研究を含む「大乗仏教」や「浄土教」への考察の時期も、禅や神秘主義思想の「無」から浄土思想の「有」に関心を寄せる柳の同時期の課題であった。「徳川時代の仏教を想う」(一九三三年)以来、「木喰仏」(信と誓願の行動の同一的存在)から「色紙和讃」(信の表層的工藝物)と「妙好人」(信の言葉と身体に顕現した具体の宗教存在)は、宗教哲学の対象となる日本的な宗教であった。

宗教学の見地によって、一宗一派にとらわれない地平にたち、大乗仏教の庶民にたいする「誓願」の意味を考え、悟りよりも衆生の救済を思う「仏教」的「生活者」を掘りあてることに大乗仏教のひとつの中心があった。

そこに、「木喰上人」がいて、「妙好人」がいる。鈴木大拙も柳宗悦も、ともに僧籍という形をもってはいなかった。

10 「妙好人」とはなにものか

戦中から戦後の文脈のなかで、鈴木大拙も柳宗悦も、浄土教への関心を示すことになった。そこには、『浄土系思想論』や『日本的霊性』に見るように、浄土教を引き継ぐ教えと信仰を具現する「妙好人」の姿がある。浄土三部経の『無量寿経』と『観無量寿経』から親鸞の『歎異抄』における「弥陀の五劫思惟《ごこうしゆい》の願をよくよく案ずれば、ひとへに親鸞一人《いちにん》がためなりけり」と読みついでいくと、生命体である人間の浄土教とかかわる実存の世界が如実に示されてくる。

実に真宗の大きな存在理由の一つは民衆の中に「妙好人」を生むことである。学僧を持つことは他宗にも見出されよう。しかし「妙好人」は浄土教の仏教徒の中に特に多く見られるのである。しかも真宗においてそれが最も多い。この事こそ真宗の誇りであり強みである。（略）真宗の真宗たる所以は、かかる民衆に在家に宗教を建てている点にあろう。

（『柳宗悦　妙好人論集』「真宗素描」）

「鳥取県には〝因幡の源左〟という妙好人がいましたな」。司馬遼太郎の紀行『街道をゆく』（「因幡・伯耆《ほうき》のみち」）では、鳥取県「因幡」の八頭郡牛戸《やずぐんうしのと》や布志名《ふじな》の「民藝運動」や「妙好人」に関する語りが、作家の文体を決定している。

江戸末から明治になると、仰誓《ごうせい》・僧純・象王の『妙好人伝』以来、多くの「妙好人伝」が編まれたが、司馬遼太郎も、出雲や大山《だいせん》の旅を通じて、「禅を世界に紹介した鈴木大拙博士」と「妙好人をかれの美学的世界に取り入れた」柳宗悦について、言及している。

柳は、鳥取県の山野を歩いて、源左を知るひとを訪ねた。眼の前には、牛戸の緑黒釉の染分皿や布志名のぼてぼて茶碗があった。

柳が上梓した『妙好人　因幡の源左』（柳宗悦編著・一九六〇年・百華苑刊）を手にとって見ると、八十四歳になる源左の写真と源左自筆の「南無阿弥陀仏」の名号が巻頭に掲載されている。「彼は口ぐせに「ようこそ、ようこそ、有難う御座ります」といったというが、この「ようこそ、ようこそ」に彼の生活があった」と書く柳の文章には、「大悲に支えられるこの宇宙やこの人生への讃歌と感謝と法悦との表現」(『柳宗悦　妙好人論集』「源左の一生」一六)による「信」への思いがある。大拙とたずねた北陸での「妙好人」の風景との出会いがある。北陸や島根・鳥取の土地と真宗の風土を歩いて調査する柳がいる。見え隠れしている「具体」の「もの」こそ、「妙好人」と言われる真宗信者の存在と伝聞であった。まことに、「妙好人」は、西日本の地方に広く分布して発見された。司馬遼太郎も、「妙好人」は、「唯円《ゆいえん》と親鸞のやりとりの気息」のなかで庶民として「生きている人」であると書いている。

『大乗仏典　中国・日本篇　28　妙好人』(水上勉・佐藤平編)では、「赤尾道宗」「和州清九郎」「讃岐庄松」「因幡源左」「浅原才市」ほか十三名の妙好人の言行が収録されている。編者の水上勉は、妙好人の土地を実際に歩いていた。「妙好人」のなかでも特に詩才を見せる「才市」については、小説『才市』(講談社文芸文庫)にも書いているほどだ。「才市の思想には、糸を弾いて、桐の胴音を鳴らす自力はなく、糸にひき出され、音を出させてもらうよろこびがある。下駄になる桐のカンナ屑に、ことばを出させてもらうよろこびがあったとすれば、これこそ、この人だけの詩の誕生でなくて何だろうか」と強い関心を巻末の「解説」で示した。

才市にはたしかに他力本願の達成がある。うたわれてみれば、そこに境涯の深みがある。だが、その思想はあとのことであって、鈴木大拙氏も、柳宗悦氏も、才市のとどいている場所の深みと高さに感動したのであるが、そう見る人、よむ人のことを才市は、つくるときに考えてもいなかったろう。ただ、ことばをだしてその妙得の世界を自分でよろこんだのである。ここには、ことばが語られる不可思議な出所があって、そうかんたんに、意味を解したように、出所もわかるものでもないのである。そういうことを、温泉津の『妙好人の家』、浅原才市の旧居跡に陳列された、才市が作った下駄を撫でていて私は、考えないではおれなかった。

（水上勉「解説——妙好人の世界」）

しかし、若狭に生まれた水上勉は、自らの幼児期の風景や臨済宗相国寺の瑞春院や等持院での生活体験から、妙好人と対比するようにして、地方の非僧非俗を理想とする真宗の僧侶と地域社会の半僧半俗の「毛坊主《けぼうず》」の存在を語る。それは若くして惜しまれながらなくなった中上健次が、晩年の小説で、真宗の僧侶を活写するのだが、その実像は日本仏教史にあまり見ることのない、水上勉の描いた「毛坊主」の存在にちかいものである。中上健次の死とともに、日本近代文学は終焉したと言われた。水上勉も中上健次も、仏教的な心性からも風土からもはなれることのなかった作家である。才市については、「妙好人」にたいする批判があるが「妙好人はとかく往相回向の面が強く、還相回向の面に乏しいといわれる。往相回向とは往生浄土を慕い求めることであり、還相回向とは、浄土を出てこの世を済度する用《はたら》きである。才市の如きを想うと、この批評があたっていないとも限らぬ」（『柳宗悦　妙好人論集』「源左の一生」二〇）と、柳も書いている。

さて、現在、「妙好人」について、もっとも一般に流布しているのが、『柳宗悦　妙好人論集』（柳宗悦著・寿岳文章〈真言宗の寺院出身者〉の編集・岩波文庫）である。

ここには、「妙好人」「妙好人の存在」のほか、「妙好人の入信」「信者の答え」「宗教と生活」「源左の一生」「信女おその」「受取り方の名人」その他、「馬鹿で馬鹿でない話」「妙好人の辞世の歌」などの柳の晩年の「妙好人」に関するエッセーが網羅されている。

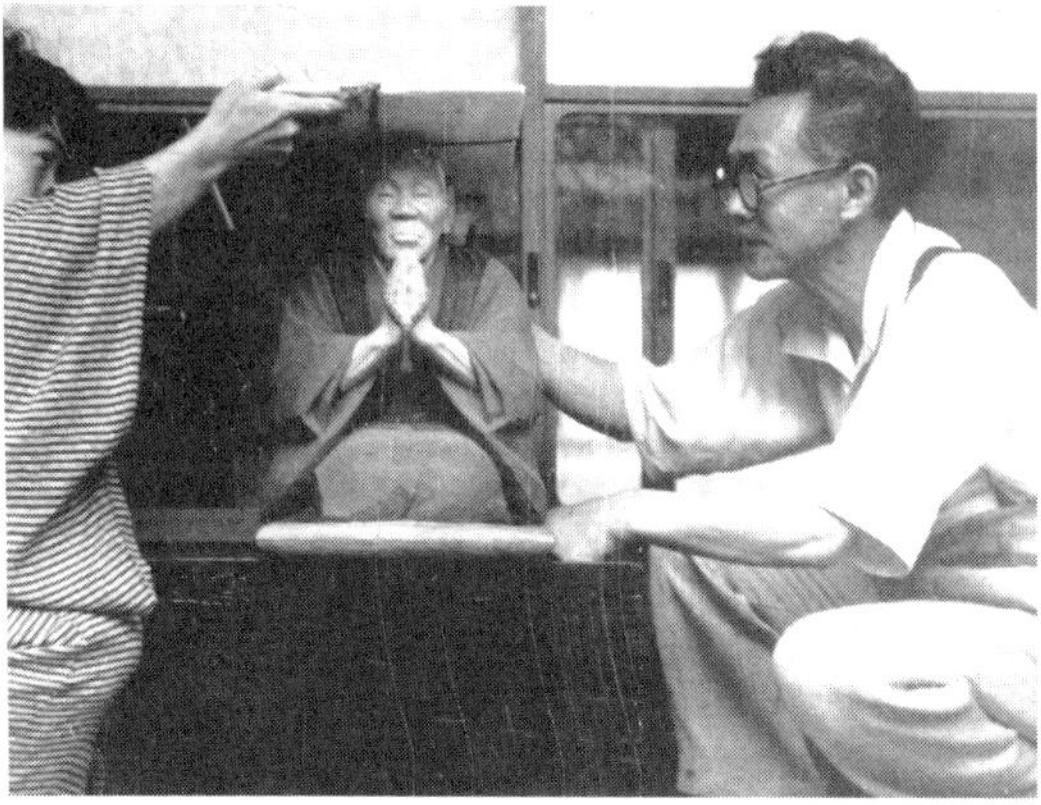

因幡の源左資料の調査をしている柳。1949年　（日本民藝館蔵）

これらの文章には、「妙好人」の存在を表層の身体と言葉（言行録の「声」）によって捉えようとする親和力がうかがえる。柳宗悦の『全集』第十九巻には、「南無阿弥陀仏」「一遍上人」に関する論考があり、そこから見えてくるものは、「妙好人」を通した「無対辞文化」や「堪忍の教え」などの真宗の教えである。

まことに、宗教については、垂直的な理解と水平的な把持《はじ》にすぐれた眼をもつ柳宗悦の直観である。「民藝」に集約される具体の「もの」の美を体現する民藝品と、「木喰上人」や「妙好人」とは、水平的な直観の働きで内面的に呼応しているのだ。「仏教では特に信に篤く心に浄《きよ》い仏者を、白蓮華に譬えて「妙好人」と呼んでおりますが、実に好《みよ》き純な民器も、「妙好品」と讃えらるべきなのを切に感じます」(『美の法門』)。しかし、編集された『柳宗悦 妙好人論集』から基盤となる思索を取り出すとすれば、「仏教に帰る」や「徳川時代の仏教を想う」の日本の近代や戦後における「仏教」にかかわる精神史である。「真宗素描」や「真宗の説教」による浄土真宗の実像に迫る日本的信仰の特色には、「地蔵菩薩」や「弥陀信仰」に見る日本文化の表層から深層への深い視点であろう。ここでは、宗教とのかかわりが言及されているだけでなく、後者は、木喰仏や円空仏に思いをはせながら、日本の近代や戦後の「仏教」にたいする問題提起をはたしている。

柳宗悦にとって、「色紙和讃」(表層的工藝が信仰の深層を内蔵する)は、「妙好人」(宗教的表層(凡夫)と信仰の深層(仏)との一如)の存在と不即不離の関係である。

さらには、『浄土三部経』の「誓願」にたいする思索も取り出される。『浄土三部経』は、『観無量寿経』(序説・正説「心統一して浄土を観想する十三の方法」「散心の凡夫、往生をうる九種の方法」・得益《とくやく》・結語・阿難の復説)と『無量寿経』(序説・正説「法蔵菩薩の発願と修行(五十三仏)(讃仏偈)(四十八願)(重誓偈《じゅうせいげ》)」「弥陀成仏と浄土のすがた」「浄土に往生せん者の修すべき行業(往覲偈《おうごんげ》)」「浄土に往生せし者の得益」「三毒・五悪の苦しみを誡しめ、浄土を現見せしめて信を勧む(三毒段)(五悪段)」・結語)と『阿弥陀経』(序説・正説「極楽の国土と聖衆《しょうじゅ》」「念仏による浄土往生」「釈尊と諸仏の証明をあげて信を勧む」・結語）からなる（岩波文庫本の章区分による）。なかでも、『無量寿経』には、四十八の誓願がある。柳が関心を寄せたのが、「重誓偈」の前にある「四十八願」の十八願と四願である。「十八の願」は、「念仏往生の願」であり、「四の願」は、柳が宗教美論として語る「無有好醜《むうこうしゅ》の願」であった。

真宗と浄土教の意義と深くかかわり、存在論的な「民器」の美に比されつつ、信仰的美としての現存在を生ききった「妙好人」の存在。そこに、「知識人」とは異なる在家者の庶民が、知的な上昇からは離脱して純粋意識に生きる生身の「信仰者」がある。世間の「あいだ」に庶民の「安心《あんじん》」を生きる、むき出しの人間の姿がある。

> 優れた人、上等な品等が、美しさと堅く結ばれる例が色々あることは申すまでもありませんが、私どもの心を最も惹きつけることは優れざる人、貧しい品がなおかつ美しさと固く結ばれるその不思議さを、現下に見ているからであります。このことは丁度、偉大な聖僧や学僧が宗教の国を深く育《は》ぐくみ養ったとともに、少しも学問のない、また凡々たる信者たちの間に、とても浄らかなまた、深い信仰の生活者を見るのと事情がよく似ていると存じます。仏教では後者のような信心深い平信徒を、「妙好人」と呼んでおります。
>
> （『新編　美の法門』「美の浄土」十五）

時代や状況に強いられることで、ひとつの思索が深められることがある。先人の思索が、持続して反復して、より重要な視点を提起することで、さらに思索が深められることがある。時代が思想をつくり、思想があらたに思想をつくる領域である。

意識は、自省と自戒を繰返しては環境に適応しようとするが、そうした「生」の哲学は、例えば数息観《すそくかん》の坐禅や念仏三昧によって、身心脱落をはたすことが潜勢力として体験されてきた。呼吸だけが、身体の未分節のアーラヤ識の領域を通過していく。全身体論的な形からはいると、無意識下に分節が生起してくる世界である。そうした内実は、後からやってくる事後性としての真如であろうか。「聖なるもの」を媒介にして、意識下にある未分節の名のない領域には、浄土も禅も一如となる時空間がある。それは、浄土の「有」であり、西洋の偉大な思索者たちがたどりついた時空間に隣接する「無」と「有」との「あいだ」に等しいのだ。

11　鈴木大拙と柳宗悦の「妙好人」

柳は学習院では、ドイツ語の西田幾多郎とともに、鈴木大拙から英語を学んだ。西田幾多郎は、その後京都大学へ転出する。残った大拙も、京都の真宗大谷大学へと移っていった。大拙は、円覚寺にて、今北洪川《いまきたこうせん》から釈宗演《しゃくそうえん》のもとに禅の道を究めていた。その勧めにより、アメリカの出版社オープン・コートで仏教関係の翻訳に従事する。『金剛般若経』の「応《まさ》に住する所無くして其の心《しん》を生ずべし」を紹介しつつ、「即非《そくひ》の論理」による禅者は、英語とかかわり、『老子』も『大乗起信論』も『大乗仏教概論』も英訳し、ポール・ケーラスの『佛陀の福音』や『阿彌陀佛』の翻訳など、日本の外にあって海外から日本の近代の思想史に課題を提出した。「妙好人」は、鈴木大拙と柳の紹介によって、社会的な存在として注目されることになった。大拙は、「老子」の無や「エックハルト」の無を『大乗起信論』の如来蔵によって解釈し、最後に華厳の「事事無礙《じじむげ》」の世界（たがいに何の障げもなく、事物・事象が交流・融合すること）によって不二的世界となる「真如」と「妙有」を統合する。『鈴木大拙全集』第十巻（岩波書店）には、「宗教経験の事実（庄松底を題材として）」「妙好人」や『日本的霊性』の「第四篇　妙好人」に含まれる「赤尾の道宗」「浅原才市」など、「妙好人」の研究がまとめられている。巻頭の「序」のなかで、大拙は、浄土教信仰に育った無学無知とも見えるひとたちに、日本的霊性の閃き出るのを認めたと、深い感慨を述べている。鈴木大拙と柳宗悦の「霊性」に関する考察は、『霊性の哲学』（若松英輔著）の「第二章　大智と大悲　霊性の人、鈴木大拙」と「第三章　平和と美の形而上学　柳宗悦の悲願」に言及されている。

当時、柳宗悦は、「私は長らく病床に在って、いろいろな苦しみを嘗《な》めるにつれ、これらの妙好人の物語を読み、ふつつかなる自らにいい聞かせている次第であります。（略）南無阿弥陀仏」（「受取り方の名人」）と言い、ふたたび重い病床にあった。

そのとき、「妙好人」の研究を「仏教美学」と重ねあわせて、みずからの「民藝運動」の理論化を図ろうとするのだが、そこにあるのは、中国仏教史上の禅の歴史にたちかえり、白隠の公案禅と道元の只管打坐《しかんたざ》の坐禅を超絶する、盤珪《ばんけい》の不生禅《ふしょうぜん》に到る大拙の姿がある。「即非の論理」と「無所住」と「大地性」への柳の言及には、大拙からの影響を深層裡に受け止めている証がある。大拙は柳にとり、年齢も上であり、人生や学問的な経験も強固な基盤的存在である。その大拙から展開する「日本民藝美術館」の「設立趣意書」(一九二六年=大正十五、昭和元)による「前景化」を獲得することが、柳の思想と行動であった。

『日本的霊性』における「大地」とは、親鸞による地方性であり、真宗の地方性と同一性をもつ。柳田民俗学とともに、柳の民藝運動が、地方性なくしては存在し得ない大地性と重なるのだ。

敗戦によって、ドイツ系文化からアメリカ文化やフランスへの憧憬が横溢するなかで、日本文化の見直しをはかる柳宗悦は、歩行による現地への調査をおこなう。大拙の著作から現地の実施調査を重ね、「妙好人」の研究を深めた。柳の心中に、下層の大衆である「妙好人」と他力本願が重層する。鎌田東二著の『霊的人間——魂のアルケオロジー』を読んでいると、ユーラシア大陸の西端のケルト系のアラン島には、東端の日本の精霊に良く似た現象があり、聖人が多く出現すると書かれている。聖人は、殉教と奇跡を起こす存在である。福音書の主人公である、大工ヨゼフの息子のイエスは、高度な文字を書くことも読むこともできなかった。僧侶階級のヘブライ語ではなく、民衆語のアラム語で、説教をし、治療をすることで、奇跡をなした。文字の読めない「妙好人」は、奇跡を起こさなかったが、言葉を身体にまで高める存在反転の一致によって、生きるための解釈をする。そこに、存在そのものの「信」が『浄土三部経』にも、『一枚起請文』にも、『歎異抄』にも共振する軌跡が生まれた。若き日、柳は、真宗の特色である説教に見るように、後に「後景化」となるキリスト教の説教を内村鑑三、植村正久、海老名弾正、小崎弘道から聞いていた。

柳にとって、法然から親鸞、さらには一遍へと志向する営為は、禅と浄土の「あいだ」をつないで埋める真如の究竟に達することである。

「妙好人」と『浄土三部経』の『無量寿経』の「無有好醜の願」の表層から集合的無意識の深層に染み込んだ「六字名号」(南無阿弥陀仏＝阿弥陀如来への帰依)からの声によって、「蒐集物語」の「工藝」の「色紙和讃」や「浄土門の経典類」とが呼びかけられる。そこに、「直観と仏教美学」が、神秘主義的な一者となって、柳の表層から深層への両者を切りむすぶのだ。

安藤礼二は、『折口信夫』から『大拙』(講談社)へと、大拙の著作をよく読んでいた井筒俊彦を媒介にして批評軸の展開と深化をはたしている。そのなかで、大拙から独立した柳宗悦の民藝運動の総体について、ボストン美術館東洋部長を勤めた岡倉天心(一八六二―一九一三)を「前景化」して重ね合わせることで、アジアの問題、宗教の問題、文化の問題を接続しようとしている。

そして、柳と師の鈴木大拙について書いている。

日本に帰国した大拙がはじめて教えた生徒の一人であった柳宗悦は、大拙のスエデンボルグに言及しながら当時のことを回顧している。若き柳が書き上げた大著の主題であるウィリアム・ブレイクは、スエデンボルグ神学に導かれながら内的宇宙を探求し、奇怪で美しい数々のイメージを残した。後に柳が高く評価する、無名でありながら日々の生活と宗教的実践が密接に結びついた「妙好人」たちが残した書画、山野を住処とした無名の修行僧、円空や木喰たちが遺した彫刻は、大拙が抽出した「如来蔵」の表現、人間のなかに孕まれる如来の姿をそのままかたちにしたものでもあるだろう。それが「民藝」という概念の一つの源泉となっていったことは疑い得ない。

（安藤礼二著『大拙』）

晩年の西田哲学は、鈴木大拙とのかかわりのなかで、仏教的深化を見せている。西田幾多郎は、戦前、春と秋は京都で過ごし、夏と冬は鎌倉の極楽寺のちかくで過ごした。晩年の思索には、一者から多様なる現象が流出する「聖なるもの」が認められる。それは、アメリカのジェームズからはじまる「超越」論や新プラトン主義のプロティノスの直観に関する事である。イスラムやインド哲学に関心を示すプロティノスも、その師のサッカスも、アレクサンドリアで活躍していた。「アレクサンドリア期はいかに十八世紀に酷似していることか！……これら二つの時代においては、文化が風景の中に浸っている」と書くE・ドールスは、その著『バロック論』の「折々に記す」のなかで、「《戦後》は《世紀末》に回帰するだろう。《世紀末》が《反宗教改革》に、《反宗教改革》が《フランチェスコ会》に、《フランチェスコ会》が《アレクサンドリア学派に》、《アレクサンドリア学派》が《東洋》に、《東洋》が《有史以前》に回帰したように」と断章を終えている。当時のエジプトのアレクサンドリアには、アレクサンドロス大王からはじまった歴史物語（E・M・フォースター著『アレクサンドリア』）をもち、仏教的エートスが流れ込んでいて、聖なるものの東西融合がはじまっていた。柳にとって「後景化」となるプロティノス、ニコラス・クザーヌス、そしてエックハルトは、みなこの系譜に連なる神秘主義的傾向をもつ思索者である。

鈴木大拙は、『日本的霊性』のなかで、法然から親鸞の他力思想に、日本的霊性の展開を見ている。大拙は、日本的霊性が知的方面にあらわれたものを聖道門の禅に見ており、情的方面にあらわれたのが浄土門の真宗であると指摘する。西田幾多郎の『善の研究』と鈴木大拙の『日本的霊性』は、「禅と浄土」の思想的「あいだ」にある鏡像的時空間に生きているのだ。

しかし、「無」から「有」への架け橋は、いくつもの解釈があって、通常は決定不可能な世界でもある。それを語るのは、華厳と起信論の通底する言語的阿頼耶（アーラヤ）識を媒介とする「横超」の世界である。

柳宗悦が、師の影響をどれだけ受けたかは計り知れない。「南無阿弥陀仏」と「妙好人」は、その直接的な導きである。

そして、「仏教美学四部作」のなかに喩えとして引用される禅系列の話は、日本的霊性としての仏教的文化の心性である。具体的には、『般若心経』や『金剛般若経』から江戸期の臨済禅（白隠や盤珪の禅）の引用がある。

柳宗悦にとって、大乗仏教への関心である「木喰」から「妙好人」への旅は、「色紙和讃」との出会いと発見に至り、同時に、『浄土三部経』の『無量寿経』の「誓願」と「民藝」の「美」との邂逅に至っている。柳の精神史そのものが、集約としての「南無阿弥陀仏」への前奏曲となって鳴り響く。

妙好人の物語は特に日本仏教の特色ある一面を示すものであって、これが正当に海外に紹介せられたら、世界の人々の注目を集めるに違いない。それほど宗教的体験の人として驚嘆すべき性質を示している。将来日本は幾つかの文化財を通して、外国に寄与するところがなければならぬ。私はその文化財のうち最も大なるものを仏教に見るが、その仏教中、日本で特別の発達を見た浄土思想と、その具体化としての妙好人の存在とを高く評価しないわけにゆかぬ。

（『柳宗悦　妙好人論集』「妙好人の存在」三）

第三章

南無阿弥陀仏——柳宗悦の視線

1 「南無阿弥陀仏」という六字名号

周知の通り、今日の日本の仏教は、北伝《ほくでん》の大乗仏教と言われるものである。大乗仏教とは、インドで生れたゴータマ・ブッダの原始仏教から部派仏教の形成に至るなかで、新たに興った仏教である。西域を経由して、中国へ伝播し、そこで体系だてられた。それが日本へ伝えられると、日本独自の受容と発展をして今日に至る日本仏教となる。

大乗仏教には、初期・中期・後期に区分される経典がある。また、聖道門《しょうどうもん》と浄土門、自力と他力や難行道と易行道の区分など、浄土教が示す実践論的・救済論的な区分がある。しかし、具体的に現象するこの世界は、日本的な民俗性を含む文化風土に受容された十方三世の多仏説と生死輪廻の重層する時空観である。

日本の村々を歩くと、南無阿弥陀仏の六字を刻んだ石碑の見当らぬ地方はないくらいである。念仏宗の寺々はもとより、路傍にも樹陰にも、幾基かの碑をよく見かける。京洛東《けいらく》山の黒谷《くろだに》でも訪えば、林の如くそそり立つ六字の群れを見られるであろう。日本国中でのその総数は幾百千万基なのか見当さえつかぬ。おそらくどんな碑も六字の数には遠く及ばぬ。

南無阿弥陀仏はまったく梵音《ぼんおん》なのであるが、今は日本の言葉に溶け込んで、誰一人知らぬ者はない。むしろそれが「無量寿の覚者《かくしゃ》に帰依し奉る」という意味の方がかえって知らない。それほど梵語の「なむあみだぶつ」そのままで通る日本語である。

(『南無阿弥陀仏』「序」)

柳宗悦の代表作である『南無阿弥陀仏』には、このようにはじまる「序」から「趣旨」と「因縁」を語る前文がある。

本文は、「念仏の仏教」など十八項目にわたる浄土教の用語のタイトルと「時宗文献」の文章からなっている。「南無阿弥陀仏」を多様な相において、その構造と意味を解き明かすために、「三部経」「第十八願」「念仏」「他力」「六字」「自力と他力」の項目が鎖列のようにならび、浄土教を知る重要な項目を示唆している。

岩波文庫本では、目次の後に「口絵」が添えられ、巻末に「略註」がある。最後に、晩年の「心偈《こころうた》」が四葉の棟方志功の板画とともにくわえられている。

読むたびに、「口絵」の「略註」には、感心させられる。ひとつひとつの陶磁器を像立させる具体の説明が、詳細であり歴史的な仏教文化を継承する。これは、『木喰上人』や『陶磁器の美』、『工藝文化』などの「小註」にすでに見られる文章であり、柳の直観による「モノ」へのかたどりである。例えば「聖衆来迎図《しょうじゅらいごう》」阿弥陀如来が二十五菩薩を従え、来り迎える図である。来迎の思想は『大無量寿経』上、第十九願にもとづく。経にいう、……」と、あまたの本文よりも、簡潔で美しい文章を見る。「口絵略註」は、「聖衆来迎図」「金銅　阿弥陀如来」「大津絵　阿弥陀如来」「版画　阿弥陀如来」「六字名号　その一」「六字名号　その二」「法然上人影像」「親鸞上人影像」「一遍上人影像」の九葉の写真と解釈である。

さらに、『南無阿弥陀仏』には、三ヶ所の「引用」がほどこされている。最初が、「序」の後の「生死無常《しょうじむじょう》を思へ」の『一言芳談《いちごんほうだん》』の文章である。ふたつが、目次と口絵のあとの「南無阿弥陀仏」の次にある、同じく『一言芳談』の「賀古《かこ》の教信《きょうしん》」である。賀古の教信とは、親鸞から尊敬され、一遍も末期の時をむかえて、そこに往くことを願ってはたせなかった「僧にもあらず、俗にもあらぬ」平安期の浄土教の僧侶である。一遍は、尊敬する空也上人の市屋道場も教信寺にも参詣していた。『一言芳談』は、「これは一言芳談抄のなかにある文で、読んだ時、いい文章だと心に残った」と、小林秀雄が『無常といふ事』の冒頭で引用している。『仏教辞典』によれば、未詳の編者による上下二巻の「仮名法語集」で、法然とその影響下にあった念仏者の言動を集めたものである。戦前からある岩波文庫本も、今は絶版で手に入りづらい名著である。最後の引用は、本文の後に置かれた『歎異抄』の「念仏は行者のために非行非善《ひぎょうひぜん》なり」という「他力思想」に関する文章であった。

源空法然が、中国善導の影響を受け、浄土宗を設立した際に定めたのが、「三経一論」の

「浄土三部経」と『往生論』（世親）である。

そこには、インド、西域、中国、朝鮮半島を経て伝わる中国浄土教と、海を渡った日本浄土教史の流れが集約されている。『中論』（レグルス文庫）の翻訳がある三枝充悳《さいぐさみつよし》は、『世親』（講談社学術文庫）を横山紘一と編集しているが、『縁起の思想』『大乗とは何か』の著書がある。なかでもとても参考になるのが『佛教小年表』である。「難行道と易行道」「自力道と他力道」や「聖道門と浄土門」「禅と浄土」など、中央アジアから中国の北と南の仏教史の考察が、ナーガールジュナ（龍樹）、無着と世親、曇鸞から道綽、善導とたどられ、さらには源信から法然、親鸞、一遍へと、日本浄土教の歴史を簡明にたどることができる。比叡山の源信とその周辺の念仏者や南都、高野山（覚鑁《かくばん》）や大原の念仏者（良忍）から法然に至る日本浄土教の詳細な研究には、『新訂　日本浄土教成立史の研究』（井上光貞）の名著がある。

ここに至るまでには上座部と大衆部《だいしゅ》との分裂や『ミリンダ王の問い――インドとギリシアの対決』（中村元・早島鏡正訳・東洋文庫）など、インド西北部のギリシア哲学と仏教の交流があった。また、特に近代日本で問題とされた『仏教とキリスト教の比較研究』（増谷文雄）の見識ある研究もなされている。

仏教における浄土門の信仰のあり方と、キリスト教の信仰のあり方とが、すくなくともその基本的構造において、きわめて相似ているという事実である。むろん、この両者の有する歴史的、社会的もしくは精神的背景は、はなはだ相へだたり、相異なっている。したがって、その表現の形式もかならずしも相似たるものではない。だが、それらの随伴的なるものを捨象しつつ、しだいに、その本質的なるものを抽象してゆくと、そこには、蔽うといえども蔽いがたい平行、見ざらんとするも見ざるをえない相似の構造が、はっきりとわたしどもの前に現われてくるのである。

（増谷文雄『仏教とキリスト教の比較研究』「第十二章キリスト教における信仰と浄土門の仏教における信仰について（一）」）

東洋思想の身体論では、「東洋的心身論と現代」の副題をもつ『身体論』（湯浅康雄）が海外でも注目されてきた。

カトリックの『身の形而上学』（門脇佳吉）では、身体論的に道元と聖書を同一論上に論じようとする。「東洋的無」を「聖の否定としての禅」として論ずる、プロティノスを研究する久松真一の存在もある。

いっぽうで、キリスト教やユダヤ教およびイスラム教の神秘主義思想の存在を明示しながら、ギリシア思想に源流をたどる現代思想との連関も語られてきた。『デリダから道元へ』（森本和夫）や西脇順三郎の弟子で、イスラム学の井筒俊彦の『意識と本質』や『意味の深みへ』がある。

ここには、キリスト教と浄土教や禅の接合面も、浄土教と禅の接合面も、ともにひとつの究竟の場所が想定される。形而上的な「場所」には、分節以前の混沌から言語の生成に至る領域が見い出される。

井筒俊彦は、毎年スイスで開かれたエラノス会議のメンバーだった。エラノス会議とは、『聖なるもの』を著したルドルフ・オットーの影響をもち、神秘思想を研究する東西の研究者の集まりである。当初は、カール・グスタフ・ユングが中心であり、『ジョン・ケージ　小鳥たちのために』で知る、ニューヨークでケージに禅による音楽的霊感を与えた鈴木大拙も招かれている。晩年には、『神話と古代宗教』（高橋英夫訳）のケレーニィも参加した。研究発表と寝泊りしながらの歓談と質疑によって、神秘主義思想の研究の確認と深まりをはたす会議である。

ここで問題となるのが、神秘主義思想についてである。エラノス会議と神秘主義思想とのかかわりは、特に注目に値するものだ。エックハルトや「タルムード」に関心を寄せるユダヤ系のベンヤミンやジャック・デリダやイスラム教のスーフィズムも、同心円上にある志向性である。井筒俊彦の初期の著作は『神秘哲学』であり、第四章を飾る「プロティノスの神秘哲学」が象徴的にそのことを物語る。安藤礼二も若松英輔も、そこに華厳的世界を見ている。大拙からの影響もある井筒俊彦の存在が、近年ますます重要性をおびている。『意識の形而上学――『大乗起信論』の哲学』は、晩年の研究で遺稿であったが、その主著『意識と本質』は、この会議で発表されたものが原型となっていた。井筒哲学の「二重の見」や「分節と無分節との同時現成」についての考察は、『井筒俊彦と二重の見』（西平直・未来哲学研究所）がある。

法然こそ、「浄土三部経」と『往生論』を選択することによって、立宗をはたした変革者であった。

大乗仏教のひとつの法脈となった「浄土教」の誓願の教えと救いがある。そこには、「知」から「民衆」の存在への衆生済度の誓願が強く働いている。梅原猛の校注になる『歎異抄』の「補注」に詳しく言及されているが、親鸞は法然の「七箇条制誡（起請文）」にも名を連ね、法然とともに法難・流罪となった晩年の弟子である。越後から東国へ、京都に居住する親鸞は、法然の言説に『涅槃経』をくわえ、「信」の原像に至ろうとする。一遍は、法然後の法難のなかで、浄土宗を引きついだ証空の弟子の弟子にあたり、法然からすれば孫弟子である。そこには、信仰と遊行に見る境涯が、透けて見えてくる。

私は法然、親鸞、一遍を、三つの異る位置において見ようとするのではなく、この三者をむしろ一者の内面的発展のそれぞれの過程において見たいのである。三人ではあるが、一人格の表現として考えたいのである。この発展が如何に必然なものであり、有機的なものであるかを述べたいのである。（略）浄土宗、真宗、時宗は、異る宗派であって、しかも有機的に一体をなすところに、日本念仏門の重みと深さがあるのである。

（『南無阿弥陀仏』「趣旨」）

柳宗悦の視点は、師の鈴木大拙が、禅思想を極めつつ、浄土教思想を極めていくとき、法然と親鸞を同一のものとして考える点を継承するものである。「一枚起請文」と『歎異抄』をむすぶ倉田百三の『法然と親鸞の信仰』も同じ文脈をもつ。『大乗仏教概論』その他によって、禅思想を世界に紹介する大拙の『浄土系思想論』（一九四三年）は、浄土教の主要経典『無量寿経』と曇鸞の『浄土論註』、親鸞の主著『教行信証』を論じたものだ。

そこに、ひとつの現代浄土教にたいする新しい視座があり、一宗派、党派を超えるものがあるかも知れない。このことは、大拙の『日本的霊性』の法然から親鸞へのエートスにも通じるものである。また、知恩院の別時念仏会にて、『宗祖の皮髄』を講演した近代浄土教の山崎弁栄《やまざきべん ねい》による「光明主義」にも通じ、それは霊性を基盤とする十二光仏（『無量寿経』）の人間陶冶《とうや》や信仰生活を統合する視点を内包している。

『南無阿弥陀仏』の「因縁」には、「民藝」と「浄土教」の関係について、懇切丁寧な記述が見られる。『南無阿弥陀仏』は、人口に膾炙されて、よく読まれていた。柳自身も、この本を『妙好人』とともにたいへん気にいっており、このような長きにわたり読者から便りをもらっている本はないと書いている。

さらに、「因縁」には、法然、親鸞につづく一遍上人という念仏者が語られる。大拙の『日本的霊性』にみる視点が、一遍上人の浄土思想のなかに、禅仏教との臨界点である「あいだ」の領域を見い出し、「禅と浄土」は、二元の世界から不二の世界へと横超する。「禅」と「浄土」のふたつは、もはや無分別の領域をはさんで、となりに存在している。境界は、すでに見られないほどに、仏教的エートスが融合し、放下されているのだ。

柳宗悦が長年蒐集してきた、「一遍上人自筆名号」などの仏教画も、今では関心を寄せる人が多くなった。まことに思い起こされるのが、柳の直観による発見である、陶磁器や仏画や民藝の品々の「直下」に見ることで選び抜かれた蒐集である。柳には、「時宗文献」の文章と『南無阿弥陀仏』（大法輪閣刊）の発行と同じ時期に書かれた「一遍上人」（一九五五年八月）の文章がある。岩波文庫には、『一遍上人語録』『一遍聖絵』（大橋俊雄校註・解説）が新たにくわわり、「一遍やその教団である時衆が市民権を獲得したのは、戦後のことで、戦前出版の『日本仏教史』ですら、その名が記されていないものもあった」という編者の印象的な文章がある。一遍は、熊野詣以後、遊行しつつ、民衆の救いのために、別時念仏会をして、お札を配った。

「色紙和讃」「妙好人」「美の法門」を集約するようにして、柳宗悦の『南無阿弥陀仏』は、一九五一年（昭和二十六）八月から一九五四年（昭和二十九）にかけて、雑誌『大法輪』に二十一回にわたり連載された。この『南無阿弥陀仏』がひとつの世評を作り、『一遍上人――旅の思索者』（栗田勇著・一九七七年九月刊・「芸術新潮」掲載）をはじめとする一遍ブームが再燃する。栗田勇と一遍上人との出会いには、柳宗悦が「一遍聖絵」の一枚の絵から触発されたものと近似的な様子が語られている。

上人を知りそめたのは書物を通してではない。また時宗の人々と交りがあったからでもない。更にまた上人についての教えを聴聞したからに由《よ》るのでもない。全く一枚の絵に見入ったことが縁となった。後に詳しく知ったが、それは京都六条の歓喜《かんぎ》光寺《こうじ》に伝わる『一遍聖絵』（六条縁起）であった。しかもその十二巻を悉《ことごと》く見たからではなく、たった一枚の絵にもとづくのである。それも原画を見たというのではなく、貧しい網版の複製によるのである。

（『南無阿弥陀仏』「因縁」）

かつて参詣した藤沢の時宗の総本山である遊行寺《ゆぎょうじ》（清浄光寺《しょうじょうこうじ》）や、『絵で見る一遍上人伝』（長島尚道編）の「一遍聖絵」が思い起こされる。

直観で感じとるやいなや、柳宗悦が論じるものには、内在化された批評が含まれている。法然から親鸞、そして一遍上人の存在へと一本の線で日本浄土教をむすぶ営為には、対象として取りあげる論点そのものが、そのままひとつの批評となっている。

2　因縁について

これまで、妙好人や真宗を通じて、鈴木大拙とのかかわりから浄土教に関して書いてきた。それは、思想が思想に影響をあたえる側面から柳宗悦の姿を浮きぼりにしようとしたからである。

ひとつの問題として、聖道門と浄土門の架け橋がある。

私にとっては、念仏の一道を眺める時、二つの場面に心を惹《ひ》かれざるを得ぬ。一つは浄土門それ自身が持つ特色ある性質である。自力門には見出し難い他力門固有の光景である。これあればこそ、念仏の一門に存在の意義があろう。特に一般の民衆にとって、この一道があることは絶大な恩寵《おんちょう》であって、この一道が用意されていないなら、どんな済度《さいど》が衆生に可能となろう。多くの人々は自力の難行に堪え得る者ではないからである。

（『南無阿弥陀仏』「趣旨」）

すでに述べたことではあるが、大拙の『浄土系思想論』は、『無量寿経』や『浄土論註』や『教行信証』を詳読するものであった。また、『宗教経験の事実』から『日本的霊性』は、讃岐の庄松《しょうま》や石見《いわみ》の浅原才市《さいち》といった妙好人の研究である。ともに、北陸の出自からみるアプリオリな霊性と禅の純粋経験を統合する研究であろうか。

若き大拙の仕事には、神秘主義に通ずる『老子』や『スウェーデンボルグ』の翻訳があったが、晩年に翻訳しようとしてはたせなかったのが、親鸞の『教行信証』である。しかし、大拙には、翻訳を念願する仏典がもうひとつあった。それは、『華厳経』である。『華厳経』は、インドの海洋性から発生した諸テクストが中央アジアの地域で編纂された膨大なテクストである。東漸《とうぜん》による伝播によれば、六十華厳や八十華厳、四十華厳があり、その他「普賢菩薩行願讃」(不空訳)などがある。黒谷の法然も、『華厳経』を繙き修学していた。現存するサンスクリット語のテクストは、六十華厳のうちの「十地品《じゅうじぼん》」と「入法界品《にゅうほっかいぼん》」のみである。このふたつだけでも翻訳することに意味がある、と大拙は考えた。『華厳経』は、膨大であるがゆえに、いまではあまり読まれていない。安倍文殊院や西大寺にある善財童子や、東海道五十三次の名称ばかりが知られている。しかし、「十地品」と「入法界品」に「如来性起品《しょうきぼん》」をくわえて考察されると、大乗仏教の根幹である諸論、例えば『大乗起信論』とつながる。大拙は、アメリカで『大乗起信論』を英訳していた。

「柳君のほうでは審美的に美という字を使う」(「『妙』について」)と語る大拙の「禅と浄土」の「妙」は、柳宗悦が「南無阿弥陀仏」や「妙好人」や「茶道」の思索を通じて引き受けた「美信一如」と同心円であると言っていい。『評伝　柳宗悦』の水尾比呂志によれば、戦後の柳宗悦の思想と行動は、「美と工藝」につづく「美信一如」の世界として書かれている。もうひとつの問題として、美と浄土門との架け橋がある。

柳は、大拙の研究を民藝との関連から宗教における「美」論とのつながりに求めた。

私が何故に民藝品に厚い敬愛を抱くかは、そこに端的に美しさを見た事に依るのは勿論でありますが、私はそれが「凡夫成仏」の教えの活《い》きた姿となっているのを感じたからであります。つまり下輩の職人たちが、そのままで無類の美を生み得る縁を受けているのを見るからであります。即ち何故私が多くの民器に特に心を惹かれて来たかは、凡夫が凡夫のままで美の浄土に迎接されている様が、そこによく形となって示されているからでありますす。

（『新編　美の法門』「法と美」「八　凡夫成仏」）

ここでしばらく、話を柳に関係する棟方志功にむければ、戦争中から戦後にかけて、六年八ヶ月にわたる「棟方志功の福光《ふくみつ》時代」がある。

国画会に認められると、柳から仏教のわかるひととして、河井寛次郎を紹介された。やがて、今度は河井から富山の真宗の光徳寺の住職・高坂貫昭を紹介される。一方で、柳からはもうひとり、官僚の水谷良一（ペンネーム此木喬）を紹介された。水谷は、官僚としての仕事をもってはいるが、浄土真宗の家で育ち、仏教に造詣の深い民藝運動の同志である。その彼からは、板画の制作についての難問が与えられた。その課題こそ、「華厳」である。棟方志功の展覧会や図録では、自由奔放な華厳の書字を時々見る。そこには、華厳を読み解こうとする福光時代から発する因縁があった。

一九四五年（昭和二十）の七月、柳宗悦は、棟方の招きで富山県西礪波郡福光町を訪れる（現在は南砺市。福光町は廃止された）。そこには、修験の医王山と桑山を西に望み、小矢部川の流れる美しい山河の風景があった。

翌年の五月二十七日、棟方と河井と浜田、そして同行する僧侶の高坂貫昭、石黒連州とともに、柳は城端別院に泊まる。そこで、前述したように「色紙和讃」と出会うことになる。翌二十八日、その日は、途中の平村の水口家で、民俗芸能の麦屋節を鑑賞した。今でも、五箇山麦屋節保存会には、その時の目録と署名が残されている。柳宗悦、河井寛次郎、浜田庄司、外村吉之助と並び、その左横にあるのが、棟方志功の絵と署名である。

翌日、一行は、五箇山の赤尾の道宗の関係する行徳寺とその遺跡を訪れた。道宗は、蓮如上人の『御文』を書写することを許された弟子で、在家の信徒である。受けたご恩を忘れないように、割り木の上で痛く眠った。割り木は、四十八願になぞらえて、四十八本である。

柳宗悦は、一九四八年（昭和二十三）の七月から八月にかけて、再度、城端別院に滞在し、勤行への参列と読書と思索を重ねながら、『美の法門』を書く。十一月には、京都の相国寺《しょうこくじ》の「第二回日本民藝協会全国協議会」にて、『大無量寿経』の四十八大願の第四願、「たとひわれ、仏《ぶつ》を得たらんに、国の中の人天《にんでん》、形色同じ《ぎょうしき》からずして、好醜《こうしゅう》あらば、正覚《しょうがく》をとらじ」に関する「美の法門」を講演する。会場は、聴衆の歓呼で埋め尽くされた。「因幡の源左研究」の発心《ほっしん》は、その年の暮れの山陰の旅である。

城端から五箇山を訪問した後、柳たちの一行は、金沢を訪れる。

北陸の金沢には、清沢満之《きよざわまんし》を深く尊敬する真宗大谷派の僧侶・暁烏敏《あけがらすはや》（一八七七―一九五四）がいた。暁烏敏は、盲目の念仏僧であった。雑誌『精神界』などで、親鸞の『歎異抄』をひろく紹介した『歎異抄講読』で知られるが、時代の新仏教運動にもかかわっていた。宮沢賢治の父親とも懇意である。盛岡での講習会へ招かれ、賢治といっしょの写真がある。

親鸞のみならず浄土教について語るときに欠かせないのが、『歎異抄』である。『歎異抄』を語るとき、先にふれた梅原猛の校注と現代語訳になる『歎異抄』（講談社）が、愛読書である方も多いことだろう。そこにある「補注」は、仏教学の知識を十分に充たしたものである。梅原猛の師はギリシア研究の田中美知太郎だった。やがて、ギリシアから近代までの西洋哲学の混迷から、日本思想や文化の研究に回心した。『地獄の思想』の梅原猛も『共生の思想』の建築家・黒川紀章も、東海学園（旧制東海中学校）に学び、そこで、共生運動で知られる椎尾弁《しいおべん》匡《きょう》の法話を聴いている。法然がなくなる二日前に、「一枚起請文」を受けた弟子の源智に着目する『法然の哀しみ』など、梅原猛は「法然」に関する著作を何冊も書き、『京都発見　法然と障壁画』では、法然に関する詳細なフィールドワークをおこなった。法然に傾倒する学者のひとりと言えるだろう。余談になるが、詩人の壺井繁治や仏師の西村公朝が在籍した大阪の浄土宗知恩院派の旧制私立上宮中学校では、司馬遼太郎も学んでいる。ここには、浄土教と特殊な境涯をもつ、それぞれの因縁について語ることができるかも知れない。

こうして、柳宗悦は、蓮如以来の浄土真宗の風土への訪問によって、「色紙和讃」の開版本と出会い、京都の古書店で「色紙和讃」と出会い、越中城端別院の長期滞在による『美の法門』の執筆と、京都相国寺での「第二回日本民藝協会全国大会」での講演から、山陰地方の「因幡の源左」の研究にはいる。

以上が、『南無阿弥陀仏』を書く直前までの柳宗悦の行動である。

戦中から戦後にかけて、柳宗悦のなかで、日本の仏教が阿弥陀如来の声として増してきていることがわかる。浄土教は、旅という外在的な見聞による純粋経験と、内在的な心性のなかでの浄土教（六字名号＝阿弥陀如来）の目覚めによる発酵にちがいない。

念仏は思索にたけた印度に発し、支那に来て実際的な信仰に熟したが、一宗派をこの上に建立したのは実に日本で、しかもこの国に来て、六字の意義も深まり、極めて独創的な内容に達した。（略）しかも吾々の国で培《つちか》われ、育ち、熟した幾つかの思想のうち、おそらく最も深く温いものは、この南無阿弥陀仏の六字につつまれる宗教思想であろう。

（『南無阿弥陀仏』「趣旨」）

戦時中に、大拙の書物をじっくり読んだ柳は、空襲や食糧事情によって体調を崩したころから、戦後になると、浄土教へと宗教的心性が深まる。先に書いた疎開中の棟方志功から慫慂《しょうよう》されて、富山や金沢地方へと訪問したのも因縁である。

しかし、柳の内的な日本文化や仏教への思いは、二回にわたる海外渡航によって、さらに内的な確信を得ているようだ。このことが、柳宗悦のリベラリズムや偏らない中道的な精神に影響しているものと考える。

第一回目の渡航は、戦前であり、帰国後の『工藝』の出版を支えるものとなった。一九二九年から翌年にかけての留学は、見聞と講義を重ねるヨーロッパとアメリカの滞在であった。「設立趣意書」以後の欧米滞在期からその後の「工藝」に集約される民藝運動が生ずる因縁となった出来事である。ヨーロッパとアメリカの滞在が、「民藝」に大きく寄与していることが確認できる。アメリカにおける大乗仏教を紹介する鈴木大拙の影が見える。師からの独立の時期と言えるかも知れない。そこには、明らかに、海外の生活によって思考されたヨーロッパやアメリカの影がある。ロンドンでは、モリスのレッドハウスを訪れ、メンバーとも親交をもった。甥の石丸重治は、イギリスの美術史を研究する。小林秀雄や西脇順三郎や柳の親友の郡虎彦《こおりとらひこ》から、ウィリアム・ブレイクを研究する由良君美の影が、初期のモリスの紹介者である富本憲吉とともに遠近法となって、交友図を作成できる。これによって、「色紙和讃に就いて」へと転回する工藝と信仰が、仄《ほの》見えるのだ。

そこに、柳宗悦の『南無阿弥陀仏』に至る道があった。「白磁の陶磁器」がある。「木喰上人」がある。「浄土和讃」や「妙好人」がある。「美の法門」がある。たどり着いた『南無阿弥陀仏』について、柳は、民藝と関連づけて、いくつかの論点にまとめている。

一　実用的で健康な、他力ともいえる民藝の「下品《げぼん》の器」の美しさは、浄土門（念仏門）の教えとかかわるのではないか。

二　美の王国を建立するために、民器がもつ衆生への済度は、在家仏教として民衆を相手とする念仏門に聞くべきではないか。

三　片田舎の無学なひとびとのなかに現れた「妙好人」の篤い信仰を受け入れ、育てるのは、念仏門ではないか。

四　美しい民藝がもつさまざまな不思議さをとく鍵が、念仏門にあるのではないか。

五　工藝の世界における無銘の品々がいかに救われているか、それは念仏門における易行《いぎょう》の道と関係があるのではないか。

六　芸術家ではなく、資格もない職人が作る民藝品のみごとさとその美は、念仏門の教えと関係するのではないか。

七　凡夫たる工人達の心と手による限りない反復、この繰り返しこそ、浄土への念々の念仏と同じ念仏門の信仰の不思議から生れたものではないか。

柳宗悦の二度目の渡航は、『南無阿弥陀仏』を断続的に執筆しながらの時期と重なる。柳は、雑誌『工藝』を百二十号をもって終刊したその年、一九五一年（昭和二十六）八月から「南無阿弥陀仏」の連載をはじめる。六十二歳の時である。

一九五二年（昭和二十七）五月末、六十三歳になった柳は、毎日新聞社の文化使節として、志賀直哉と浜田庄司とともに、梅原龍三郎や益田義信も同行して、羽田から一路、ローマへとむかった。

ローマに着くと、ポンペイ、アッシジ、フィレンツェ、シエナ、ヴェネツィア、ミラノ、ボロニアからフランスのパリへと移動はつづいた。パリからスペインのマドリッド、トレドからリスボンへ、そして、再びロンドンでリーチと再会する。時間は流れた。二十三年ぶりのセント・アイブスであり、リーチ・ポッタリーである。そこからダーティントンを訪れる。

その後、浜田とアムステルダム、ライデン、ハーグからストックホルムへ。式場隆三郎も合流してオスロへ。さらには、ヘルシンキ、チューリッヒ、ドイツのバーゼルとベルンをまわる。パリからロンドンへ戻り、ロンドンからアメリカのニューヨークへと旅はつづいた。

ニューヨークに着くと、恩師の鈴木大拙に会った。さらに、ワシントンから再びニューヨークからボストンへもどり、ケンブリッジからデトロイトを経て、シカゴ、サンタフェ、ニューーメキシコの各地を巡り、ロスアンジェルス、サンフランシスコからハワイへ到着する。終着点の羽田に着いたのは、一九五三年（昭和二十八）の二月のことである。

第二回目の西洋社会への旅を経て、柳宗悦は、その晩年の新たな思索に入っている。

戦後の海外での生活は、特に日本の大乗仏教の意義を高らかに掲げるものとなった。堀田善衛が、日本の中世に関わる『定家明月記抄』を書いたのは、スペインのバルセローナであった。『日本近代文学の起源』を書いた柄谷行人が、日本の文化と風土の差異を見つめたのも、アメリカの大学に滞在中であった。そこに、柳にとっての『南無阿弥陀仏』があった。『南無阿弥陀仏』の執筆と重なりながら、民藝と美との関係を宗教的「美」意識として思索する。その姿には、海外と日本との「あいだ」が仄見えるのだ。『南無阿弥陀仏』の執筆は、一九五四年（昭和二十九）の十二月ごろまでつづいた。

さらに問題を措定《そてい》する事柄は、法然の弟子をひとつの門とする架け橋についてである。京都の歓喜光寺に伝わる『一遍聖絵』（六条縁起）の一枚の網版の複製に、一遍上人とはなにか、旅をつづける遊行への機縁を見るのは、浄土教にたいする柳宗悦の因縁を語るものだろう。

一遍は、日本の風土も、聖道門も法華経の世界も、不二なるひとつの世界とする。

浄土の一門が法然より親鸞に、更に一遍へと進む時、ついに聖道の一門、特に禅に、それがおのずから結ばれて来たことを、どうして見逃し得よう。同じように、一遍上人と時代を等しくした道元禅師が、彼の『正法眼蔵《しょうぼうげんぞう》』の「生死《しょうじ》」の巻に述べた思想はどうであろうか。驚くべきことに、彼はおのずと他力の宗門に結ばれているではないか。この帰趨《きすう》に、私は絶大な感嘆を覚えざるを得ないのである。

（『南無阿弥陀仏』「趣旨」）

3 「念仏の仏教」から「他力」まで

柳宗悦の『南無阿弥陀仏』は、その主著として多く語られてきた。例えば、柳のまとまった論考には、『工藝文化』や『手仕事の日本』などの著作がある。しかし、ひとつの限定された領域を幾つもの道筋により、根源的に考察がなされているものは、『南無阿弥陀仏』を嚆矢《こうし》とする。

日本の文化史中、精神的に見て最も偉大なのは仏教の働きである。そうして、その働きが最も活潑になったのは鎌倉時代である。（略）法然を出発とし、これに親鸞や一遍が続いた。未だ印度になく支那にも見られぬ念仏専修、念仏独一の法門が日本に建てられたのである。この法門こそは、日本の文化が示す最も高い嶺《みね》の一つとして仰がれねばならぬ。

てよい。

「民衆」の意義が見直されつつある今日、「民の宗教」、「在家の仏教」は、特に注意を集め（『南無阿弥陀仏』「念仏の仏教」）

日本浄土教を開宗した法然には、「月影のいたらぬ里はなけれどもながむる人の心にぞすむ」（『勅修御伝《ちょくしゅごでん》』・『続千載集』「釈教歌」）という有名な和歌がある。和歌を詠んでいた法然には当時の歌人とのやり取りもあって、面影びととしての精神的な恋愛もあったとする研究もある。時代的には、『新古今集』の世である。

「法然」の一代の伝記は、よくその宗派の成り立ちを語るものがある。しかし、その歴史的な位置づけと、どのように法然が時代の空気のなかから生まれ出てきたかは、膨大な論証が必要であろう。「浄土教が日本の社会にうけいれられ、遂には聖道門に対立する浄土門として、思想的にも教団的にも独立するに至るまでの過程」（井上光貞『日本浄土教成立史の研究』）である。比叡山の念仏や高野山の念仏聖、奈良東大寺や大原の念仏、高野山や根来《ねごろ》の覚鑁《かくばん》や永観の念仏について、「日本的浄土教の誕生」として学問的にも論証される必要があった。関東、特に鎌倉を中心とする法然や親鸞と浄土宗との関係の研究も更に必要だろう。法然門下の証空や鎮西やその弟子の影響もあったにちがいない。さらに、法然を中心に京都の地勢についても、どのような場所を歩いているか、よく調べなければならない。

柳宗悦の弟子である小川龍彦は、佐藤春夫や保田《やすだ》與重郎《よじゅうろう》とも親交があった。民藝運動の芹沢銈介の「法然像」や「法然上人絵伝」などの縁を知恩院と取りむすんだ僧侶である。静岡の浄土宗を信仰する商家に生まれた芹沢銈介には、「法然上人御影」「極楽から来た」「散華」、知恩院大殿の「荘厳《しょうごん》飾布」などの作品群がある。小川龍彦が住職をした明石の浄土宗無量光寺は、大正期に倉田百三（一八九一―一九四三）が住み込んだ。ここで書かれたのが、『出家とその弟子』である。「ここに紹介する作品は、「欧亜《ユーラシア》」芸術界の最も見事な典型の一つで、これには西洋精神と極東精神とが互いにむすびついてよく調和している。この作品こそキリスト教の花と仏陀の華、即ち百合と蓮の花である」という、ロマン・ロラン（一八六六―一九四四）からの「序」や「手紙」も届いている。

設《たとい》、我れ仏《ぶつ》を得たらんに、十方《じっぽう》の衆生、至心に信楽《しんぎょう》して、わが国に生れんと欲して、乃至《ないし》十念せんに、もし生れずんば、正覚《しょうがく》を取らじ。唯《ただ》五逆と正法を誹謗《ひほう》せんとをば除く。

（『無量寿経』「四十八願」）

法然亡き後、長い時間が流れていた。親鸞は、六十歳を超えて、関東から京都に戻り、隠棲した。しかし、息子の善鸞義絶問題や関東の念仏宗の弾圧と分裂によって、信仰的には煩悶《はんもん》の生活にあった。そこに、「上人の常の仰せには、弥陀の五《ご》劫《こう》思《し》惟《ゆい》の願をよくよく案ずれば、ひとへに親鸞一人《いちにん》がためなりけり」。「善人なほもつて往生をとぐ、いはんや悪人をや。しかるを、世のひとつねにいはく、悪人なほ往生す、いかにいはんや善人をや」で知られる『歎異抄』の舞台がある。

誠に知《し》んぬ。悲しき哉《かな》、愚禿鸞《ぐとくらん》、愛欲の広海《こうかい》に沈没《ちんもつ》し、名利《みょうり》の大山《たいせん》に迷惑して、定聚《じょうじゅ》の数に入ることを喜ばす、真証の証《しょう》に近づくことを快《たのし》まざることを、恥《は》づべし、傷《いた》むべしと。

（親鸞『教行信証』「信の巻」）

法然亡き後も、弟子たちの活動には圧迫がつづいていた。関東での長い空白期を経て、京都にある親鸞は、浄土教の存立基盤の確立と、浄土三部経や真宗七祖や仏教の歴史観による末法の時代を「和讃」によって表現した。親鸞にとっての『涅槃経』は、『観無量寿経』とともに、『無量寿経』の第十八願の付帯条項を救抜する庶民の済度へとその思索を深める経典であった。

親鸞におきては、たゞ念仏して弥陀にたすけられまゐらすべしと、よきひとのおおせをかぶりて信ずるほかに、別の子細《しさい》なきなり。念仏は、まことに浄土にうまるゝたねにてやはんべらん、また地獄におつべき業《ごう》にてやはんべるらん。総じてもつて存知せざるなり。たとひ法然聖人にすかされまゐらせて、念仏して地獄におちたりとも、さらに後悔すべからず候《そうろ》ふ。

（親鸞『歎異抄』「第二条」）

法然とその弟子がどのように法灯を守っていったかは、大変興味があることである。『法然上人伝絵』の作成も、法然の弟子がその後多岐に分かれたことと関係があるという。『選択本願念仏集』とともに法然の書いたものとして有名な「一枚起請文」は、弟子の源智上人に授けたものである。梅原猛によると、現在、浄土宗の大本山のひとつである金戒光明寺《こんかいこうみょうじ》にある「一枚起請文」は、先の小川龍彦によって真筆と検討されたが、源智と関係のある下鴨《しもがも》神社の摂社である河合神社にあったと言われている。その他、百万遍知恩寺や粟生《あおう》光明寺にもあるので、どれが伝来の本当の「一枚起請文」であるのかと、梅原猛は問うている。

それと同時に、親鸞が六十三歳になって、京都に戻り、なにをしていたかである。未完の『教行信証』に手を入れつづけた後、関東の弟子筋との関係に苦慮し、「和讃」を書き、法然の兄弟子聖覚《せいかく》の『唯信鈔』の文章を筆写しては伝えている。廃仏ではなく、浄土真宗（浄土宗）を受容してもらうことについて思案していた親鸞は、教信と聖覚を尊敬していた。

派生してくる問題は、法然門下および親鸞門下の弟子の系譜についてである。

専修念仏《せんじゅねんぶつ》のともがらの、わが弟子ひとの弟子といふ相論のさふらうらんこと、もてのほかの子細《しさい》なり。親鸞は弟子一人ももたずさふらう。（親鸞『歎異抄』「第六条」）

現在の浄土宗は、聖光《しょうこう》（鎮西派）――良忠の流れである。源智も、京都でこの派に合流している。家康以後、徳川時代になると、この流れは、幕府との関係もあって、大きく発展した。その他、「一念多念」として宗悦が論ずる幸西《こうさい》（一念義）と隆寛（多念義）の問題も生ずるが、後に統合されている。長西《ちょうさい》（諸行本願義）は、鎌倉の寿福寺のちかくにある、「阿弥陀三尊坐像」で知られる常光明寺に関係する僧である。

問題は、「行」と「信」にかかわるところに、親鸞の存在がある。京都での親鸞の晩年に、どのような考えが伏在し、滞留していたか。親鸞の晩年は、法然の弟子の著作を祖述し、『歎異抄』にあるように、逆説の論理と「一人がためなり」に収斂《しゅうれん》する「信」は、他方で、膨大な七五調の「和讃」を読んでいた。

親鸞の周辺にいた覚信尼、善鸞、如信、覚如から、蓮如が出てくるまでには、長い時間がある。

さらには、法然――親鸞の流れにつづいて、宗悦が哲学的思惟を思索したと考える弟子証空《しょうくう》（西山義《せいざんぎ》）の流れがある。聖達から一遍へと法脈も流れている。晩年の親鸞は、西山派の僧侶の手になる『安心決定鈔《あんじんけつじょうしょう》』や聖覚の『唯信鈔《ゆいしんしょう》』を紹介している。『唯信鈔文意《もんい》』なども書き記しているので、聖覚を尊敬していた様子が伺える。

京都御所の東側に、盧山寺《ろざんじ》がある。角田文衛の調査と研究により、『源氏物語』の紫式部邸跡として知られる寺である。この寺には、法然の真筆で知られる草稿本の『選択本願念仏集』

がある。そのちかくにあるのが、浄土宗の本山のひとつ清浄華院《しょうじょうけいん》である。浄土宗は、法然が賜ったこの寺を舞台として、九州にかかわる弁長（聖光房・鎮西派）から良忠以来、御所の公家や貴族と接していたようである。「我がこころ池水にこそ似たりけれ濁りすむことさだめなくして」「阿弥陀仏と十声唱へてまどろむ長き眠りになりもこそすれ」の法然の歌がある。

親鸞は、和歌ではなく、和讃を多く遺した。それには、なにか、理由があるのだろうか。

「となふれば仏もわれもなかりけり南無阿弥陀仏の声ばかりして」から「となふれば仏もわれもなかりけり南無阿弥陀仏南無阿弥陀仏」と深化する一遍の徹底性は、その死の直前において、『阿弥陀経』を唱えながら、身辺にある本や書いたものを焼き捨てた。「又御往生の前月十日の朝、阿弥陀経を誦て、御所持の書籍等を手づから焼捨たまひて」、「一代の聖教《しょうぎょう》皆尽《つき》て、南無阿弥陀仏になりはてぬ」と、一遍は語ったと言われている。四散していた残された文書がまとめられたのは、江戸時代になってからのことである。

そのなかには、和歌がある。法然の弟子証空は、法然亡き後、貴族社会とのパイプ役になっていた。一遍は、法然門下で比較的宮中や貴族たちとの交流を継続した証空の弟子の聖達《しょうたつ》の弟子である。一遍の父親道広も、証空の弟子筋の如仏と号して、京都で活動していた。そうした影響もあってのことだろうか。一遍の和歌には、不思議と貴族の周辺に生活していた西行の詠んだ、『新古今集』のなかの仏教や経文を題材とする釈教歌や神祇歌に似ていると思われるようなところがある。和歌に親しんでいた証空の弟子筋にある一遍には、こうした傾向があるかも知れない。

「一座無移亦不動《一たび座して移ることなく、また動かず》とは、念仏三昧すなはち弥陀なり」と、一遍は、禅の聖道門との「あいだ」を突き抜け、「法華と名号と一体なり」の『法華経』との「あいだ」の領域に踏み込んでいた。

法然起ち、親鸞続き、更に一遍へと進んだ歴史は、かくして浄土宗から浄土真宗へ、そうして更に時宗へと発展する。これは所依の経文が『観経』から『大経』へ、『大経』から『小経』へと推移する過程でもあった。法然によって三部経は定められたが、その各々が持つ特色を活かすべき三人の祖師が現れたことは、興味深い摂理ともいえる。その発展の推移を辿ることは、やがて日本浄土思想史を辿る所以ともなろう。(略)『小経』が歌う六字は『観経』の知らせんとする易行《いぎょう》の道であり、やがてまた『大経』が伝えんとする弘願《ぐがん》の門ではないか。互いに順展し円融してこれを分つことが出来ぬ。

(『南無阿弥陀仏』「三部経」)

柳宗悦の書き方や論の進め方には、法然と親鸞と一遍を通時的に語ると同時に、「浄土三部経」に盛られた「六字名号」へと収斂する思索が共時的に語られる。そこに、『南無阿弥陀仏』のもつ多様な解説が、「第十八願」や「念仏」の考察による複合的な思索をはらみながらも、衆生済度への解明的な引用と解説となっている。

もともと仏教においては、「四弘誓願」とよぶものがあって、一切の菩薩が発せねばならぬ根本的な誓願である。一には無数の衆生を度せんとする誓願、二には無辺の煩悩を断ぜんとする誓願、三には無尽の法門を知らんとする誓願、四には無上の菩提を証《さと》らんとする誓願である。だが、これらは凡ての仏が持つべきいわば総願であるが、これに対しある仏の発する特別な願を別願と呼んでいる。その別願のうち最も巨大なものは『大経』に記された四十八願である。

（『南無阿弥陀仏』「三部経」）

大日如来――金剛薩埵――龍樹（龍猛）――龍智――金剛智――不空――恵果という真言七祖を選択するように、法然によって選択された浄土宗相承《そうじょう》の祖師は、「一心に専ら弥陀の名号を念じ、行住坐臥《ぎょうじゅうざが》に時節の久近《ぐごん》を問はず、念々に捨てざるは、これを正定《しょうじょう》の業《ごう》と名づく。彼《か》の仏願に順ずるが故に」（善導大師『観経疏《かんぎょうしょ》』「正宗分散善義《しょうじゅうぶんさんぜんぎ》」）と書いた善導を中心とする。その系譜は、曇鸞――道綽――善導――懐感《えかん》――少康《しょうこう》の浄土五祖である。

願はくは弟子等、命終《みょうじゅう》の時にのぞんで、こゝろ顚倒《てんどう》せず、こゝろ錯乱《しゃくらん》せず、こゝろ失念せず、身心《しんじん》にもろもろの苦痛なく、身心快楽《けらく》にして、禅定《ぜんじょう》に入るがごとく、聖衆現前《しょうじゅげんぜん》したまへ。仏の本願に乗じて、阿弥陀仏国に上品《じょうぼん》往生せしめたまへ。（善導「発願文」）

親鸞は、真宗相承の七高僧（祖）を、龍樹からはじめて、世親（天親《てんじん》）——曇鸞——道綽——善導——源信——法然の七人とする。親鸞の『三帖和讃《さんじょうわさん》』と言われる、晩年の「浄土三部経」の讃である『浄土和讃』、「七高僧」の讃である『高僧和讃』、仏教的歴史観である「正法」「像法」「末法」をうたう『正像末《しょうぞうまつ》和讃』のうちから、『高僧和讃』にその系譜を取り出して見る。

〈本師龍樹菩薩は／智度・十住毘婆沙等／つくりておほく西をほめ／すゝめて念仏せしめたり〉（龍樹菩薩）

〈釈迦の教法おほけれど／天親菩薩はねんごろに／煩悩成就のわれらには／弥陀の弘誓《ぐぜい》をすゝめしむ〉（天親菩薩）

〈本師曇鸞和尚《かしょう》は／菩提流支《ぼだいるし》のをしへにて／仙経《せんぎょう》ながくやきすてゝ／浄土にふかく帰せしめき〉（曇鸞菩薩）

〈本師道綽禅師は／聖道万行《しょうどうまんぎょう》さしおきて／唯有《ゆいう》浄土一門を／通入すべきみちととく〉（道綽禅師）

〈信は願より生ずれば／念仏成仏自然《じねん》なり／自然はすなはち報土なり／証大涅槃うたがは

ず〉（善導大師）
〈極悪深重《ごくあくじんじゅう》の衆生は／他《た》の方便さらになし／ひとへに弥陀を称してぞ／浄土にうまるとのべたまふ〉（源信大師）
〈本師源空世《よ》にいでゝ／弘願《ぐがん》の一乗ひろめつゝ／日本一州ことごとく／浄土の機縁あらはれぬ〉（源空聖人）

ここには、易行から浄土門にいたる浄土教の本願が、衆生済度への道筋としてあまねく平等の思想に弘説されている道筋が見える。「仏法に無量の門あり。世間の道に難あり易あり。陸道の歩行は則《すなわ》ち苦しく、水道の乗船は則ち楽しきが如し。菩薩の道もまた是《かく》の如し。あるいは勤行精進するあり。あるいは信の方便を以て易行にして疾《と》く不退転地に至る者あり」（龍樹『十住毘婆沙論《じゅうじゅうびばしゃろん》』）」。龍樹菩薩（ナーガールジュナ）の『十住毘婆沙論』は、今日、鳩摩羅什《くまらじゅう》の名訳として伝えられているが、これは、『華厳経』の「十地品《じゅうじぼん》」を解釈したものである。これを継続する曇鸞も、龍樹によるところが多いと見られており、易行の思索の流れが、「華厳経」とのかかわりにおいて取り出されている。

東の道を龍樹は難行道と述べ、天親は自力道と呼び、道綽《どうしゃく》は聖道門といった。これに対し西の道をそれぞれに配して、易行道、他力道、浄土門と名づけた。そうしてこの西の道を選ぶ宗門が念仏宗であり浄土宗なのである。真宗も時宗もこの判別では共に西の道に属する。自余の諸宗、天台、真言、華厳、禅その他は凡て東の道を指すといわれるのである。

(『南無阿弥陀仏』「他力」)

4 「凡夫」から「一念多念」まで

源空法然の選択による、すべてのものから中心に迫り、その核を抽出する方法は、明らかに「選択」による真理の探究であった。それは膨大な「大蔵経」に象徴される仏教経典のテクストから自己の救いや大衆の救済のためになにを取り出すかという読みでもある。

しかし、法然にとって、その「選択」の小径は、テクストの解読や解釈を超えて、一心に信へと横超《おうちょう》する宗教的な真理を求める求道であったにちがいない。その選択は、大乗仏教による衆生への誓願とともに、光明を深層に伏在させつつ、発心《ほっしん》から起行の内実へとつづく往生のための安心《あんじん》の道筋でもあった。

諸有の衆生、その名号を聞きて、信心歓喜し、乃至《ないし》一念し、至心に廻向して彼《か》の国に生れんと願ずれば、即ち往生を得て、不退転に住す。

(『無量寿経』)

法蔵菩薩は、五劫と言われるほど長い思惟を重ねることによって、阿弥陀如来になった。『無量寿経』では、四十八の誓願がなされている。この並立された四十八の誓願に、構造的な解釈をする。それが、「三願転入《さんがんてんにゅう》」と言われる親鸞の道筋である。

自身は現にこれ罪悪生死《しょうじ》の凡夫、曠劫《こうごう》より已来《このかた》、常に没《もっ》し常に流転《るてん》して、出離《しゅつり》の縁あることなし。

（善導大師『観経疏《かんぎょうしょ》』「正宗分散善義《しょうじゅうぶんさんぜんぎ》」）

道綽から善導へ、善導から源信へとつづく浄土教系の先人たちは、迷いの世界から離れ出る手がかりをつかもうと煩悶している。今生の生活をしながら、いかに迷いの世界から解き放たれ、輪廻の束縛を離れるか。「出離の縁」と口称念仏についての師叡空《えいくう》と源空との論争があった。法然の師であった黒谷の叡空は、比叡山の麓にある大原で融通念仏の実践に捧げていた良忍の弟子である。「たとひ法然聖人にすかされまひらせて、念仏して地獄におちたりとも、さらに後悔すべからずさふろふ」という親鸞の思いは、この「出離の縁」と深くかかわっている。「出離の縁」とはなにか。孤絶の絶対的な精神の場所こそ、「出離の縁」の本源的な自覚である。

比叡山を下りた法然がはじめて念仏をとなえたのは、西山の地であった。そこには、叡空と同門の遊蓮房円照がいた。円照とともに、善導ゆかりの念仏に精進した法然は、善峰寺《よしみねでら》で逝去する円照を看取ったと言われている。その後、法然は、京都東山に移っている。比叡山を下り、京都の六角堂（現在、西国三十三番札所「第十八番」）に参籠《さんろう》し、法然のところにやってきた親鸞も、「出離の縁」の自覚なくして、絶対他力への自然法爾《じねんほうに》への帰入はありえなかった。

そこに、念仏（六字名号）による浄土の世界があった。その背景には、自力を思案する思索性から拭い去るように、絶対他力へと「三願転入」する選択がある。

『教行信証』の「化身土巻」では、第十八願「設我得仏《せつがとくぶつ》、十方衆生、至心信楽《ししんしんぎょう》、欲生我国《よくしょうがこく》、乃至十念、若不生者《にゃくふしょうじゃ》、不取正覚《ふしゅしょうがく》。唯除五逆誹謗正法《ゆいじょごぎゃくひほうしょうぼう》」は、『無量寿経』の難思議《なんしぎ》往生とする「至心信楽の願」である。第十九願「設我得仏、十方衆生、発菩提心《ほつぼだいしん》、修諸功徳《しゅしょくどく》、至心発願《ししんほつがん》、欲生我国、臨寿終時《りんじゅじゅじ》、仮令不与大衆囲繞《けりょうふよだいしゅいにょう》、現其人前者《げんごにんぜんしゃ》、不取正覚」は、観無量寿経の双樹林下《そうじゅりんげ》往生とする「至心発願（来迎引接《らいこういんじょう》の願）」である。さらには、第二十願「設我得仏、十方衆生、聞《もん》我名号《がみょうごう》、係念我国《けねんがこく》、植諸徳本《じきしょとくほん》、至心廻向《ししんえこう》、欲生我国、不果遂者《ふかすいしゃ》、不取正覚」は、『阿弥陀経』の難思《なんじ》往生と廻向による「至心廻向の願」である。この「三願」に集中し、「三願」の構造を螺旋状に思索する親鸞は、第十九願から第二十願へ、第二十願から第十八願へと、起行から本願に帰す信によって、「親鸞一人」の自覚を我と汝（聖なるもの）との不二に帰入する。苦行僧の並々ならない苦悶の跡が見えるようだ。

「西方」とはなにか。「一切の仏法の目指すところは不二《ふに》の境地である」と書く柳宗悦は、「西方はわが心内の即今の位である。西方とは不二の位を指すのである」（『南無阿弥陀仏』「西方」）と書いている。『阿弥陀経』の最後に出てくるのは、「娑婆国土五濁《ごじょく》悪世《あくせ》劫濁《こうじょく》見濁煩悩濁衆生濁命濁《みょうじょく》中」という、末法が現存するイメージのリアルな姿である。しかし、『阿弥陀経』には、「青色青光《しょうしきしょうこう》、黄色《おうしき》黄光、赤色《しゃくしき》赤光、白色《びゃくしき》白光」によって、功徳荘厳する救済と慰謝の聖なるもののイメージの世界が対極的に描かれている。「穢土《えど》とは何なのか。二相に堕ちて相争う世界である。浄土とは何なのか。不二に座して相和する世界である。末法の今日、何としても浄土を示す宗教がなければならぬ」（『南無阿弥陀仏』「凡夫」）とは、柳宗悦の言葉である。

従是西方、
過十万億仏土、
有世界、
名曰極楽。
其土有仏、
号阿弥陀。
今現在説法。

ここから西方に
百万億の仏国土を過ぎたところに
〈幸あるところ〉という名の
世界がある。
そこに、無量寿（アミターユス・かぎりなき命）と名づける
如来・敬わるべき人・正しく目ざめた人が
現に今住んでおり、身を養い、日を送り、法を説いているのである。

サンスクリット語から漢訳をへた日本の仏教学による詩語が生き生きと描かれた詩である

（中村元・早島鏡正・紀野一義訳註『浄土三部経』「阿弥陀経」〈下〉梵文和訳）。宇宙を直観する「アミターユス（無量寿）」と「アミターバ（無量光）」の聖なるものの宗教経験が不二となって、『阿弥陀経』のもとに意味が統合される。「六字名号」が、「南無阿弥陀仏」という漢語から日本語に受容されたのである。

ハイデッガーは、神無き時代の危機の時代に生きた。「「帰郷」とは、根源への近接に帰りゆくことである」と、ヘルダーリンの詩「帰郷」について解釈する。柳宗悦は、「それは本来のあるがままの境地である。それ故六字は一切のものの根であり源である。これをこそ心の故郷と呼ばねばならぬ」と書き、「六字を求めるのは、故郷に帰ろうとする思慕の情である」（同上）と、六字名号の深層と家郷との関係に触れている。「こころ」の「ハイマート（ふるさと＝郷里）」への帰郷をはたすハイデッガーは、大地と形而上的な言葉（詩）による葛藤の世界を明るみに取り出し、「「帰郷」しうる人とは、（略）あらかじめ、「さすらい」の重荷を肩にになった人で、そして一たん根源そのものへ渡って行き、そこで探ねるものが如何なるものであるかを知り、その上で探求者として、「より経験を重ね」て帰り来る人である」（ハイデッガー選集　三『ヘルダーリン詩の解明』「帰郷」）と、大地と詩の解明をし、現存在の帰郷を告げている。そこには、自己の功徳を衆生に施して、ともに浄土に往生することを願い、浄土にあって往生して正覚を伝えたひとが、今度は迷える衆生を救済する〈往相／還相〉の潜勢性が見える。

浄土門は六字を示して、その本然《ほんねん》の境地に帰らしめようとするのである。それ故六字は吾々の行手《ゆくて》にあるものではなくして、吾々に既に備わったもの、吾々の生れの家ともいうべきか。吾々は誤って故家を去り、流浪の苦しみに、あたら身を沈めているに過ぎぬ。六字を唱えるとは、故郷の音ずれを聞くことである。六字に吾々は吾々の故郷を見出すのである。

（『南無阿弥陀仏』「六字」）

柳宗悦が逝去すると、空前の民藝ブームが起った。そのときから、『南無阿弥陀仏』は、柳の代表作であると言われていた。

しかし、浄土教に関する流れをわかりやすく思索する「南無阿弥陀仏」については、これまで多く論じられてはこなかった。

例えば、『評伝　柳宗悦』は、柳宗悦の著作と手紙に眼を通している水尾比呂志（筑摩書房版全集の総編集責任者）の誰もが認める名著である。しかし、「美の法門」と「仏教美学」の間に、「南無阿弥陀仏」の項目を置いてはいるものの、その内実には多くは触れられていない。「第三章　美信一如」では、柳の戦後の業績と歴史がまとめられていることはすでに書いたが、「民藝」と「宗教」をつなぐ「仏教美学」への考察が中心である。そこには、『南無阿弥陀仏』に関する浄土教を宗教的に論ずる言及はなされていないようである。

『柳宗悦――「複合の美」の思想』（中見真理・岩波新書）では、「第6章」に「開かれた宗教観」の一章が立てられている。そこには、今日の多文化共生の時代にあって、非寛容な宗教性を超えた不二的な文化論の解釈がある。平和への希求に力点が置かれていることもあり、『南無阿弥陀仏』は宗教現象学的な立場からは論ぜられてはいない。

それぞれ、浄土宗や真宗や時宗の関係者からも、入門書として意義づけられているものの、『南無阿弥陀仏』と柳宗悦の浄土観そのものについては、詳細に論じられることはないようである。

しかし、浄土真宗の家に生れた阿満利麿の『柳宗悦　美の菩薩』は、「民藝」と「宗教」の架け橋を論証するものである。それにつづく『法然の衝撃　日本仏教のラディカル』では、柳宗悦の『南無阿弥陀仏』の内実に迫ろうとする。「一遍は、近代になってから、「法然・親鸞・一遍」と、専修念仏《せんじゅねんぶつ》の系譜のなかで論じられることが多くなっている。法然によって創始された専修念仏は、その後親鸞、さらに一遍を経て発展、あるいは完成してという論である。柳宗悦の『南無阿弥陀仏』や、唐木順三の『無常』が、そうした立場から書かれたといってよい」（『法然の衝撃』「一遍の念仏」）。本著は、仏教が日本に伝来したときの歴史と日本的な神仏習合にスポットを当て、神祇宗教と一遍との関係にもふれながら、柳の論について言及する。

さらに、前述した栗田勇は、『一遍上人――旅の思索者』のなかで、「美術にあらわれた浄土的イメージについてここ数年来触れてきたが、いったい、南無阿弥陀仏という名号が、何に由来するかさえ一般の読書人はあまり知らないようだ。果敢にも、そのような俗の立場から書かれた、浄土教への入門解説書としては、柳宗悦の「南無阿弥陀仏・一遍」があるだけである」と触れ、「浄土思想の流れのなかに一遍をおいてみることは、終いに当って欠かせない手続きである」(『一遍上人――旅の思索者』「第十四章　念は出離の障りなり」)と、書いている。

そのほか、『南無阿弥陀仏』について、直接的に言及するものもある。『回想の柳宗悦』(八潮書店)には、彫刻家の高田博厚が、「「宗教的」というのは神仏を拝むことではなくて、人間の「精神」の最も謙虚な態度を指す。感情的情緒を越えて、人間「理念」の奥底に「神」を感じることを意味する。私は長いヨーロッパ生活でヨーロッパの歴史の中にこの「伝統」を理解した。柳宗悦はその「知性」と「感覚」を以て、これを体得していた一人であった」(「宗教的柳宗悦」)と述懐している。

また、河井寛次郎は、「若い頃、『信と美』を書き、それを敷衍して『美の法門』というすぐれた本を出した。他力信心の法然、親鸞、一遍の三人について書いた『南無阿弥陀仏』は、他力ではこれより先がないという最後のものをつかんだ名著である」(「柳宗悦の死」)と書いている。献詞によって、「(前人がつけた)道を歩かなかった人。歩いたあとが道になる人。これが柳」と、柳宗悦を絶賛するが、ふたりは、木喰仏によって、深い交際を見た仲である。

このように柳宗悦と『南無阿弥陀仏』に関連する事柄を紹介してきたが、問題は『南無阿弥陀仏』がその主著と言われてきたにもかかわらず、多くは触れられてこなかったという事実である。

阿弥陀如来が西方に住むという考えは、何も念仏宗から始まったのではない。今は焼けた法隆寺の金堂《こんどう》の壁画の一つは阿弥陀三尊仏であった。特に筆の妙を尽した名画であったが、これは西方に位する仏として描いてあったのである。もともと諸仏諸菩薩は密教系のものが多く、一番手近なはっきりとした指方の例は五智《ごち》如来であろうか。大日が中央、阿閦《あしゅく》が東方、阿弥陀が西方、宝生《ほうしょう》が南方、釈迦が北方と位を定めてある。

（『南無阿弥陀仏』「西方」）

柳は、「何が浄土新宗の特色であるか。想うに二つの著しい価値顚倒が見られる。一つは称名の優位、一つは他力の優位」（『南無阿弥陀仏』「念仏」）と宗教的直観によって予覚する。引用するのは、『浄土三部経』の「無量寿経」「観無量寿経」「阿弥陀経」に関する本願の論旨にくわえて、『一枚起請文』『選択本願念仏集』『勅修御伝』はもとより、法然門下の『唯信鈔』（聖覚法印）、『法語』（西山証空聖人）、『明義進行集』（法蓮房信空）である。

法然が旧仏教から攻撃を受けたのは、比叡山や興福寺からである。中国や朝鮮での留学体験をもたない法然は、後に弟子重源《ちょうげん》が中国宋に赴く際には、浄土教の五祖像の招来を求めている。重源は、大原の勝林院での「大原問答」にも参加し、南都焼亡後の東大寺の勧進職を推薦された法然からその適任者に推挙された僧である。後日、東大寺が復興まぢかになると、法然を招いて『浄土三部経』の読誦《どくじゅ》の会を開催したのも、重源である。そのとき、掲げられた掛軸は、当時知られていた当麻曼荼羅図と宋から重源が請来した五祖像であったらしい。こうした経緯もあってのことだろうか。華厳宗の東大寺からの法然浄土教にたいする批判は、比叡山や三論宗の興福寺ほどではなかった。東大寺や高野山、京都の西方の二尊院や北東の大原問答のあった土地の周辺からは、大きな反論は出ていなかった。

ただ往生極楽のためには、南無阿弥陀仏と申して、うたがいなく往生するぞと思い取りて申す外には別の仔細候《しさいそうら》わず。ただし三心四修《さんじんししゅ》と申すことの候うは、皆決定《けつじょう》して南無阿弥陀仏にて往生するぞと思ううちにこもり候うなり。（略）浄土宗の安心起行《あんじんきぎょう》この一紙《いっし》に至極《しごく》せり。

（「一枚起請文」）

法然は、三種類の『阿弥陀経』を日課的に読み、親鸞も『浄土三部経』の読誦を課していた。しかし、安心と起行の本質である本願の信に帰するには、称名のみであることに気づいたことが語られている。「三心四修」の「三心」とは、「至誠心《しじょうしん》」「深心《じんしん》」「廻向発願心《えこうほつがんしん》」である。「四修」とは、「恭敬修《くぎょうしゅ》」「無余修《むよしゅ》」「無間修《むけんじゅ》」「長時修《じょうじしゅ》」である。

安心起行への道は、不二なる浄土教の世界であるが、法然のたどりついた起行には、行の重要性があり、弟子の親鸞がたどりついた安心には、一念義に通ずる傾向さえある信の本願に隣接する姿がある。「罪は十悪五逆の者も生まると信じて、少罪をも犯さじと思うべし、罪人なお生まる況《いわん》や善人をや。行《ぎょう》は一念十念なおむなしからずと信じて、無間《むけん》に修《しゅ》すべし、一念生まる況や多念をや」（「一紙小消息」）と、法然は手紙に書いている。ここに、安心に至る多念と一念の起行があり、その心得である用心には、「廻向」と「往生」と「不退転」の言葉が並びつつ、念仏とは何かが問題となる。

計《はかりみ》れば、それ速やかに生死《しょうじ》を離れむと欲《おも》はば、二種の勝法《しょうぼう》の中に、しばらく聖道門を閣《さしお》いて、浄土門に選入すべし。浄土門に入らむと欲はば、正雑二行《しょうぞうにぎょう》の中に、しばらくもろもろの雑行を抛《なげす》てて、選じてまさに正行に帰すべし。正行を脩せむと欲《おも》はば、正助二業《しょうじょにごう》の中に、なほし助業を傍らにして、選じてまさに正定《しょうじょう》を専らにすべし。正定の業とは即ちこれ仏名《ぶつみょう》を称するなり。み名を称すれば、必ず生ずることを得。仏の本願によるが故なり。

（『選択本願念仏集』）

ここには、聖道門から浄土門に「選入」し、雑行から正行に「帰」し、助業から正定業を「専」らにすることが、論理的に選択されている。法然は、「選択」により、三昧発得《さんまいほっとく》の大きな確信にちかづいている。驚くべきは、助業として日頃仏教的な雰囲気に親しんでいる「読誦」

や「観察」「礼拝」、そして「讃嘆供養」よりも、専らに「称名」をせよと言っていることである。『浄土三部経』の読誦さえ、「安心起行」の道からは遠回りとする解釈である。そこには、中国から伝来した源信（『往生要集』）以来の観仏の伝統も、その他のあらゆる雑行もなかった。

凡《およ》そ真理は単純なものです。救ひの手続きとして、外から見れば念仏程簡単なものはありませぬ。たゞの六字だでな。だが内からその心持に分け入れば、限りもなく深く複雑なものです。恐らくあなた方が一生かゝってもそのそこに達する事はありますまい。

（倉田百三『出家とその弟子』第二幕「親鸞」）

法然は、同僚的存在であった遊蓮房円照とともに、地上にある世俗の「念仏」による我と汝（聖なるもの）の確認をした。法然の直接の弟子は、円照の甥の信空をはじめとして、証空、源智、聖光、幸西、親鸞、長西、隆寛の順に、その門を潜《くぐ》っている。

なぜ、易行道である晩年の法然浄土教に、多くの人材が集まったのか。

彼らの多くは、末法の世のなかに仏門に長く帰依していながら、迷いのなかに生きていた。天台も真言も学んだひとも多かった。しかし、誰もが、「出離の縁」への気づきのうながしをえるように、法然の下にやってきたのである。京都の街は、戦乱に次ぐ戦乱である。宗教変動による宗教改革期だった。常数としての世紀末的不安のなかにいたのだ。法然の関係年表を見れば、比叡山も興福寺も、荒廃しきっていた。そこには、純粋な信仰や学問の場とは遠い動乱の風景がつづいている。

四十歳で一宗を立て、六十歳を越えて、法然は体調を崩していた。梅原猛によれば、瘧病《おこり》（マラリア）であると言う。法然は、弟子や後の世のためにと関白の九条兼実から所望され、これまでなしてきた思索についてまとめようとした。それが、『選択本願念仏集』である。

法然の三昧発得は、六十六歳の時と言われている。

草稿に見られる「撰擇本願念佛集」と「南無阿彌陀佛　往生之業念佛爲先」の二十一文字は、法然の自筆である。つづいて第一・二章は安楽房遵西《じゅんさい》、第三章以後は、真観房感西《かんさい》の筆になる。そして、第三筆を勤めたのが、西山派の善峰寺《よしみねでら》（現在、西国巡礼三十三番札所「第二十番」）の証空《しょうくう》であることが明らかにされている。

法然は、免責されて大阪の勝尾寺《かちおでら》（現在、西国巡礼三十三番札所「第二十三番」）に三年間留まっていた。京都との間には、西山の光明寺も善峰寺も途中にある。同時に免責された親鸞は、越後から関東の常陸に渡り、二十余年間の長い期間を経て、京都に戻る。そこで目にしたのは、証空の弟子たちの姿である。法然没後、法然の墓を守っていたのは、西山派の証空の流れの僧侶であった。比叡山への「七箇条制誡」に署名したのは、法然の晩年の門弟百九十名である。署名は、信空、感聖、尊西、証空、源智、行西の順である。『選択本願念仏集』の書写をゆるされたのは、門弟のなかでも、わずかに隆寛、幸西《こうさい》、聖光、源智、親鸞、証空であった。

5 「廻向不廻向」から「行と信」まで

今日、浄土系には、浄土宗、西山浄土宗、浄土真宗、時宗といった宗派が存在する。現在の知恩院をはじめとする浄土宗は、鎮西派《ちんぜいは》の流れである。

法然の晩年、新しい念仏門の宗派にたいする圧迫が激しくなると、何人かの僧は地方での活動を余儀なくされていた。弁長《べんちょう》（鎮西上人）や蓮生《れんせい》（熊谷次郎直実《なおざね》）も、そうした名だたる僧である。造寺造塔を得意とする弁長は、九州筑後の善導寺を中心に、関西と行き来しながら、念仏の布教をしていた。

後年、一遍は、九州の大宰府に、証空の弟子の聖達を訪れる。聖達から、まず浄土宗の経典を学ぶようにと説かれ、証空の弟子で聖達の法兄である肥前の華台のもとに赴き、一年間留まっている。華台は、一遍の父通広（如仏）の友人でもあった。このとき一遍は、随縁から智真へと法名を変えている。北原白秋の幼年時代は、福岡の柳河（柳川）に暮した。久留米の善導寺も柳河も、ちかい場所である。晩年の白秋の浄土系への親和力が、縁ある地勢とのかかわりからも推測されるようだ。

一遍の家は、瀬戸内海の有力御家人の河野家に属していた。承久の乱（一二二一年）では、水軍として、後鳥羽上皇側についた。〈はかなしやしばしかばねの朽《くち》ぬほど野はらの土はよそに見えけり〉（「江刺郡《えさしこおり》に到りて、祖父通信の墳墓に追薦《ついせん》し給ふ時に」）。祖父は東北の地に、叔父は長野の佐久に流謫《るたく》されていた。一遍の踊念仏や遊行の旅には、そうした自分探しの旅が、深層の核にある。

関東では、弁長の弟子良忠が、信州長野の善光寺から利根川に沿って、関東の地縁に布教していた。鎌倉に入ると、海岸に面した拠点を定め、活動をはじめる。

父が京都で北面の武士であった熊谷次郎直実は、『平家物語』の蓮生として、法然のもとにいた。源義経の鵯越《ひよどりごえ》の奇襲で知られる一の谷の合戦で、関東の直実は若い平敦盛《あつもり》とまみえなければならなかった。京都嵯峨の清凉寺に残る手紙によれば、法然と証空との関係が推測される。蓮生は、証空の世話になり、法難のときには、京都の中心にはいなかった。同じ一の谷の合戦で、父の平師盛《もろもり》（平重盛の息子）を亡くした幼い源智は、その後長らく勢観房源智として、法然に近侍している。知恩寺の奉侍第一の源智（紫野門徒）とその弟子蓮寂房信恵とが、弁長の弟子で造寺を得意とする良忠と合流すると、知恩院を中心に浄土宗の源流となった。

『蓮如文集』（笠原一男校注）のなかで蓮如が書いていることは、法然が亡くなると聖道門を修行してきた人たちの間で、天台宗との関係で悩むひとが多かった。法然の弟子達の分裂は、聖道門を学んだ後に浄土門にはいってきたひとたちの時代状況の迷いからなっていると考えられる。奈良二上山のふもとにある当麻寺の「当麻曼荼羅」の図像について、いち早く『観無量寿経』によって解釈した証空の西山派の流れがあった。他の法然の弟子達が、真言や天台の聖道門から易行道の浄土門に帰依するのにたいして、証空はまず『観無量寿経』や『観無量寿経疏』をきわめ、そこから天台学の学問研究にはいった経緯がある。証空には、法然の木像を誕生寺まで運んで、その復興をはたした蓮生との縁もあった。

比叡山の天台から在俗の浄土教に展開する親鸞は、新潟から関東に赴くことを決心する。自己存在の「非僧非俗」を深める思いしか、法然にちかづきようがなかった。浄土教の奥義を在家という生活のなかに見つめる親鸞は、京都に戻った後、聖道門との関係を模索する流れに批判的であった。さらに、「融通念仏すゝむる聖、いかに念仏をばあしくすゝめらるゝぞ。（略）「信不信をえらばず、浄不浄をきらわず、その札をくばるべし」としめし給ふ」（『一遍聖絵』「第三」聖戒編・大橋俊雄校注）の一遍の流れにさえ、晩年の親鸞は、うなずくことはなかった。一遍は、天台（『法華経』）や禅を抱合する聖道門に接近して、「法華と名号と一体なり。法華は色法《しきほう》、名号は心法なり。色心不二なれば、法華すなわち名号なり。故に観経には、「若念仏者是人中芬陀利華《ふんだりけ》」ととく。芬陀利華とは蓮華なり。さて法華をば薩達摩《さっだるま》芬陀利経といえりと云々」（一遍『一遍上人語録　巻下』）と書く。法然によって、難行として扱われていた「法華」は、ここで蓮華のもとに、「名号」といっしょになっている。そこには、福祉思想の根幹である「仏性」による平等を説き、『涅槃経』の如来蔵思想から衆生済度の徹底を思索する親鸞と分かれる道筋があるかも知れない。

梅原猛は、「法然」研究に携わる際に、「一枚起請文」をさずけられた源智の『醍醐本』や近年発見された滋賀県信楽の玉桂寺の阿弥陀仏像とその体内文書に着目した。わずか十三歳で、六十五歳の法然につかえた源智は、十八年間も隠遁僧のように法然のちかくにいた。その書いたものには信憑性が高い、というのがその根拠である。そうした影響もあるのだろうか。源智への思いいれが強く働いている。法難にあって、東北の旅に出立した証空をはじめとする西山派については、多くを語っていない。もちろん、一遍についても、多くは語らない。

「法然上人二十五霊場」や蓮如の本願寺から堅田、吉崎、山科、石山へと拠点を移動する際の「御文」に見るように、その活動とする場所は、関西の地勢を中心とするものである。しかし、親鸞の関東での滞在や一遍も一部関東とも関係するので、東京のトポスでもある近世江戸という現代の観点からすると、諸宗にも存在した檀林という歴史的な存在にスポットが当てられる。浄土宗では、関東十八檀林として知られる諸寺院は、江戸時代には、僧侶の養成所の機能を付与されていた。

当時、聖光坊弁長（鎮西）派は、九州と関東に拠点があり、石見国生まれの弟子良忠は、鎌倉の光明寺から京都に拠点をもつ源智の弟子と合流し、浄土宗の基盤を築いた。鎌倉の材木座海岸に山門を開く光明寺は、良忠によるが、中国唐の善導大師が住んだ光明寺を名前とする寺のひとつである。入り口には、「関東総本山」の石碑が建っている。

小石川の伝通院や墨田区の霊巌寺のほか、太平洋戦争の末期の空襲下に残った黒本尊をもち、東京芝公園内に戦後再建され、東京タワーとの写真でよく知られる増上寺の解脱門（三門）も、京都知恩院や九州久留米の善導寺の山門とともに、楼上には、それぞれ釈迦三尊や十六羅漢、二十五菩薩を内蔵した立派な威容を誇っている。

武蔵の川越城址下にあって、境内には鳩の群れが住み着き、参拝客が絶えない屋台や駄菓子屋などのお店が立つ風景がよみがえる連馨寺や、東京のベッドタウンである千葉市には、『浄土論註』で知られる中国の道綽《どうしゃく》が修行した寺と同じ名の大巌寺があり、近代の念仏者である山崎弁栄が若い日に学んだ東漸寺（松戸市）とともに名刹である。

謹んで浄土真宗を按《あん》ずるに、二種の廻向あり。一つは往相、二つには還相《げんそう》なり。往相の廻向について真実の教行信証あり。（親鸞『教行信証』「教巻」）

わたしたちは、生まれてからこの方、なだらかではあるが、確実に存在する水平線のような死について、漠然と意識している。時折、他者の死を目の前にしたり、訃報に接したり、亡くなった通知をあとから知るたびに、あるがままの生に押し寄せる死の波のようにそれらを感じている。ときには、激しい荒波となったりするが、それは、他者のことであり、他者の存在の顕現を知ることである。自分のことになると、遠い死の水平線は、まったくと言ってよいほどに、意識裡に抑圧された亡霊であるかのようだ。

しかし、あとどのようないのちの時間があるのか、あとどれくらいのいのちの場所があるのかと、押し寄せる波のように意識裡に浮上してくる思いを否むことはできない。「安心といふは南無なり。起行といふは阿弥陀の三字なり。作業《さごう》といふは仏なり。しかれば三心・四修・五念は、皆以《みなもって》名号なり」（一遍『播州法語集』）。そこに、「行」と「信」の問題が横たわっている。自然死をまつことも、無病息災を祈念しつつ生老病死の生を生きるが、徐々に、荒波となってやってくる死の存在は、台風や巨大な津波のような現前にせまる危難となってくる。もはや、そこには、いやおうがなく、どのような宗教的な心性に近似する安心があるのかと、自問されるときがくる。

その廻向行には二種あるという。往相と還相との二つである。往相は文字が示す通り、吾々をして仏の国に向わしめる相《すがた》であり、還相は、吾々の国に再び帰らしめる相である。それ故前者は自らが救われる道であり、後者は他をも救う道である。

（柳宗悦『南無阿弥陀仏』「廻向不廻向」）

こちらには、此岸《しがん》がある。お釈迦様に背中を押されて、自らを救う一本の道に踏み出そうとする。あちらには、彼岸がある。他者を救うために、阿弥陀様と観音と勢至菩薩が、手で招いている。

中路《ちゅうろ》の白道《びゃくどう》は南無阿弥陀仏なり。水火《すいか》の二河《にが》はわがこゝろなり。二河にをかされぬは名号なり。
（一遍『播州法語集』）

こうして渡る苦難な人生の二河白道は、生死の経験的な比喩である。生そのものは、最終的には言葉の比喩でしか語れない。死も極楽も詩的な比喩でしか語れない往生の世界である。『古事記』によれば、黄泉の入り口には、山吹の花が咲いていた。見てはいけないものを見てしまったのか。黄泉の国と現実の世界との境界である「黄泉比良坂《よもつひらさか》」に差しかかる。イザナミノミコトは、帰る道すがら、悪霊邪気をはらう桃の実を投げて、ようやく現世に帰ることができた。

もともと浄土門の成立は、穢土観に基くのである。そうして穢土観こそは浄土観を常に呼ぶその契機である。濁と浄と相対するものであるだけに、また相離れては意味を持たぬ。地獄観と極楽観とが、光影の如く相伴うのは必定である。それ故にこそ穢土への厭離が直ちに浄土への欣求《ごんぐ》となるのである。それ故往生観を伴わぬ浄土門はあり得ない。他力道が何故浄土往生を希《ねが》うかの必然な理由がここに読める。（柳宗悦『南無阿弥陀仏』「往生」）

しかし、問題は、最後には、人間誰しもが白骨となることである。白骨の存在とは、人生を相渡ってきた事後性であろうか。蓮如は、「御文（御文章）」のなかで有名な「白骨章《はっこつ》」を綴る。蓮如によって『日常勤行集』に編纂されたのが、「正信念仏偈」「和讃」とともに「御文」であった。「白骨章」は、「聖人一流章」「信心獲得章《ぎゃくとく》」「末代無智章《まつだいむち》」「八万の法蔵章」の「御文」の最後を飾る。

されば、朝《あした》には紅顔ありて、夕《ゆうべ》には白骨となれる身なり。すでに無常の風きたりぬればすなわちふたつのまなこたちまちにとぢ、ひとつのいきながくたえぬれば、紅顔むなしく変じて、桃李《とうり》のよそほひをうしなひぬるときは、六親眷属《ろくしんけんぞく》あつまりて、なげきかなしめども、更にその甲斐あるべからず。さてしもあるべき事ならねばとて、野外におくりて、夜半《よわ》のけぶりとなしはてぬれば、ただ白骨のみぞのこれり。あはれといふも中〳〵《なかなか》おろかなり。されば、人間のはかなき事は、老少不定《ふじょう》のさかひなれば、たれの人も、はやく後生《ごしょう》の一大事を心にかけて、阿弥陀仏をふかくたのみまゐらせて、念仏まうすべきものなり。あなかしこ〳〵。

（『蓮如文集』「御文」七七（内））

白骨と言う事後性は、すべての人間に平等におしよせる一世一代の大波である。死の水平線が到来する。後生の一大事である。なんとか、安心起行を定めておきたいと思いはするが、それも「私」の往相への思いに貫かれた「自我」なるもの、自力の廻向に違いない。ひとたび行き着けるところまでいくのも、至難の業である。さらに、世のため、ひとのために、もどってこいという声がする。頭のなかの観念ではとうに知る誓願としても、実際行動の行と信のあかしは、はたしてどのようになされると言うのか。

親鸞の『教行信証』の「行巻」は、『無量寿経』にいう十二光仏の讃嘆による「正信偈」で終わる。「正信偈」と「和讃」は、真宗にとっての両輪である。〈弥陀の廻向成就して　往相還相ふたつなり　これらの廻向によりてこそ　心行《しんぎょう》ともにえしむなれ〉と、〈往相の廻向ととくことは　弥陀の方便ときいたり　悲願の信行えしむれば　生死すなわち涅槃なり〉の「高僧和讃」は、〈還相の廻向ととくことは　利他教化《りたきょうけ》の果をえしめ　すなわち諸有《しょう》に廻入《えにゅう》して　普賢の徳を修《しゅ》するなり〉の「利他教化」の言葉にたどりつく。思索第一といわれる親鸞の「正信偈」に通底する晩年の「和讃」である。世のため、ひとのために、他者である衆生に本当の信をふりむけることは、往相から還相の廻向による利他の境涯（社会奉仕）に悟入することとして、どのようにして、可能であろうか。それは、柳宗悦の解釈でもあった。

二つに還相の廻向と言ふは、即ちこれ利他教化地の益《やく》なり。即ちこれ必至《ひっし》補《ふ》処《しょ》の願より出でたり。また一生補処の願と名づく、また還相廻向の願と名づくべきなり。

（親鸞『教行信証』「証巻」）

世界の古典『ファウスト』は、新プラトニズムの系譜につながるゲーテが生涯をかけた大作であった。最後は、自己の生と美の探究をはなれて、いわば書を捨てて、「事業」（社会奉仕）という他者性に、彼岸からの還相へとたどり着く。それによって、天使（聖なるもの）にすくわれていく。「すべて移ろい行くものは、／永遠なるものの比喩にすぎず。／かつて満たされざりしもの、／今ここに満たされる。／名状すべからざるもの、／ここに遂げられたり。／永遠にして女性なるもの、われらを引きて昇らしむ」（『ファウスト第二部』「神秘の合唱」手塚富雄訳）は、ゲーテの他者への還相廻向（後世の最大遺物）の悟入を物語るものであろうか。

〈六字名号は一遍の法なり。十界の依正は一遍の体なり。万行離念して一遍を証す、人中上々の妙好華《みょうこうげ》なり〉（『偈頌和歌』「六十万人頌」）。「南無阿弥陀仏　決定往生六十万人」と念仏札を賦算し、苦しい旅をともにつづける道時衆、在俗の念仏者として生きる俗時衆、そして布施行の結縁衆とともにある一遍も、そうであったろうか。「御文」で知られる越中の妙好人赤尾道宗と交流する蓮如も、身近に妙好人の存在を見ているように思える。

棟方志功や鈴木大拙とともに、北陸に赴いた柳宗悦。その「色紙和讃」や「妙好人」に関する関心と調査・研究による発見の縁起は、バーナード・リーチや河井寛次郎、浜田庄司とともに歩んだ民藝という美の社会奉仕運動であるとともに、「南無阿弥陀仏」という「六字名号」の信の発見でもあった。そこに、柳宗悦の言葉と「モノ」の表層／深層があった。前述した『蓮如　一向一揆』（日本思想大系）を編纂した笠原一男の「蓮如における妙好人論」では、往生伝から妙好人論やその宗教的条件について考察されている。
親鸞の「和讃」と「教行信証」は、同時代の思索として同じ位相であることが指摘できる。さらには、書かれている文章の奥行きに感じる息遣いからすれば、親鸞の「正信偈」と蓮如の「御文」は、文章の香りが通じている。親鸞の書いたものをわかりやすく説く蓮如の語り口は、唯円《ゆいえん》に似ているが、一遍の書いたエートスをわかりやすく述べているような気配がある。

抑《そもそも》、当流念仏者のなかにおいて、諸法を誹謗《ひぼう》すべからず。まづ越中・加賀ならば立山・白山《はくさん》そのほか諸山寺なり。越前ならば平泉寺・豊原寺等なり。されば経にもすでに、「唯徐五逆、誹謗正法（唯五逆と正法を誹謗せんとをば除かん）」とこそ、これをいましめられたり。（『蓮如文集』「御文」十八（内））

「諸神・諸仏菩薩をかろしめず、また諸宗諸法を謗ぜず」と、蓮如は、民衆にしきりに他宗を批判するなと言っている。他宗を非難しないことは、大乗仏教における、全ての衆生を救うことに通ずる柳宗悦の文脈である。戦後、大江健三郎の恩師である渡辺一夫は、『寛容について』で、ヨーロッパのキリスト教の新教と旧教の争いのなかで、「寛容は自らを守るために不寛容に対して不寛容になるべきか？」という文章を書いた。それは、ラブレー研究者として、『敗戦日記』を当局からのがれるために仏語で書きつづけた渡辺一夫の第二次世界大戦への批判を込めた思索でもあった。

一遍上人はいつも「不二《ふに》」の境地を見つめた。不二とは、ものが未だ二つに分れないそのままの様を指すのである。不二は如であり、即である。それ故上人の心においては、来迎、未来迎の別は立たない。往生は不二にのみあるからである。（略）六字六字が吾々の自我の捨て場である。六字が死の場である。六字に臨終があるのである、それ以外の死に何の意義があろう。だがその死こそは六字に活きる死である。念々の臨終が念々の往生である。それ故六字そのものがいつも来迎であり引接《いんじょう》である。

（柳宗悦『南無阿弥陀仏』「来迎未来迎」）

6　仮名法語

『南無阿弥陀仏』も、後半にはいると、「廻向不廻向」「来迎不来迎」「往生」の項目となるが、最終章に並べられる項目は、「行と信」「自力と他力」「僧と非僧と捨聖《すてひじり》」と「仮名法語」である。

これらはすべて、南無阿弥陀仏の六字名号に統合されて解釈される。しかも、法然――親鸞――一遍の系譜に共通する六字名号に帰入する浄土教についての論証である。これらの論考は、発展段階論的に書かれているとは、思えない。むしろ、恩師の鈴木大拙の『日本的霊性』でさえ、一遍については論ぜられていない（「附　時宗文献」）とする柳宗悦から見れば、一遍を照射することに主眼が置かれていることが、強く眼を惹《ひ》く事柄である。柳宗悦は、『浄土三部経』も法然や親鸞の主著も、最終的には南無阿弥陀仏の六字名号に帰入すると説いているようだ。

最終章の「仮名法語」は、柳宗悦が付け加えた項目ではあるが、ふたつの点で重要であろう。ひとつは、南無阿弥陀仏に関する先人の智慧が、従来の漢籍で書かれることで一部のひとだけの理論的・学問的な色彩であるという批判から、仮名による平易な消息（手紙）で書かれていることを評価する。

もうひとつは、これによって、すべての衆生に開かれた大乗仏教の誓願による救いと悟りの不二的世界が、往相と還相の重層性により、十全な救済へと通ずることになった。慈悲は、自らの誓願であるとともに、弥陀からの呼びかけの声である。ふたつは、即時的に不二となるが、そこにあるのは、柳宗悦の庶民への大乗主義的な視線である。

南無阿弥陀仏は、大乗仏教の趣旨を讃えた経典と解釈による先人の智慧の形而上的な結晶であった。仮名によらなければ、一部の学問や条件のある特別なひとにしか関与しないことになり、万民に開かれたものとはならない。形而上的な六字名号が、衆生の視線に下りてくる。南無阿弥陀仏という六字名号にすべてが包摂《ほうせつ》される。論理的にひとりのもれもなく救われることが、わかりやすく証明された。

柳宗悦にとって、衆生済度の観点からして見れば、法然の漢文による『選択本願念仏集』よりも和文の「一枚起請文」が重要である。『法然上人行状図絵』のうち、「仮名」で表記された第二十一章から二十四章の「仮名法語」に着目する。同様に、親鸞の『教行信証』よりも、和語で綴られた『歎異抄』が重要である。大衆への影響力を語るはじめの十章と終りのふたつの証文（後序・附録）だけでも、意味があると柳は語っている。和語には違いない道元の『正法眼蔵』は、注解がなくてはその真の部分は読めない。漢語的な難解な表現のために、解説と現代語訳がたえず必要である。それにたいして、懐弉《えじょう》による『正法眼蔵随聞記《ずいもんき》』のわかりやすい文体を評価し意義を述べるのも、衆生済度の視線があるからである。

鈴木大拙は、没後四十年から五十年をへて、今日、さらに注目されている。出版が相次ぎ、英語の論考まで翻訳されて、紹介されている。最近では、安藤礼二氏の『大拙』（講談社）がある。この大拙の思想の中心である禅については、柳は江戸時代の盤珪禅師の「平話」に注目する。庶民に平易に説法した盤珪禅師は、円空や木喰など衆生のための誓願による仏像製作があった時代に活躍した僧である。さらには、本著で引用される『一言芳談《いちごんほうだん》』の短章から、庶民と知識人を超えた仏教への和語の親しみを語る。

私が読んだ浄土系の和語の仏書で、最も感銘を受けているものの一つは『安心決定鈔《あんじんけつじょうしょう》』

である。この本は蓮如上人が四十余年の間、あかず味読されたといわれ、また親しく筆写されたものさえ今日残る。(略)その内容の深さは、丁度西洋でいえば中世時代に出た『テオロギア、ゲルマニカ』にも比すべきものではなかろうか。浄土思想に心を惹かれる凡ての人は、繰返し読んでよい。別に西山派の本だということに、こだわる要はない。

(『南無阿弥陀仏』「仮名法語」)

柳宗悦には、宗教学を専攻していたこともあり、審美主義的な詩人で芸術家のウィリアム・ブレイクや、民藝運動の先人ともいえるウィリアム・モリスが関わった中世の宗教や工藝が根底に仄見えることは、折に触れて述べてきた。さらには、関東大震災間際の木喰仏の発見から調査と、「日本民藝美術館設立趣意書」や朝鮮民族美術館での活動からアメリカへの遊学を挟んで、『工藝美論』の出版と「工藝」の発刊までには、めまぐるしい活動があった。戦時から戦後の初めにかけては、「色紙和讃」との出会いや「美の法門」の執筆と「妙好人因幡の源左」の調査・研究から、本書『南無阿弥陀仏』の執筆のころまでには、「法然上人御影」や「佛教版画」「中世基督教藝術」などの晩年の特集をもつ「工藝」の終刊と大津絵や古丹波の蒐集に見るように、その活動は留まるところがなかった。しかも、『南無阿弥陀仏』の連載の間、ヨーロッパからアメリカ・ハワイの長期滞在がなされている。

ここには、近代を生きる柳宗悦の東西にかかわる中世の宗教と文化にたいする視線があり、そうした底辺を支える近世江戸への親和力がある。柳宗悦は、近代日本の民藝が持続する「モノ」そのものや、宗教的な具体物としての活動をその背景に見ていたのである。

死期を悟った一遍は、体力的に難儀を重ねる遊行生活の最後に、すべての本は書写山《しょしゃざん》（西国巡礼三十三番札所「第二十七番」）の仏僧に渡し、手紙類もすべて焼き尽くした。しかし、幸いにも聖戒《しょうかい》ほかの門弟によって、ふたつの伝記である『一遍聖絵』『一遍上人絵詞伝』と、その後江戸時代に編纂された法話と消息を編んだ『語録』が残されている。親鸞も一遍も、前世代に属する賀古の教信を慕っていた。一遍が亡くなると、多くの信者が、ともに念仏をしながら、死を願った。行く先は、神戸の北にある丹生山《たんじょうさん》である。

『南無阿弥陀仏』の最後は、こうした「仮名法語」で終るが、柳宗悦の引用による法然の「一紙御消息」と証空の「法語——鎮観用心」と一遍の「消息——興願僧都宛て」で締めくくられる。勿論、親鸞の『歎異抄』は、これまで多く引用しているのではぶくと断りながら……。

幾許《いくばく》かのこれらの法語を、終りに添えたのは、味気ない私の長い論議に、香りや色を加えたい希いからである。南無阿弥陀仏について、あるいはいらぬことを長々と述べたようにも思えるが、この無用の言葉をなお用とするのは、また至らぬ人間の止み難《がた》い求《や》めによるからである。

（『南無阿弥陀仏』「仮名法語」）

「南無阿弥陀仏」という言葉の考察は、これまで不思議と多くはなされてこなかった。「言葉」や「声」（シニフィアン）としてのみよく知られてきたこの六字名号の「意味性」（シニフィエ）について、柳宗悦は、学問や宗派の解釈を超えて、その意味を明らかにする。その営為は、あたかも彼方の海の薄明から次第に朝日が昇ってくるような明るさを衆生への意味作用として取り出すことであった。六字名号がこれまで詳しい解釈によって流布してこなかったという不思議さは、これもまたまことに身近な存在である『般若心経』が、多くの解説書があるにもかかわらず、その意味するところが不透明のまま流布されてきている状態に似ている。

哲学者の鶴見俊輔は、評伝『柳宗悦』の「第十章　神と仏」のなかで、柳宗悦の宗教観と「一遍上人」に触れている。また、この本のなかで、「民芸の批評という、国家主義・民族主義にのめりこみやすい仕事を運動として続けながらも、人間としての立場から一歩も身を移すことのなかった柳宗悦の文体とその見方」に注目し、「柳宗悦には、戦争のむこう側にいる人びとの姿がいつも見えていた」（「第六章　白樺派の文体」）と書いている。

高村光太郎や横光利一をはじめとして、ほとんどの詩人と作家が、戦前の全体主義＝国家主義にかかわった。戦後、文学者や詩人の戦争責任について問われた時代があった。多くの仏教者も、同じような反省を強いられた存在であったことが伝えられている。ほとんどの宗派の仏教者が、同じく戦時期にかかわっていた事象にたいする批判が、戦後なされた時期があった。

しかし、国際的な感覚と自由主義的な思想による鈴木大拙から柳宗悦の系譜の流れは、消極的な立場に追い込まれながらも、狂信的な戦争を遂行する全体主義とは無縁であった。そのことの意味が、「明治以後半世紀の日本の社会史の中において見る時、十五年間の戦争もくずし得なかったほどのしっかりした家をたてることに、柳はその慎重な、よく計算された文体によって成功した」(同上) と鶴見俊輔によって書かれるように、今日、また鋭く問い直されている。なぜならば、「故郷」に廻心すれば、そうした戦時期のアポリア (解決のつかない難問) との真摯な対話が差異をもちつつも、「地方」と「大地」として反復されるからである。

7　僧と非僧と捨聖

柳宗悦の『南無阿弥陀仏』は、その中心である六字名号についてのわかりやすい、詳細を極める浄土教の紹介である。それは、また法然と親鸞と一遍についての同一と差異の紹介の書とも言えるだろう。

本書の実質的な「まとめ」こそ、「仮名法語」の前の章の「僧と非僧と捨聖」であると考える。

柳は、これまで、しばしば浄土教の三者を比較する際に、通時的な思索の発展を念頭に置きながらも、あくまでも三者の思索と行動を共時的な存在としての浄土教あるいは他力本願の枠にくくり、そのなかでの差異性として、語りつづけてきた。

ここでは、言うまでもなく、「僧」とは法然（浄土宗）であり、「非僧」とは親鸞（真宗）であり、「捨聖」とは一遍（時宗）のことである。この三者を比較対照のために引用する象徴的な文章が、次の一遍の『法語』である。

念仏の機《き》に三品《さんぼん》あり。上根《じょうこん》は、妻子を帯し家に在《あり》ながら、著《じゃく》せずして往生す。中根は、妻子をすつるといえども、住処と衣食《えじき》とを帯して、著せずして往生す。下根《げこん》は、万事を捨離《しゃり》して、往生す。我等は下根《げこん》のものなれば、一切を捨《すて》ずは、定《さだめ》て臨終に諸事に著して往生をし損ずべきなりと思ふ故に、かくのごとく行ずるなり。（一遍『一遍上人語録　巻下』）

一遍の「法語」の分類からすれば、柳の分析は、「上根」の親鸞、「中根」の法然、そして、「一遍の如き」は「下根」であるとする。柳の解釈による分別は、「穏順なる法然、強靭なる親鸞、鋭利なる一遍」であり、「この対蹠的な三者を持つことは、日本の浄土門をいや栄えしめたといわねばならぬ」とむすんでいることに力点がある。

それは、第二次世界大戦の敗戦によって、アメリカサイドからの日本的思想の解体がなされていた時期である。日本のむかうべき指標は、廃墟からの経済復興だけであり、信仰や信念の部分があいまいとなって、戦後民主主義や近代化のなかで内在的な喪失感に落とし込められていた。そのとき、鈴木大拙は、日本の仏教文化を如来蔵思想を背景に禅と浄土を解釈し、柳宗悦は、他力本願という阿弥陀による浄土思想によって民藝の底辺にある庶民の心性に語りかける。こうして、師弟がともに日本文化の結晶である仏教と文化を世界へ発信する意志をもっていた。大拙も宗悦も、キリスト教（西洋思想）から聖道門をも経由して浄土教に至る思索をもつ。そのため、内在的な視野のひろい文脈をもつ充足感がある。

こうした戦後の過程のなかで、柳宗悦の文章には、詩文に似た和語がある。棟方志功が彩刷りの板画で飾ることになる、詩的な韻やトーンのある短章である。「トマレ　六字」「嬉シ悲シノ六字カナ」「六字六字ノ捨場カナ」など、晩年の「心偈《こころうた》」と解説に見るように、韻や切れのある多くの「偈」を製作している。

柳宗悦の浄土教の三人についての詩文は、言葉そのものが、幾層もの差異を反復する詩文を連ねることで統合的に成立している。

法然上人はいう、人が仏を念ずれば、仏もまた人を念じ給うと。
親鸞上人はいう、人が仏を念ぜずとも、仏は人を念じ給うと。
しかるに一遍上人はいう、それは仏が仏を念じているのであると。

（『南無阿弥陀仏』「廻向不廻向」）

法然上人は教える。口に名号を称えよ。汝《なんじ》の往生は契《ちか》われていると。

親鸞上人はいう。本願を信ぜよ。その時往生は決定されるのであると。一遍上人は更に説く。既に南無阿弥陀仏に往生が成就されているのである。人の如何《いかん》に左右されるのではないと。

（『南無阿弥陀仏』「行と信」）

当時は、仏教的歴史観である正法、像法が終り、末法の世であった。こうした平安末期から鎌倉期にわたる中世の仏教信仰の背景のなかで、浄土教は展開していくことになる。『親鸞和讃集（三帖和讃）』に、「正像末浄土和讃」がある。ここにおいて、世の庶民は、時代の揺れる不安のなかで出離の縁をいやおうがなく感じとり、後生の一大事であることを日常のなかに実感する庶民信仰の巻に生きていた。

ここには、「安心起行」の問題がある。誓願は、衆生済度を徹底貫徹させるために女性や罪人などの極悪人にもひろげられなければならなかった。「浄土宗は凡夫のための宗派である。凡夫成仏がその教えである」と書く柳は、「法然上人は念仏の一宗を建てることによって、衆生済度への大きな道を開いた。彼の希いは何よりも仏法を在家に活かそうとするにあった」とし、法然にとって、『無量寿経』の四十八願のなかの第十八願が重要であり、『観無量寿経』の「下品下生《げぼんげしょう》」では「唯除五逆誹謗正法」を除外して、罪人や極悪人と言えども、念仏によって救われると解釈する。ここには、大乗仏教が、日本の風土のなかで熟成した浄土教の世界となっている姿を見ることができる。

『無量寿経』では、散文のなかの詩文である「三誓偈（重誓偈）」（浄土宗では「四誓偈」）によって、その四十八願の誓願を再確認する。『無量寿経――阿満利磨注解』によれば、「無上道」に至るために、「貧苦」を済することを誓うことのなかには、「社会的障害の除去」という福祉的な視点もあるという。

我《が》建超世願《こんちょうせがん》　必至《ひっし》無上道《むじょうどう》（われ、超世の願を建つ。必ず無上道に至らん。）
斯願不満足《しがんふまんぞく》　誓不成正覚《せいふじょうしょうがく》（この願、満足せずんば、誓って正覚を成ぜじ。）
我《が》於《お》無量劫《むりょうこう》　不《ふ》為《い》大施主《だいせしゅ》（われ、無量劫において、大施主となりて、）
普《ふ》済諸貧苦《さいしょびんぐ》　誓不成正覚（普くもろもろの貧苦を済わずんば、誓って正覚を成ぜず。）
我《が》至成仏道《しじょうぶつどう》　名声超十方《みょうしょうちょうじっぽう》（われ、仏道を成就するに至り、名声十方に超え、）
究《く》竟靡所聞《きょうみしょもん》　誓不成正覚（究竟して聞こゆるところなくんば、誓って正覚を成ぜず。）

柳は、詩文による「偈」のように、さらに書きつづける。「僧」としての生活をあくまで重視した法然は、偏《ひとえ》に善導によった。浄土宗では、身命を阿弥陀に捧げ、多念の側を専ら見たのである。偏に法然によった親鸞は、阿弥陀の勅命に従い、一念の側を強く見た。真宗では、煩悩の凡夫は、僧にもなりきれぬ在家の身である。彼は在家の信徒のひとりとして立つことに新しい意義を感じた。誠に非僧非俗ということが、新しい一宗の骨髄なのであると柳はつづけている。
「浄土教では否定から肯定転換を可能ならしめる因縁を「三心」なるものに求める。転換の危機はこれで通過できるのである。三心とは何か。至誠心《しじょうしん》と深心《じんしん》と発願廻向心《ほつがんえこうしん》である」（『浄土系思想論』「浄土観続稿――『浄土論註』を読みて――」）と、鈴木大拙は書いている。聖道門と浄土門を如来蔵思想や神秘思想を背景にして両義的に考察した一文である。法然研究から仏教学をはじめたと語る末木文美士《すえきふみひこ》氏の『浄土思想論』のタイトルは、大拙のこの本を意識している。末木氏の影響は、文芸批評から書かれた安藤礼二氏の『大拙』に大きく及ぶが、天台の本覚《ほんがく》思想によって、浄土教や禅や密教を大乗仏教のなかに位置付けようとする。さらには、今日の他者の問題や死の問題として注目される浄土教に、強い関心を示している。

　二〇一八年、映画評論や批評と詩も書く四方田犬彦《よもたいぬひこ》氏の『親鸞への接近』が刊行された。大学では、宗教学を学び、文学や映画を中心に、世界各地に滞在するとともに、その土地を比較宗教学的に歩いている。そうした著者が、親鸞との関係を詳細に論じることになったルーツが示されている自分史的な観点もあり、自訳も披露しながら、一宗派に留まらない自由な『教行信証』と『歎異抄』の読みを重ねる。特に、十悪五逆の救済について執拗に論証した。後半には、三木清と三國連太郎などの戦後から現代の親鸞論への言及がある。

　柳の批評眼が捉えたのは、言うまでもなく、一遍の存在であった。
遊行の「聖《ひじり》」となる一遍は、法然の優れた門弟である西山《せいざん》の証空《しょうくう》の流れを汲む念仏の聖である。時宗では、阿弥陀の命根に還るが、一遍上人は、仏もひともなく、念仏自らの念仏であると柳は書く。時宗は一念即多念の側を見つめたのである。彼は一定の寺に長く住むことがなかったので、僧としての一生を送ったのではない。さりとて俗に下りて家をもったこともない。実に住むべき一切の場所を棄てて三界無庵の身として、死ぬまで長い遍路の旅をつづけたと柳は書いている。

そこには、現在の解釈による「起行派」（鎮西流・長楽寺流・九品寺流）と「安心派」（一念義・西山流・一向義）の存在が論ぜられることになる。

法然の弟子の源智は平家の流れにあるが、義経を支援した一遍の祖父や一族は「承久の乱」で、後鳥羽上皇についた。一遍の父は、証空の弟子となった。

フランス文学者で作家の福永武彦の弟子が豊崎光一である。その弟子の守中高明氏の『他力の哲学　赦し・ほどこし・往生』が二〇一九年に出版された。著者の寺は、早稲田通りにある浄土宗専念寺である。岳父も、知られた僧侶で、江戸時代からの由緒ある伝通院の末寺のひとつである。フランス現代思想の翻訳や詩論、詩作で知られる詩人は、デリダやドゥルーズ・ガタリの著作の翻訳など現代思想から現代詩を論ずることが多かった。本著は、デリダからたどられる比較思想的な整合性の検討をまとめたものである。引用文献には、鈴木大拙や柳宗悦の書名があり、著者にとっては西洋思想からの法然・親鸞・一遍について自省する還相の書、「廻心の書」であるらしい。

作家の村上春樹について、書評を書いたことがある。浄土宗に関係があるが、祖父のかかわったのは機法一体の粟生の光明寺（西山派）であり、証空の流れである。時代が、回転して、戻る姿が見えるようだ。

第四章　「仏教美学」四部作について

1　仏教美学への架橋

柳宗悦の世に言われる仏教美学の四部作とは、次の論考である。

一　美の法門（一九四九年三月）
二　無有好醜《むうこうしゅ》の願（一九五六年一月）
三　美の浄土（一九六〇年五月）
四　法と美（一九六一年三月）

この四編にくわえて、『美の法門』（岩波文庫）の編集には、「無有好醜の願」と「美の浄土」の間の時期に書かれた「美の悲願」と「仏教美学について」の文章が収録されている。「美の法門」から七年ほどの歳月が過ぎていた。仏教美学の「無有好醜の願」への深化に至る柳宗悦の軌跡が、これらの文章によって、補完されている。

柳宗悦の書いたものは、わたしたちが想像する以上に、膨大な量である。『柳宗悦コレクション　3　こころ』（ちくま学芸文庫）では、「妹の死」「亡き宗法に」から「私の念願」「不二美」や「安心について」の仏教美学に関係するエッセイまでが、全集から収録されている。

全集自体は、どうなっているのだろうか。『柳宗悦全集』第十八巻では、仏教美学を補完するように、「美の召命」「他力門と美」「東洋的確信」から「美の公案」「美醜について」「民藝美の妙義」などのエッセイが掲載されている。そこには、「物偈《ものうた》」や「心偈《こころうた》」(「茶道論」関係を除く)を含む、ほぼ全部の仏教美学に関するエッセイが網羅されている。

以上からも確認できることは、柳の晩年に形をなし、なおかつ可能性として開かれた現在形のテクストとして、いまなおわたしたちに語りかける仏教美学の錯綜体が、確かな存在としてある。

柳宗悦が関心をもった、さまざまに現象する具体の「モノ」への直観による美の意識が、一般にもよく知られる時代になった。これも、日本民藝館と全集に関わった水尾比呂志、戦前アメリカに渡り一時帰国した合間に駒場の柳宗悦を訪問した鶴見俊輔、ディレクターとして民藝と浄土教にかかわる阿満利麿各氏の立派な評伝や論考の功績があったからである。特に、戦時中、姉の鶴見和子とともに交換船で帰国し、すぐに戦地に赴くこととなった鶴見俊輔は、戦後、自らをかくれ宗悦と語るほどに、柳の民藝の活動と仏教とに、深甚の理解を示した。

それは、柳宗悦が宗教性にちかいところの思想家から出発したことに深くかかわる。

生活そのもののうえに生起するさまざまな出来事は、矛盾や分断を余儀なくする「モノ」と「事」の非連続の連続である。それらをすべてひとつの文脈による整合性によって、理解の円相を描くことは、思考の忍耐なくしては不可能だ。みずからの思想軸によって、その非連続を連続とする民藝と仏教美学への経験は、戦後の柳の一如（不二）の思想をもって可能であった。

その意味で、末法の時代と言われるスピード感のある今日の社会とテクノロジーの進歩のなかで、具体の「モノ」とそれを仏教哲理の側から意味づける仏教美学との統合には、信仰が失われ、人間の文明の危機や精神の虚妄の時代から見ると、白道に似た救済の道へとつながるに違いない。「直下」にものを見る直観による「モノ」の経験が、信論となり、美論となる。そこにあるのが、「民藝の美」を支える美学であった。民衆的藝術へと流れる宗教的なエートスこそ、仏教美学であろう。

仏教美学は、柳宗悦にとっての還相であった。

戦前の朝鮮民族美術館から趣意書による日本民藝館の設立や国立博物館への誘致運動、上賀茂民藝協団の発足と雑誌「工藝」の発刊など、起業家のような柳宗悦の誓願と活動がある。と同時に、朝鮮工藝の白磁や手仕事による諸国民藝品や茶道の考察にかかわる柳宗悦の姿には、木喰上人から妙好人、色紙和讃や『浄土三部経』から仏教の美的合一を志向する戦後初期の動線が見えてくる。そこに、柳宗悦の往相から還相へと転換する「美の法門」が結実した。『浄土三部経』のなかでも、とくに『無量寿経』の四十八願の誓願に、法然をはじめ多くの先人が、解読の確認をおこなってきた。

その第四願。「無有好醜の願」と呼ばれた誓願である。そこに、深い信念のまなざしで問いかけ、具体の「モノ」へと語りかけ、その往相と還相からの肉声をききわけた直観のひとが、柳宗悦であった。

民藝の美論が一宗を形作らんとするには、等しく無上な典拠があって然《しか》るべきではないか。民衆の宗教として立った念仏の一道は、その信仰や教学の凡《すべ》てを、阿弥陀如来の大願に基づけ、わけてもその第十八願、即ち「念仏往生の願」に托していることは、誰も知る通りである。今年の夏、偶々《たまたま》『大無量寿経』を繙《ひもと》いて、その悲願の正文を読み返しつつあった時、第四願に至ってはたと想い当るところがあった。

（『新編　美の法門』「美の法門　後記」）

わたしの関心の領域からすれば、キリスト教（プロティノスやエックハルトなどの神秘主義思想）と仏教（原始および初期仏教と紀元一世紀前後から展開した衆生済度の大乗仏教運動）から、禅（聖道門）と浄土教（浄土門）との関係のなかに、『華厳経』、『涅槃経』、『大乗起信論』に説かれた未分節の「真如」の領域を如来蔵とかかわる柳の「美の浄土」とつなげたい。すべてのひとが等しく仏性をもつという如来蔵は、あまねく衆生の内在的超越として存在し、『大乗仏教概論』の禅から『浄土系思想論』の浄土教へと宗教的場所（日本的霊性）を重層させる鈴木大拙の「このまま」（『東洋的な見方』）に至る関係が見えてくる。

この内在性は、切断と持続によって、時間を超えて結集した『法句経』（友松圓諦訳）や

『ブッダ最後の旅』（中村元訳）のパーリ語経典の原初性が、仏像や祈りとともに伝播したサンスクリット語経典を経た漢訳仏典との「あいだ」をつなぐ普遍性を得ることと関係する。ここに、柳宗悦が思案した法然、親鸞、一遍への「六字名号」に悟入する「南無阿弥陀仏」の統合的な考察への流れがある。柳宗悦の活動と視線は、ある面から見れば、まことに往相と還相の同時並行的な直観によるものである。開版された「浄土和讃」や言い伝えられる「妙好人」の日本的な宗教言動から、「他力門と美」や「美の宗教」に至る「東洋的確信」が、「工藝に於ける自力道と他力道」によって「美の召命」となる限界芸術的な大衆と民藝の肯定へと文脈をもつ。

鶴見俊輔には、ユニークな限界芸術論がある。鶴見によれば、純粋芸術や大衆芸術とは異なる、より広い領域で芸術と生活の境界線にあって、専門家ではないひとによって作られ、普通のひとびとによって受入れられる作品を、限界芸術（『限界芸術』「芸術の発展」）と考えた。そうした視点に学問の立場から注目したのが、柳田国男の民俗学であり、多様で批評的な活動を展開したのが、柳宗悦である。読者には、一九四〇年（昭和十五）の「月刊民藝」で、「民藝と民俗学の問題」と題された、柳田国男と柳宗悦の対談が式場隆三郎の司会進行であったことを思い浮かべるひともあるだろう。「一九四〇年の夏休みに日本に帰ったとき、手紙を出して柳さんを自宅にたずねた。その時に、柳さんの関心が、キリスト教神秘主義から仏教に移ったことを知った」（鶴見俊輔『柳宗悦』創作ノート）。鶴見俊輔は、柳宗悦の批評こそ、限界芸術であると考えた。そこには、戦前の朝鮮や沖縄での批評的な活動だけでなく、先駆者であるモリスの芸術至上主義的な美論や用き《はたら》の美から発生した茶道の現状への批判も含んでいた。鶴見は、『柳宗悦』を書くために、三鷹に住む柳兼子（宗悦夫人）を訪問している。

すでに、戦後の柳は、民藝と工藝を中心とする限界的な芸術を考察する批評眼によって、易行《いぎょう》としての『南無阿弥陀仏』を準備していたのである。

そこに、民藝美論の基礎を仏の大悲に求めようと志す「美の法門」へと端緒が開かれ、さらに「六字名号」の浄土の根源に迫る『南無阿弥陀仏』への集約的な考察を経ることで、統合的な「無有好醜の願」と、それにつづく仏教美学の深化に至る。

時代は、戦時である。柳の身辺にも、その影響が現れていた。ハワイ奇襲による太平洋戦争の勃発については、柳の書簡や日記の何処を開いても関心は示されてはいない。戦時期の柳に、なにか特別な考えがあったのかどうかは、判然としないのだ。ただ、何回も沖縄に渡り、身の危険を感ずるなかで台湾に赴く姿に、民藝の生活を推進する意志がうかがえるだけである。

東京空襲以後は、まことに苦難にあえいでいる。空襲下で、民藝館は、寸前のところで、火災になるところまで追い詰められていた。柳は、蒐集物の疎開や空襲からの被害をさけるために、極度の疲労に身をさいなんでいた。

全集の年譜によれば、戦中から戦後の当初、柳は、食糧事情と疲労により、病床に臥せっていた。

敗戦後のGHQによる民藝館の接収による動揺も、かなりの心労であった。この娑婆世界への旅路を経て、柳宗悦は、多様な経験と美意識をもちつつ、その晩年の還相の思索に入っていく。


「わが齢は熟した。

わが余命はいくばくもない。

汝らを捨てて、わたしは行くであろう。

わたしは自己に帰依することをなしとげた。

汝ら修行僧たちは、怠ることなく、よく気をつけて、よく戒めをたもて。

その思いをよく定め統一して、おのが心をしっかりとまもれかし。

この教説と戒律とにつとめはげむ人は、生れをくりかえす輪廻をすてて、苦しみも終滅するであろう」と。

（中村元訳『ブッダ最後の旅――大パリニッバーナ経』「第三章死別の運命」）


釈尊のちかくには、修行する仏弟子たちがいた。柳宗悦の身辺には、民藝の友がいる。「ここに齢暦を還《かえ》すに当り／友恩を顧み感謝のしるし／にこの一書をお届けする」。「美の法門」の見返しの言葉である。ここには、柳宗悦の最後の旅が、還相の道として示されている。

柳宗悦の神秘主義思想の根源にある直観理論は、はるか彼方のヨーロッパの哲学の古層へとたどり着かせるだろう。中世の神学は、アリストテレスを中心とするスコラ哲学に代表された。そこから脱構築されるように洩れていたプラトンの哲学が、三世紀イタリアでのプロティノス（『エネアデス（抄）Ⅰ・Ⅱ』田中美知太郎他訳）から十五世紀のフィチーノへとつながる。ギリシア語からラテン語（イタリア語）への翻訳の「あいだ」を通じて、ヨーロッパの哲学史の裏面に登場した。保坂俊司氏によれば、プロティノスの『エンネアデス（エネアデス）』には、東西交流のなかで、大乗仏教の代表的な経典である『華厳経』の「相即即入思想」の初源の思想が含まれているという。『華厳経』では、「名号」も「光明」も、「仏性」の光の顕現であった。

そこにある神秘主義的傾向は、やがてネオ・プラトニズムの流れのなかに、汎神論的なエックハルト（『神の慰めの書』『説教集』）やスウェーデンボルグ、クザーヌス（『神を観ることについて』）やシュライエルマッハーからオットー、エリアーデの「聖なるもの」への思考による統合へと導く。「ベルクソン論」でも知られるジャンケレビッチ（一九〇三―八五）は、ヨーロッパの哲学は、プラトンの解釈である、という有名な言葉を残している。そうした言葉が世にささやかれるほどに、神秘主義によるプラトンとキリスト教の統合がひとつの流れに形成されるネオ・プラトニズムの影響が大きいのだ。人体のミクロコスモスと宇宙のマクロコスモスが照応する。そこにあるのは、神秘的色彩をおびた知的直観であった。
「神秘主義」を経て、最晩年に如来蔵思想の系譜にある『大乗起信論』を考察する井筒俊彦にも、プロティノスへの言及がある。プロティノスと南無阿弥陀仏の「六字名号」は、光即明の光明のもとに不二であるという解釈も成り立つのだ。イスラム教の神秘主義が、光明を語るように、ヨーロッパのプロティノスやクザーヌスも、光明を語る。そこでは、華厳の「無」と「有」が同時に反転する鏡像となって、光明の哲学と通底するかのようである。「一一光明、偏照《へんじょう》十方世界、念仏衆生、摂取不捨《せっしゅふしゃ》」（『観無量寿経』）。京都にある嵯峨の釈迦堂・清涼寺は、浄土宗の寺院である。しかし、以前は、華厳宗の寺院であった。「〈大乗〉（摩訶衍《まかえん》）は諸仏の秘要の教えである」と明記する『大乗起信論』の最後に出てくる「信心の修行」がある。如来の方便（易行）としての「専修《せんじゅ》念仏——如来の勝方便」の部分である。そこから志向できるのは、柳の考察した「六字名号」へのつながりである。知的直観が開示し、大衆の前に顕現された「モノ」の世界と同列の自己同一の世界である。

ベルクソンからメルロー・ポンティへと持続する「了解」としての直観理論がある。プロティノスからはじまるネオ・プラトニズムは、東西の神秘主義思想に関心のあった鈴木大拙や西田幾多郎の思索と重なるのだ。鈴木大拙の華厳への関心と西田哲学の「一即多」の華厳の把握には、等しいものがある。柳宗悦が、民藝と対面するときに必ず語りかける方法は、宗教学や哲学、思想との兼ね合いのなかから思考された主客未分の直観であり、そこから流出する「モノ」にたいする美の宗教経験である。そこでは、西田幾多郎の「直接経験としての行為的直観」と同等の体験を生きていた。柳が語る『臨済録』には、『華厳経』も唯識も根底に含まれている。

東洋には古来優れた思索の数々があるが（略）中で何といっても、深い思索の跡を示したのは、仏教であるから、仏教的原理で美の問題を考える事に大きな意味が現れてくる。ましてて仏教に培《つちか》われた理念の多くは、キリスト教圏では不問に附されて来たものが色々あって、（略）中世時代の思想において、互いが近接してくる。（略）例えば空観や如観や中観や不二観の如きはキリスト教では充分発達の跡を示しておらぬ。

（『新編　美の法門』「仏教美学について」）

柳宗悦のキリスト教神秘思想と大乗仏教の聖道門（禅）と浄土門（六字名号）の「あいだ」をつなぐものは、「霊性」であろう。それは、自性のない難解な混沌世界ではあるが、華厳思想や如来蔵＝仏性によるアーラヤ識の「真如」の底流を流れる、未分節の川のような流動的な世界である。それを柳は、「不二《ふに》」という。「不二門」こそ、大乗仏教の精神である。『維摩経』の説く在家者のための仏教である。衆生済度に力点を置く「悉有仏性《しつうぶっしょう》」による『涅槃経』の仏性現起である。キリスト教圏のものの見方との同一性と差異を語る柳宗悦には、「具体」

の思考があり、元素への通底があり、直観がある。さらには、空間への思索として、旅の身体が持続する神秘主義的な経験の言語化がある。柳宗悦にとって、社会的活動としての動的な還相もあれば、病による身体の不自由ななかでの、思索による静的な還相もあった。

晩年の柳宗悦は、病のなかで、仏教美学を深めることにまい進していた。

一方で、戦前から継続する関心領域も存在した。古丹波や大津絵、茶の改革や書軸、心偈や茶偈などの考察である。青柳恵介氏によれば、柳宗悦の蒐集した膨大な「モノ」について、諸国民藝品である陶磁器や工藝は勿論のことであるが、それ以上に評価されるべきものは、室町から江戸時代にかけての仏教関係の絵画や書の類である。北陸の真宗寺院で「美の法門」について思案していた柳宗悦は、毎日、本堂に赴き、部屋では本を読み、書を書いていた。陶板、書硯、書画、書軸などへの関心も芽生えていた。茶へのかかわりは、民藝館主宰の椅子による半座礼の茶会やコーヒーによる会の催しとなった。茶における民衆との対話である。ここには、確かな「眼の人」の発見と批評が、平易さのなかに同時に達成している。現代社会が、中世や近世の側面から脱構築的な批評を受ける新たな姿がある。

晩年の柳宗悦には、可能性としての展開があった。それぞれのなかに、柳の特色を見ることができる。

一　民藝の持続と展開

二　仏教の持続と展開
三　民藝的持続性と仏教的持続性の美学的統合
四　眼と身体による体験からの「思索」の深化

柳宗悦の全体像の統合は、東洋思想としての広義の大乗仏教および浄土教をプロティノス的な思想的一者から流れ出るエートスによって、民藝の「モノ」の存在と仏教による美意識を集約的に連続させた。柳が対象とする雑器のなかに、衆生の直観が生み出した美がある。それを発見する柳の直観がある。そこには、柳宗悦の生活と加齢や戦後社会の変動からくる晩年の変化にもかかわらず、特異な美の浄土へと架橋する美的経験の深まりを見ることができた。

こうした柳宗悦をめぐる大団円は、「美信一如」（水尾比呂志『評伝　柳宗悦』）や「美神一如」（尾久彰三『『民藝』のココロ』）に言われる世界であり、民藝の美を宗教（仏教）の美へとつなげる営為と考えられる。

2　「美の法門」と衆生について

「美の法門」は、柳宗悦による命名であるが、その論考は、仏教美学四部作の劈頭《へきとう》を飾る。

「まもなく私の齢は、暦を一円して、元に還る」と書く柳宗悦が、「美の法門」と命名する仏教美学のイメージを獲得したのは、越中にある砺波郷の城端別院であった。ここは、『越中五箇山　炉辺史話』（千秋謙治・桂書房）に見る、さまざまな歴史を経ながら、蓮如にかかわる地勢であり、妙好人を輩出した場所である。「白川村の口元には大家族をもって有名なる御母《みぼ》衣《ろ》・平瀬《ひらせ》などの部落がある。それから越中の五箇山《ごかやま》までただただ穴の中へ入り込むような感じである」（「毛坊主考」）と、柳田国男が「毛坊主考」に書いた土地である。「美の法門」の書名が示す歴史的な意味こそ、柳宗悦によるひとつの発見であった。

柳宗悦は、北陸の旅を経て、幾多の「モノ」を見い出している。

一九四七年（昭和二十二）七月下旬、鈴木大拙と北陸地方を講演旅行する。北陸各地の真宗寺院に宿り、同地方の念仏信仰の篤さに感銘した。翌年、鈴木大拙より松ヶ岡文庫の運営をまかされる。七月中旬から八月、再び城端別院に滞在する。八月十日、『大無量寿経』の四十八願中の第四願である「無有好醜《むうこうしゅ》の願《がん》」に着眼した。

柳が選択したのは、第四願の「無有好醜の願」（形色《ぎょうしき》不同・有好醜者）と言われるものである。ひとはそれほど強調して論じないが、その発見は、まことに各宗の宗祖が経典から所依の思索をはじめたように、宗教学者としての柳宗悦の仕事を後世に遺す発見である。

「設我得仏《せつがとくぶつ》（設《たと》い我仏《われぶつ》を得んに）／国中人天《こくちゅうにんでん》（国の中の人天）／形色不同《ぎょうしきふどう》（形色不同にして）／有好醜者《うこうしゅうしゃ》（好醜有らば）／不取正覚《ふしゅしょうがく》（正覚を取らじ）」（柳宗悦訳：もし私が仏になる時、私の国の人たちの形や色が同じではなく、好《みよ》き者と醜《みにく》き者とがあるなら、私は仏にはなりませぬ）。

柳は、「この一願の上にこそ、美の法門が建てられてよい」（『美の法門』）と、決定的な瞬間について、書いた。

仏教美学の悲願が依って立つ仏典は何か。それを『大無量寿経』に記された四十八願中の第四願に見出し得ると私は信ずる。この願は一般に「無有好醜の願」と呼ばれる。「好」は「美」の意であって、いわば美の願ともいえる。（『新編　美の法門』「仏教美学の悲願」）

柳が着目したのは、『浄土三部経』のうち、『(大) 無量寿経』である。サンスクリット語では、『無量寿経』と『阿弥陀経』は、大小のちがいはあっても、同じ経名がついている。訳文の考察から推測されることは、最初に「小経」である『阿弥陀経』ができ、次に「大経」の『無量寿経』ができた。漢訳本による『観無量寿経』は、その内容から比較すると、それらよりも後にできたものらしい。

『無量寿経』を繙くと、韻をなした四十八の誓願の詩文が、反復されて掲げられている。十八願（至心信楽《ししんしんぎょう》・乃至十念の願）、十九願（発菩提心《ほつぼだいしん》・臨寿終時の願）、二十願（至心廻向の願）と、法然や親鸞に大きな影響を与えた願文の集積体である。

大乗仏教にとって、誓願は、仏の救いの対象である命あるすべての者にたいして、大きな意味をもつ。特に、四弘誓願《しぐせいがん》（総願偈）では、「衆生無辺誓願度　煩悩無辺誓願断　法門無尽誓願学（知）無上菩提誓願証」と、衆生済度を先に掲げながら、詩文は「自他法界同利《ほっかいどうり》益《やく》共生《ぐしょう》極楽成仏道《じょうぶつどう》」とつづき、利他や共生の仏道を説く。

　南伝仏教では、現在に至るまで、釈迦仏のみの一仏をもとめたが、インド仏教史の中期に発生した大乗仏教は、「さとり——解脱」にたいする救済仏（多仏）への転換があると書くのは、先に紹介した三枝充悳である。三枝は、『バウッダ』にて、初期仏教と阿含経典から大乗経典を渉猟し、論師であるナーガールジュナ（龍樹）の主著『中論』を翻訳して、論ずる。「大乗という語の初出は、支婁迦讖《しるかせん》の『道行《どうぎょう》般若経』の「道行品」第一にあり、「摩訶衍」というマハーヤーナの音写語として登場する」（『仏教入門』）。はじめて、「マハーヤーナ」なるサンスクリット語を知った時を思い起こす。それが、「大きな乗り物」を意味するとわたしが知らされたのは、大学を卒業して就職してからのことである。

　大乗の諸仏が生まれ、前生を法蔵菩薩とする阿弥陀如来は、衆生済度の誓願による仏国土（浄土）を希求した。初期大乗経典の『般若経』『維摩経』『華厳経』『法華経』『浄土三部経』にとって、「在家（大衆）」の存在と生活は、衆生済度へと転換された仏教が志向する風景である。信によって現われきた大乗仏教ではあるが、その美論（宗教的美による救い）について言及されたものは、これまでほとんど知られるものがない。

　民藝の製作者である職人たちの迷いは、経文による思索によって払拭されることになった。柳の発見は、美醜の迷いから悟りの世界へと、橋を渡したのである。東洋的直観による仏教美学を樹立するために、浄土系の思想にある大乗的な衆生へのまなざしと不二思想との統合を考えた。「モノ」としての民器から美の根源を六字名号に分けいり、迷いから救いの美となる世界を具体的な民藝に見たと言ってよいだろう。

柳の北陸の旅は、その後、五箇山、白川郷、高山、八尾、富山、金沢を巡っている。

十一月になると、柳は京都の臨済宗相国寺《しょうこくじ》での「日本民藝協会第二回全国大会」に赴き、講演をおこなう。そのタイトルこそ、取り出された「美の法門」であった。感動した棟方志功が回想する。話のありがたさに妙好人のように涙を流して、講演を終了した柳に抱きついたほどだ。

相国寺には、二度ほど訪れたことがある。一度は、今出川から同志社大学を見ながら、総門から法堂《はっとう》（天井には、狩野光信の蟠竜図がある）へ、方丈から承天閣美術館（長谷川等伯や伊藤若冲《じゃくちゅう》の作品がある）を拝観するものだった。二度目は、裏門から水上勉の小説で知られる瑞春院へ立ち寄って、寺域を通り抜けたときである。相国寺は、鹿苑寺金閣や慈照寺銀閣を末寺にもち、五山の第二位にも一位にも列せられた当時の官寺である。京都の街中にあるので、応仁の乱などによって、数度の焼失にあっている。そのため、金閣寺や銀閣寺に比べて、伽藍の風景が整っていないように感ずる。

柳の講演は、禅や茶道とも関係の深いこの寺でおこなわれた。柳は、『無量寿経』の第四願をはじめ、法然、親鸞、一遍という浄土系の論旨に触れながら、盤珪禅師や明禅法印、臨済の禅（聖道門）の自他両門一如から民藝の美論「仏教美学」を講じたのである。

その後、柳が訪れたのは、大徳寺の孤逢庵・龍光院であった。この寺院も、一休宗純によって再建され、村田珠光《じゅこう》が一休に参禅したこともあって、茶道との縁がとても深い。柳が河井寛次郎とともに、「大名物《おおめいぶつ》中の大名物」である「喜左衛門井戸」を拝観したのが、この寺院であった。「いい茶碗だ――だが何という平凡極まるものだ」という感慨から、茶道にたいする柳の批評がはじまる。その後、柳の足跡は、妙好人「因幡の源左」の調査と研究のため、一ヶ月あまりを過ごすことになる鳥取県の願正寺にむかった。願正寺は、父親を十八歳で亡くした源左が、悩みを抱いて門を潜った寺である。

一九四九年（昭和二十四）三月に『美の法門』（私家版）、一九五〇年（昭和二十五）九月に『妙好人因幡の源左』と関係する出版が相次いだ後、一九五二年一月から三月上旬には、静岡県の鈴木家に滞在、『南無阿弥陀仏』を執筆し、八月、連載がはじまる。

戦後になるとすぐに、柳は浄土教への親和力を見せ、城端への訪問による蓮如造本による「色紙和讃」の出会いがあった。幾多の蒐集物語の時期を経て、民藝と茶道にたいする見解も深まってくる。浄土系の理念と誓願が具体の表象に結実した妙好人への研究は、そのひとつの結実である。それらは、民藝との共時的な複合性をもち、柳の多面体の関心を相互につなぐ研究へと押し立てていった。柳は、関心をもった「モノ」にたいして、集中的に研究を深める能力に特に秀でていた。

バーナード・リーチが語る、鈴木大拙と柳宗悦について、見てみよう。

朝早く柳と一緒にバスと電車で鎌倉に出かけ、鈴木大拙博士の仏教図書館（松ヶ岡文庫）を訪れた。（略）私はニューヨークで、鈴木博士と何回か会ったことがある。（略）彼によれば、天才の、そして多くの場合藝術家のたどる道はけわしくて、落し穴や自己欺瞞にみちているが、「他力」に対する謙譲と信頼という広い道――日本語で言う「他力道」、阿弥陀――親様（我々の神の概念に最も近い）に対する帰依は、自我執着の性を帰依の度に応じて洗い流してくれるのだと言う。これはすぐれた現代心理学であり、道徳であるように思われる。柳はこの考えを現代工藝家に適合させたのである。

（『バーナード・リーチ日本絵日記』）

鈴木大拙とともにある柳には、浄土教も臨済禅も、「空」のもとに同一の「未生《みしょう》」にある。禅の世界では、古くからその思索のなかに禅定を想定し、三昧を経験しようとした。六字名号の称名によっても、三昧にはいることは、なんとしてもなされなければならない宗教的経験である。「少年の身において三昧に入り、壮年の身において三昧に入り、老年の身において三昧よりたつ。／老年の身において三昧に入り、善き女人において三昧よりたち、善き女人において三昧に入り、善き男子において三昧よりたつ」（『華厳経』賢首菩薩品）。文殊菩薩にすすめられて、善財童子がはじめて仏道求道の説法を聴いたのは、功徳雲比丘である。さまざまな念仏三昧が教えられた。求道の旅は、五十二人目に再び文殊菩薩に会い、最後の五十三番目は、普賢菩薩から教えられる。智と行による衆生不二に至る修行の遍歴の物語である。

「美の法門」の論旨は、最初は、禅による仏教美の論証がなされているが、次第に、浄土教による仏教美の論証に移行している。『美の法門』の後に、『南無阿弥陀仏』に全力で取り掛かる柳にとって、そこにつながるのが、「自然法爾《じねんほうに》」の考えである。

3 「美の法門」と「自然法爾」

「自然法爾」の教えとは、親鸞が『三帖和讃《さんじょうわさん》』を書き終えるときに、法然から聞いた「義なきを義とす」を加えた法語である。八十代半ばを超えた親鸞は、「浄土和讃」「高僧和讃」「正像末和讃」の『三帖和讃』の最後を、「自然法爾」の法語と二首の和歌によって、締めくくっている。このおのがはからいを捨てて、あるがままに身を任せる「自然法爾」は、親鸞によって念仏信仰に譬えられたものである。

柳によれば、「自然法爾」こそ、「如」であり、「一」であるが、「不二」の意味とも重なるものであった。本書の「美の法門」では、聖道門の「煩悩即菩提」や「生死即涅槃」における「即」の一字に込められた密意にかかわるとする。人間のこの世の一生は苦しみであり悲しみである。そこには、生死の「二」と自他の「別」があるからであると、柳は問う。そうして問われた「二」にあって「一」に達する道に、柳は自信をもって答える。「出来る」と経文が答えていると。そこには、対峙の「二」から無二の「一」への転換があり、聖道門と浄土門の二門からの「不二」への接近が読み取れる。

自然《じねん》といふは自《じ》はおのづからといふ、行者《ぎょうじゃ》のはからひにあらず。しからしむといふことばなり。然《ねん》といふは、しからしむといふことば、行者のはからひにあらず、如来のちかひにてあるがゆゑに。（略）自然といふは、もとよりしからしむるといふことばなり。弥陀仏の御《おん》ちかひの、もとより行者のはからひにあらずして、南無阿弥陀仏《なもあみだぶち》とたのませたまひて、むかへんとはからはせたまひたるによりて、行者のよからんともあしからんともおもわぬを、自然とは申すぞとききて候。

（『親鸞八十八歳御筆《ごひつ》』）

親鸞は、信仰の信を自然とし、弥陀の力をそのように信じている。それは、柳の志向する民藝への考察への思いを語ることでもあった。柳は、すでに書いていた。

一つの美がよく永遠たり得るのは、それが自然の力に守護されているからである。自然への信仰を失うとき、造り得る美しい器はないのである。自然への全き調和のみが、自己を活かし美を活かすのである。自然に己れを任せるとは、自然の力のままに生きるとの意である。

（「陶磁器の美」）

信心深い時代には、人間はもっと素直であり、謙虚であった、今は疑い深い時代であるとする。柳の禅と浄土の不二思想も、この文脈で考えることができる。柳の思索の特徴は、不二の思想の対象を何処に求めたかにある。それは、ひとつの民器から普遍の民藝への視線であり、浄土の理念から妙好人の存在への視線である。言い方をかえれば、民藝と妙好人は、仏教美学のもとに統合された美意識に支えられた形而下の常数としての「モノ」であろう。ここには、衆生であるひとの幸せを論ずることと等しいものがある。「民藝美の妙義」や「安心について」や「凡人と救い」のエッセイは、統合に至る不二美への思索である。

柳が、『無量寿経』の四十八願のなかの四願に注目したことは、仏典テクストの宗教的な直観による読みの深さにあずかることであろう。「美の法門」では、『無量寿経』の第四願は、「浄土美即ち不二美」と等価である。柳の美的体験の総体を、さらに「自在の美」から「自由の美」と言いかえるとき、すでに大乗仏教の聖道門も浄土門も、柳が観ずる現代の民藝の美にちかいものになっている。そこでは、「二」という美醜の対峙から「一」の不二へと脱する道が求められた。空の思想と在家の生活を結ぶ、初期大乗仏教の最後を飾る『維摩経』では、「衆生を観じ」て「不二の法門に入る」ことが説かれている。ヴァイシャーリーに住む維摩は、

「一切の衆生病むをもってこの故に我れ病む。若《も》し一切衆生の病いを滅せば則ち我が病いも滅せん」と、「衆生を観ずる」思索を文殊菩薩に説く。病とは、不信のことだ。そこに、在家による不二の発見がある。ことにその沈黙は、有名であった。

こうした文脈から、「美の法門」とは、大乗経典からのルーツの流れにある。

この世の多くの優れた作品が、一文不知《いちもんふち》の名もなき工人たちによって作られている事実を、どうすることも出来ぬ。あの大茶人たちが讃えぬいた「井戸茶碗」は何よりの例証ではないか。誰が作ったかも分らぬ。一人や二人ではない。それも貧乏な陶工に過ぎなかったのである。各々が天才だったなどと、どうして判じ得よう。平凡極まる工人たちだったのである。それも安ものを作るのである。一々美しさなどを意識してはいられない。むしろ荒々しく無造作に作ったのである。

（『新編　美の法門』「美の法門」）

『日本の手仕事』のなかの益子焼の職人の姿や棟方志功の製作現場が彷彿と思い起こされる。浜田庄司の作品がある。河井寛次郎の作品がある。芹沢銈介の作品がある。なかでも、柳の思索の恩恵を一番受けたのは、棟方志功の作品であろうか。とは言え、柳の思索は、なによりも、「手仕事の日本」を背負っている多くの職人とその関係者に勇気を与えた。全国の窯場や仕事場で製作活動と経済活動をしている職人達は、普遍的な美の思想によって、日々の製作をしているわけではなかった。「爺さんよ、また逢えたら逢いたいものだ。そうして次にはもっと技術の工程や、紋様の取り方や、仕事の性質や草々《くさぐさ》のことに付《つい》て聞かせてほしい。永年の経験は宝なのだ。達者でいてくれ、吾々二人とも同じようにそう望んでいる」（『民藝紀行』「思い出す職人」）。ここには、具体の「モノ」と仏教美学をむすびつける経験の反復とそれを見る直観がある。「民藝美論の基礎を仏の大悲に求める」まぎれもない職人＝庶民への視線がある。民藝の生成過程における、職人の心性と技術を根底でとらえている姿が見えるのだ。

関東大震災にみまわれたころ、柳が書いたのが、「陶磁器の美」である。雑誌「新潮」に掲載されたものだ。みずから「私が工藝の問題に触れた最初の論篇である」とし、論考は重要と見え、戦前から戦後にかけて三度刊行された『茶と美』のどの版にも収められた。「工藝」に執筆された柳の諸論考は、『茶と美』『物と美』『民と美』として、著作集にまとめられた。

「一」とはあの温かい思索者であったプロティヌスも解したように、美の相ではないか。私は宋窯において裂かれた二元の対峙を見る場合がない。そこにはいつも強さと軟らかさとの結合がある。動と静との交わりがある。あの唐宋の時代において深く味わわれた「中観」や「円融」や「相即」の究竟な仏教思想が、そのままに示し出されている。

（「陶磁器の美」）

柳は震災後に京都に移転した。京都の生活のなかで、東寺や天神様の朝市（骨董市）で知った下手物《げてもの》という言葉により、京都の民藝の展開がはじまった。一九二六年という西暦年は、大正十五年にあたる。大正天皇の崩御に伴う、昭和元年である。「民藝（民衆的工藝）」という造語が生まれ、「日本民藝美術館設立趣旨」が発表された年だった。

その年の九月、「越後タイムス」に、柳は、「下手ものの美」を寄稿した。この「下手ものの美」こそ、後に改題された「雑器の美」である。

繰り返しとなるが、柳宗悦の感覚は、木喰仏の発見と出会いと調査以来、日本近代の思索である心理学やキリスト教や宗教学の本を渉猟しながら、比較宗教的な観点を含みつつ、室町から主に江戸時代に、幾筋もの範例を求めていた。

全体としては、こうした民衆への視線は、柳の「民藝運動」の根幹にあるものであり、中世美術に関心を寄せたウィリアム・モリスが起こした多面的な活動と比較されるものである。現代社会は、断片化している。点と点がばらばらに放置されたままである。こうした状況は、生命力を衰えさせる因ともなりかねない。今は生が断片化し、点のまま、つながりがない世界となって、失速状態にある。そうしたときに、なにがしかのつながりこそ、審美主義的な生の統合と持続に通ずる道ではないか。ここに宗教的なつながりの文脈によって持続する生と美の関係がある。柳は「美の法門」の後記に、「民藝文化がどこまでも精神文化たり得る所以は、それが宗教に根ざす限りにおいてである」と、書いている。

鶴見俊輔は、柳宗悦の民藝文化とその社会性について関心をもつ稀有な戦後知識人だった。鶴見俊輔が編集をし、解説を書いたのが、『近代日本思想体系　24　柳宗悦集』（筑摩書房・一九七五年刊）である。この本は、柳宗悦の全容をコンパクトなかたちでまとめ、柳の宗教的な思索と民藝の活動的な発見と蒐集とが、全体として円還するように、ひとつの世界を成立させている。網羅された「宗教的『無』」や「宗教的時間」、「存在の宗教的意味」や「神の愛と救ひとに就いて」の論考には、否定道やプロティノス、さらにはエックハルトの名前が頻出する。この本の編集で、最後に置かれている論考こそ、四部作中の最初の「美の法門」であった。

4　「無有好醜の願」と不二について

一九七五年（昭和五十）に鶴見俊輔が編集した『柳宗悦集』に遅れて三年後のことである。「日本民俗大系」の一冊として、水尾比呂志により柳宗悦が編纂された。これが、柳田国男や折口信夫、渋沢敬三や南方熊楠、そして喜田貞吉につづく『日本民俗文化大系6　柳宗悦　民藝』（講談社・一九七八年）である。

編集は、水尾の美術史的観点から工藝の美的思想に関心が寄せられ、柳の工藝美論と仏教美学の考究がなされている。「第一章　柳宗悦の世界──工藝美論と佛教美学」では、工藝美論とラスキンやモリスの関係も論ぜられ、仏教美学の特質と意義が語られている。「第二章　柳宗悦の生涯」は、後に水尾の『評伝　柳宗悦』の実証的な基盤となった。「第三章　柳学の体系」では、ブレイクやホイットマンの「肯定の二詩人」、エックハルトの本質を論ずる「宗教の究竟性」、柳田民俗学との関係を含む「民藝学と民俗学」など、柳宗悦の論考を原典で掲載するものである。

この本では、「無有好醜の願」は、編集の最後を飾る位置を占めている。二冊にともに収められているのは、「下手もの（雑器）の美」であった。

「美の法門」と「無有好醜の願」のふたつの論考は、柳の工藝美論と仏教美学を思索の過程からまとめる論考であり、相互に補完的な役割をになっている。それぞれが、柳の仏教美学を論ずる歴史的な論として、位置づけられている。

ここで晩年に書かれた仏教美学四部作とその周辺の仕事について、時系列に確認して見る。仏教美学四部作のうち、まず「美の法門」と「無有好醜の願」がある。「無有好醜の願」は、「仏教美学」の副題を添えて、戦後の保守系の雑誌「心」に発表された。

その後、期間をおいて、「仏教美学の悲願」と「仏教美学について」が書かれている。

長い連載の途中で、海外渡航を経た論考が、「南無阿弥陀仏」であった。『南無阿弥陀仏』（一九五五年〈昭和三十〉八月）は、「美の法門」と「無有好醜の願」の間の時期に書かれている。つけくわえれば、『南無阿弥陀仏』がまとめられる直前に、柳は、『現代仏教講座』（第四巻・角川書店）に、自己の宗教的な精神史に言及する、かなり長い「仏教に帰る」を書いた。この論考は、四十四歳のときに書いた「徳川時代の仏教を想う」に、ルーツを求めることのできるものである。

こうしてたどってくると、柳宗悦は、「美の法門」を書いた後、浄土を希求する「六字名号」に収斂する「南無阿弥陀仏」によって、浄土教を全体的に把握するひとつの確信を得ている。その確信のもとに、「仏教に帰る」と「無有好醜の願」をまとめたようである。

このまとめとなった思索をさらに補完する論考が、「仏教美学の悲願」と「仏教美学について」のふたつの論考であった。

「私は今回不図《はから》ずも大患に犯され、まさに生死の境を彷徨《さまよ》ったが、見ゆるまた見えざる加護に浴して、漸《ようや》く快方に向うに至った。しかし「人生不定、無常迅速」である」(「無有好醜の願」「跋《ばつ》」)と書き、「私はいつとはなしに、床に掛けてもらったり置いてもらったりする画や品物を眺めながら美の問題を考えつづけるに至り、その結果仏教美学を建てる事に私の病弱な現在の躰《からだ》を役立てようと考え出した」(「仏教美学について」)と、柳の還相としての生活から抉《えぐ》り出すように書かれた文章がある。

さて、「無有好醜の願」についてである。

柳は、仏典や仏教者の言葉を引用しながら、仏教と美について論じようとするが、そこには、『般若心経』も『金剛経』も、盤珪禅師も親鸞の教えも取り出され、引用される。「無有好醜」には、柳の仏教的な自己言及があるのだ。『般若心経』の「不垢不浄《ふくふじょう》(垢つかず浄からず)」

の経文に、『金剛般若経』の「無所住」の言葉に、馬祖道一《ばそどういつ》禅師の「円相」の事物に、慧能《えのう》の「本来無一物《むいちもつ》」の言動に、親鸞聖人の地獄も浄土も存知せざるという「念仏」による正定聚《しょうじょうじゅ》に、その神秘的な美の浄土が感得できる。

雑誌「白樺」には、理想の世界や人生にたいする肯定的な視点があった。親鸞によって極められた非詩的な信仰や、源信や法然の浄土系の美意識からは離れる浄土真宗の実体があるかも知れない。一遍には、普通の凡人には不可能とも思えるほどの厳しい生へのむき方がある。しかし、柳宗悦は、人間を取り巻いた生活世界に現象する「モノ」に肯定的であり、かつ詩的な感性を重ねることのできる思想家であった。そこに、民藝の「モノ」と仏教思想による「美」がある。

いままさに、存在と意識というふたつの世界が、むすばれようとしているのだ。

もし「美の浄土」といい得るものがあるなら、それは醜いとか美しいとか、二元の言葉を越えた境地であります。（略）それで成仏している美、即ち究竟美は、分別されている美醜という範疇《はんちゅう》に属しないものであります。つまり「無有好醜」であります。「般若波羅蜜多《はんにゃはらみた》」と申しますが、それは真偽の二に属さぬ究竟智のことで、美もまた「波羅蜜多」の性質がなければなりません。「波羅蜜多」は究竟に達する意味で、不二となることであります。

（『新編 美の法門』「無有好醜の願」五）

読経の際に、通読するにまかせていた。川が流れるような願文音の残像から、第四願の深層の存在の意味に注目した。それを読み直すことで、真相の発見をしたのだ。「好醜」とは、「美醜」のことである。懐感《えかん》は、『浄土群疑論』のなかで、これを、「形無美醜の願」と呼んだ。『無量寿経』の第四願が要請する美意識とは、「浄土美即ち不二美」であると、柳は言う。

美とはなにか。その本質とはなにか。柳は、若き日からの民藝運動を経て、「形」ある「モノ」とその美の問題を考えていた。まるで、『無量寿経』の第十八願が念仏門の依拠すべき法門であるように、第四願には、芸術の悲願を示す不二の美があり、依拠すべき仏教美学の悲願がある。取り出された第四願の「無有好醜の願」は、いま、聖なる顕現（フィエロファニー）となって、「美の法門」と命名されたのだ。

柳宗悦の『心偈《こころうた》』（一九五九年〈昭和三十四〉）は、鶴見俊輔の編集『柳宗悦』にも収録されている。それらは、短詩型の詩文とそれを解説する明解な散文からなっていた。そこに、詩人的感性をみせる柳宗悦がいる。鶴見も、晩年には、『鶴見俊輔全詩集』を出し、「現代詩手帖」の「年鑑」（二〇一六年版）にも、「まちがいはどこへゆくか」の詩が紹介されている。

『無有好醜の願』のなかで、「不二の美」について書く、柳の詩的散文は、次のようなものである。

醜でもなく、美でもないものです。
美と醜とがまだ分かれない前のものです。
美と醜とが互に即してしまうものです。
反面に醜のない、美それ自らのものです。

（『新編　美の法門』「無有好醜の願」二）

柳が重要とするのが、現象学的還元に相同する「不二」の思想である。原始仏教（初期仏教または根本仏教）における根本理念である「空」の思想は、大乗仏教においても、「般若経典」を通じて、基本的な理念となった。柳は、「空」とは、「如」であり、「即」であり、「中」であるとし、すべては「不二」の世界であると、分節以前の「無／有」の世界との同質性を認めている。

三論宗の「中観《ちゅうがん》」は、不二観であります。天台宗における三諦円融観《さんたいえんゆう》で「中」を説くのは、やはり不二を見てのことであります。真言宗の「即身成仏《そくしんじょうぶつ》」の教えも、不二の理解を離れてはありません。禅宗における「只管打坐《しかんたざ》」とか「直指人心《じきしにんしん》」とか申すのも、不二の境地を体得するに外なりません。浄土宗における「念仏三昧《ねんぶつざんまい》」も不二に即することであります。

（『新編　美の法門』「無有好醜の願」二）

大乗仏教の初期の経典である『維摩経』の「入不二法門品」を語りながら、柳は、大乗仏教それ自身が、不二門の仏法であると語る。この考え方は、東洋的な思惟のひとつであり、今後は世界に寄与する贈り物となると柳は力説する。論理と分析と比較を重要視する西洋では、この考え方は熟さなかった。そこには、二元性の強い「西洋の眼」ではなく、「東洋（日本）の眼」による仏教的原理の美観が、必要である。

柳が「不二」の考えの具体例として上げるのが、多く朝鮮の窯で作られた刷毛目《はけめ》の茶碗であった。雑器ではあるが、自由で変化に富み、奔放な調子をもつ赤い雅致《がち》の美しさに打たれたのが、当時の茶人達である。茶人たちは、釉薬の流れの変化に関心を示した。禅的世界は、歴史のなかで強く茶道と通じていた。柳は、朝鮮陶磁器の観点から、茶道の器にたいする時代の偏向や制度を批判する。本物とは、利休以前への志向性のなかにあった。ここには、民藝と茶をむすぶ批評の視点がある。民器であった大名物の茶器を通して、茶道の批評と再生に至る思索も、柳の仏教美学と大きく関係があったのだ。その美の中心は、禅僧が語ってやまない「只麼《しも》」の心境に似ていると言う。「作る者と、作られる物とが分かれているのではなく、全く私なき仕事、美醜もなき仕事、つまり仕事が仕事する境地まで達する」刹那こそ、一遍上人の「念仏が念仏する」世界に等しいものであり、そこには「自然の功徳、無功徳の功徳」があると、柳は語る。

柳にとって、仏教美学とは、「不二の美を明らかにする学」以外のものではなかった。

5　小林秀雄と柳宗悦——直観について

小林秀雄の「わが人生観」（一九四九年〈昭和二十四〉）を読むと、「観」の文字は、仏典の『観無量寿経』からきていると紹介されている。

観というのは見るという意味であるが、そこいらのものが、電車だとか、犬ころだとか、そんなものがやたらに見えたところで仕方がない、極楽浄土が見えて来なければいけない。観無量寿経というお経に、十六観というものが説かれております。それによりますと極楽浄土というものは、空想するものではない。まざまざと観《み》えて来るものだという。

（小林秀雄「私の人生観」）

小林秀雄の父豊造は、沢庵禅師の出生地でもある兵庫県の出石《いずし》の出身である。次男だったが小林家を継ぐことになる。兄の精一郎は、真宗系の仏教学者で高楠順次郎の知遇を得て、京都の西本願寺の前で、仏教書肆《しょし》を営んでいた。三男の金右衛門は、東京で、後に浄土宗の渡辺海旭も参加する『大正新脩大蔵経』の前身に当る仕事をしている。『真宗聖教全書』は興教書院の刊行であり、『大正新脩大蔵経』は大正一切経刊行会の刊行である。前者は、小林秀雄の伯父清水精一郎の起した出版社であり、後者は小林秀雄の叔父清水金右衛門が大きくかかはった出版社だった」（郡司勝義『小林秀雄の思い出』）。

小林秀雄の有名なエッセイに、「秋」がある。

よく晴れた秋の日の午前、二月堂に登って、ぼんやりしていた。欄干に組んだ両腕のなかに、猫のように顎を乗せ、大仏殿の鴟尾《しび》の光るのやら、もっと美しく光る銀杏の葉っぱやら、甍の陰影、生駒の山肌、いろんなものを眼を細くして眺めていた。（小林秀雄「秋」）

このとき、小林秀雄は、二月堂の茶屋で、般若湯を一本、雁もどきの煮しめを一皿註文して、プルウストを読んでいた。その仏語の原典は、京都で伊吹武彦から手渡されたものである。小林が東京へ帰るときに、伊吹武彦への返礼となったのが、『観無量寿経』の冊子である。帰京してからというもの、小林秀雄にとって、親戚が関係する仏教書である『観無量寿経』は、その後の愛読書のひとつとなっていた。

小林秀雄の「私の人生観」を読むと、その人生観は、仏教を根幹とするものである。

縁起の法とは一応は因果の理法と言えるだろうが、近代科学の言う因果律とは、恐らくまるで違った意味を持っていた。世界は、自然も精神も、色受想行識の五蘊《ごうん》、五つの言わばカテゴリイの相互依存関係に帰すると釈迦は考えた。この五蘊の運動は、ただもう無常であり、そこには何等実態的なものも、常住なものもない。（略）釈迦が、烈しい内省から導いた、こういう哲学的直感は、現代の唯物論より遥かに徹底したものだと言えましょう。彼は、彼の全人格を賭けて、そういう風に直覚した。（小林秀雄「私の人生観」）

小林秀雄が、「私の人生観」を発表し、上梓した時期は、柳宗悦が、「美の法門」に着眼して発表し、上梓する時期にちかい。こうして語られる仏教の「空観」は、思いもよらず、柳宗悦の「観」や「直観」と類似している。柳宗悦の直観理論からすれば、「美しい民藝（工藝）はある。民藝（工藝）の美しさという様なものはない」と言っているようである。

柳宗悦と小林秀雄には、柳の甥である石丸重治との関係だけでなく、民藝運動の初期に本格的にかかわった青山二郎との関係も重なり、太い線でむすばれている。単にそうした関係の糸があるということだけではない。敗戦を経た戦後の日本社会のなかで、ふたりは、どのように生き、どのように活動をしたかということが問題とされているのだ。ふたりには、ちかい考え方と思想があって生きたという証しを見ることができるかもしれない。それは、仏教的な考え方や思想と深くかかわる。戦後の時期に、仏教、とりわけ大乗仏教への関心を示した、それぞれの人生と仕事を推し進める姿には、同一性として語る言及性が強く残っている。

二〇一九年の一月から三月のことである。日本民藝館では、「美を見いだす力」をサブ・テーマとした「柳宗悦の『直観』」という展示会が開催されていた。

ここでは、「直観」がテーマである。全ての展示物についての説明、解説、時代、産地、分野の説明書きがひとつとしてない。主催者の「何の色眼鏡」もなく、「直かに見届ける」趣旨である。朝鮮時代の文房具から陶磁器、柳宗悦と交流があった工藝作家たちの、一度はどこかで見た記憶のある作品が、拝観者の「観」を待っていた。

柳宗悦にとって、「自然」は「如」であり、「法爾《ほうに》」は「不二」のことである。そこにあるのは、見ることを観から不二へと極める東洋思想的な「直観」主義である。

> 般若（プラジュニャー、パンニャー）の語は、初期仏教以来説かれ、智慧をあらわし、それは直観的・総合的な特徴にあふれて、分析的・理論的な知（知識）とは根本的に異なる。なにものにもとらわれない空を本旨とする般若の智によって、いっさいを直覚し洞察すべきことを、般若経は説き、さらにその空にも決してとらわれてはならない（空亦復《くうやくぶ》空《くう》）と念を押す。
>
> （三枝充悳『仏教入門』「インド仏教の思想史」）

プラジュニャーは、「般若」のサンスクリット語である。パンニャーは、そのパーリ語である。三枝は、「そしてそれを身に体してこそ大乗の菩薩なのであり、それは通常の仏弟子（声聞）や孤独の聖者（独覚。縁覚ともいう）とは大いに異なって、つねに他者とむすび、他者への配慮がゆきとどいて、他者のために尽くす実践（利他という）が力説される」と述べている。ここには、柳宗悦の東洋的な「直観」と民藝運動という菩薩道へとつながる還相の糸口が反照されてくるようだ。

柳宗悦には、「直観」に関する、いくつかのエッセイがある。

では「見る」とは何か。直観とは何かという事になる。直観とは、あらゆる独断を拭《ぬぐ》い去った理解をいうのである。（略）易しくいえば、直観はものをありのままに受取る事、ものをうぶなままで見る事で、見る自らもうぶの心で見、見られる物をもうぶのままで受取る事である。仏教用語ですれば、ものを如相《にょそう》に見、ものを如相に受け取る事、つまり「只麼《しも》」に見る事である。これが直観である。

（『新編　美の法門』「仏教美学の悲願」）

「仏教美学の悲願」のなかには、「追補その二」として、「直観について」の章立てがある。さらにそこには、「直観とは何か」の項目もある。それは、「仏教美学について」の論考における「直観」についての考え方とも、同様であってかわりがない。さらには、『蒐集物語』（一九五六年〈昭和三十一〉）に網羅された「蒐集について」や「貧乏人の蒐集」から「蒐集の弁」を経て、一九四三年（昭和十八）の論考に一九五五年（昭和三十）の加筆による追記をした「民藝館の蒐集」にも、「直観」についての論がなされている。「元来直観はものの統合的把握であり、概念は分析的理解なのである。一つは「統体」を見、一つは「部分」を知ると言ってもよい。（略）それ故直観のみが、物の活きた本質を捕え得るのである」と書く柳にとって、蒐集する側からしても、また蒐集品との対話においても、中心となる大切な理論が、この「直観」による心眼をはたらかせることであった。

直観を「新鮮な印象」と説いてもよい。（略）鮮明な印象は確実な印象である。直観は常に即刻である。即刻であればあるほど確実さを伴う。（略）主客以前の働きが直観である。それは主客未生の境地である。（略）物の価値判断には、常に直観を基礎にせよと言うのである。そうしてかかる判断を後から概念で整理すればよいと説くのである。始めに直観、次に概念、この順序を乱してはならない。

（『蒐集物語』「民藝館の蒐集十一」）

6　ひとりのもれもなく……

小林秀雄の人生を称して仏教主義であると、正面から語るひとは少ない。

柳宗悦の父楢悦《ならよし》と最初の妻との間には、糸子という娘がいる。この糸子と石丸重美の子どもが、美術評論家として知られるようになる石丸重治《じゅうじ》であった。小林秀雄と石丸とは、雑誌「青銅時代」から「山繭」で活動をともにしていた。石丸から叔父の柳宗悦を紹介されると、さらに柳を通じて、小林は志賀直哉を紹介される。そのころの志賀直哉は、東海道が通り、山際には毘沙門堂がある、山科の街に引っ越していた。京都に仕事の拠点をもつ秀雄の親戚も山科にいた。小林秀雄は、はじめて山科の志賀直哉を訪ねた。

小林秀雄にとって、『観無量寿経』の世界は、その批評に多くの足跡を残している。ひとつは、「当麻」のなかにある「美しい『花』はある。『花』の美しさという様なものはない」（『無常といふ事』）という断章の詩文である。能楽堂で見た世阿弥の「当麻」と折口信夫の「死者の書」や「山越阿弥陀像の画因」が、当麻寺の中将姫伝説とむすびつく。この中将姫伝説を『観無量寿経』とむすびつけて解釈したのは、法然の弟子である証空であった。

小林秀雄は、東京出奔後、奈良の志賀家に出入りしたわずか半年の滞在後に、「様々なる意匠」と「志賀直哉論」を書き、本格的な文筆生活にはいる。「画家は、眼が生命であるから、見るという事については、常人の思い及ばぬ深い細かい工夫を凝らしているものであって、遂に視力というものが、そのまま理論の力でもあり思想の力でもある」（「私の人生観」）と、視覚に言及する小林秀雄は、陶器や絵画の具体の美の感性から「眼で触れる」身体論的とも言える観への文学へと深化をはたした。

『私の人生観』がまとめられたのは、一九四九年（昭和二十四）の一月である。柳宗悦の『美の法門』と同じ年であった。

戦時期に書かれた『無常といふ事』の上梓から『モオツァルト』『続々 文芸評論』『Xへの手紙』に次ぐ戦後の出版である。「私は、一時、原稿も書かず、文学者との交際も殆ど止めて、造型美術を見る事に夢中になった事がある」。「私の人生観」では、仏教が語られ、骨董との人生が語られる。「骨董」の発見者である青山二郎やその弟子の白洲正子が語る、小林と骨董との関係である。のちには、「骨董」や「真贋」を書く機縁をもつことになるが、敗戦後の社会が受けた現実のなかで、そこに、戦争と平和を語り、みずからかかわる批評とはなにかについて思索する、戦後の小林秀雄がいた。

小林秀雄も、後年、柳宗悦が論じた大名物「喜左衛門井戸——高麗茶碗」と対面している。驚くことには、『観無量寿経』を愛読していた小林秀雄が、高野山の赤不動を見たときの心の動きの表現である。「見てがっかりした。つまらぬ絵である」(「偶像崇拝」)と小林は書いた。この「偶像崇拝」の文章も、『無量寿経』や『観無量寿経』を背景として書かれている。それは、「いい茶碗だ——だがなんという平凡極まるものだ」という、柳宗悦が「喜左衛門井戸」を見たときの感慨にあまりにも似ている。大徳寺の孤篷庵を河井寛次郎と訪ねたときの柳の言葉が、思い起こされる。

小林秀雄の人生に影響を与えたものは、仏教である。そこには、宗教家である柳宗悦の存在が、陰に陽に影を引いているという推察を真摯に受けとめたい。

仏教的論理を駆使する小林秀雄の直観と人生観がある。そこには、西洋哲学を経た直観から東洋的なものへと心眼の思索を深める、柳宗悦の宗教観が仄《ほの》見えてくるのだ。

仏教の日想観の思想が到来する遥か昔から、日を拝む信仰は、日本人の間で深く行なわれていた。（略）藤原南家の郎女《いらつめ》が、彼岸中日の夕、二上山《ふたかみやま》の日没に、仏の幻を見たのは、渡来した新知識に酔ったその精神なのだが、さまよい出たのは、昔ながらの日祀りの女の身体であった。（略）恵心僧都《えしんそうず》は、当麻の地はずれで生まれ、学成って、比叡横川《よかわ》の大智識となった。『往生要集』の名は唐まで聞えた。彼が新知識の山頂で、阿弥陀の来迎を感得した時、それは、彼の幼い日に毎日眺めた二上山の落日に溶け込んだのである。

（小林秀雄「偶像崇拝」）

源信の『往生要集』を前にすれば、この書物の偉大さに心を打たれるだろう。「巻上」には、世のなかに流布している「厭離穢土《おんりえど》」「欣求浄土《ごんぐじょうど》」が、詳細な論を極めつくすように書かれている。

大乗仏教が、ひとつの主張を強く打ち出すとき、衆生への利他主義をかかげた。上昇と下降による「上求菩提《じょうぐぼだい》、下化衆生《げけしゅじょう》」の垂直性とは、大乗仏教の相対性の考え方であり、生き方である。同時に、往相と還相による時間性は、共時的な構造の大乗仏教の深さである。

明治近代になると、パーリ語やサンスクリット語による文献学の研究と翻訳によって、原始仏教を後景に退けてきた大乗仏教は批判された。しかし、見方をかえれば、大衆の救済にとって、原始仏教（初期仏教）から展開した大乗仏教の意味は別にあった。ともに中国で成立したとも論ぜられる『観無量寿経』や、『大乗起信論』からの影響を現実的な事実の相に見なければならない。井筒俊彦は、『意識の形而上学――『大乗起信論』の哲学』のなかで、『大乗起信論』は、疑いもなく、本質的に一の宗教書だ。だが、この本はまた仏教哲学の著作でもある」と書いている。法然や親鸞の周辺にとって、「願以此功徳　平等施一切　同発菩提心　往生安楽国」（「観経疏玄義分第一」）の善導大師の『観無量寿経疏』や源信の『往生要集』の影響にも、改めて目をむけなければならない。ガンダーラから慶州を経て東漸してきたもの……。大乗相応の地である日本人の受容能力と世界に誇る大乗仏教の特色が、日本的な「大小倶行《だいしょうぐぎょう》」（大乗仏教と小乗仏教をともに学ぶ）の思索として仄見えている。

そうした仏教にたいする実相への思いが、「想ふに徳川時代に移るに及んで、仏教の信仰は益ゝ民間に滲み込んで来たのである」（「大津絵」）の文章や「徳川時代の仏教を想う」を書く柳宗悦にはあったのかも知れない。大乗仏教とはなにか。例えば、北伝と南伝のふたつの大蔵経に関わった高楠順次郎（一八六六―一九四五）を支援し、『大正新脩大蔵経』を監修し、仏教研究整備の仕事を完成させた渡辺海旭（一八七二―一九三三）に、「大乗仏教の精神」がある。「我が大乗教の精神は実に此れである。自利を捨てゝ利他を先になさんとするものである」。「第一の心と云うのは菩提心である。これは大乗仏教の根底であり、又利他心、寛容的態度、精神主義の基礎である。即ち上求菩提下化衆生の精神である」（『壺月全集　下巻』）。若き日の鈴木大拙も渡辺海旭も、ともに「新仏教」に寄稿していた。

すべては、『無量寿経』の四十八願のうち、第十八願の経文「設我得仏、十方衆生、至心信楽、欲生我国、乃至十念、若不生者、不取正覚」に依拠することからはじまる。奈良では、いまでも、良忍（一〇七二—一一三二）による口称念仏へと転換した融通念仏宗が、華厳宗東大寺の大仏殿のなかで、十念を称えている。そうした流れのなかから、浄土宗も成立した。

ひとりのもれもなく、すべての衆生を救済する。たとえ「唯除五逆《ごぎゃく》誹謗《ひほう》正法《しょうぼう》」のものであったとしても、これからは、衆生済度への強い思想のなかに含まれる。そこには、みずからと仏教の根幹との関係に深くかかわり、自己と衆生の救済を無二とする境界があるにちがいない。

その文脈は、『観無量寿経』の一節に、よりよく映し出されている。

> 下品下生者、或有衆生、作不善業、五逆十悪、具諸不善。（〈下品下生《げぼんげしょう》〉とは、あるいは衆生ありて、不善業《ふぜんごう》の五逆・十悪を作り、（その他）もろもろの不善を具す）
>
> （略）
>
> 称仏名故、於念念中、除八十億劫、生死之罪、命終之時、見金蓮華、猶如日輪、住其人前。（仏の名《みな》を称うるがゆえに、念々の中において、八十億劫の生死の罪を除き、命終る時、金蓮華《こんれんげ》の、なお日輪《にちりん》のごとくにして、その人の前に住するを見ん）

如一念頃、即得往生、極楽世界、於蓮華中、満十二大劫、蓮華方開。（一念の頃《あいだ》ほどに、すなわち極楽世界に往生することをえ、蓮華の中において、十二大劫を満たし、蓮華まさに開く）

（『観無量寿経』中村元・早島鏡正・紀野一義訳註）

浄土三部経のなかで最も長い経典である『無量寿経』のなかの誓願のうち、浄土教にとって中心的な役割をもつ第十八願の付帯事項の救済が、『観無量寿経』では、このようにして図られる。その解説は、法然がよりどころとした善導大師の『観無量寿経疏』の詩文章のうちの「観経正宗分散善義巻第四」である。法然は、「十方ニ浄土オホケレドモ、西方ヲネガフ、十悪・五逆ノ衆生ムマルヽ、ガユエナリ」と「御消息」に書く。

だれひとりとして、もれなく救われる世界を考える。現に、そこにましまして、不二の国土を目指し、美醜の二元性から解放される世界がある。一元性こそ、柳の考える自性の不二の世界である。柳が語るのは、宗教的な論理の深まる場所についてだ。

すべての衆生に、それを可能にしてくれる易行道（他力門）がある。不二に至るには、精進が必要である。そうした世界を尋ねる旅に出なければならない。無明《むみょう》に生まれながらにして、一切衆生悉有仏性を出現させる。それは、本来自性清浄涅槃を目指す故郷への帰り（還相）＝帰郷をめざす旅であった。

柳のこうした思索は、未開人や子どもの創作に類似した原始芸術と対比することができた。

雑器に関心をむけることは、実用的工藝品の歴史に通ずることである。生活のなかから生まれた平常美や尋常美には、東洋的な無の芸術と通底するものがある。晩年の「不二美」の論考には、縄文土器と接続し、大津絵や民画と展開する日本的な美のわびやさび、渋さの「無有好醜の願」があり、衆生の悲願を成就することで顕現する、美の法門があると語る。

柳の民藝運動は、衆生への視線であると同時に、素朴さの美による宗教的な運動であるように思える。その視線は、あくまでも、庶民のもつエートスを「モノ」の形として言及する。そこに、大乗仏教の精神とのつながりを問うているのだ。

柳の仏教美学は、未完であると言われる視点もあるかも知れない。しかし、往相として発見し、求めて蒐集した近代民藝の「モノ」から、晩年にたどり着いて考察された、還相としての仏教美論には、現代民藝や骨董の観点からも、さらに自己言及的に語る必要がある。

可能性の中心を訪ねて歩く柳は、はるか前に、自らに問うた。

無学な職人から作られたもの、遠い片田舎から運ばれたもの、当時の民衆の誰もが用いしもの、下物と呼ばれて日々の雑具に用いられるもの、裏手の暗き室々で使われるもの、彩りもなく貧しき素朴なもの、数も多く価も廉きもの、この低い器の中に高い美が宿るとは、何の摂理であろうか。

（「陶磁器の美」）

それは、「凡夫が凡夫のままで美の浄土に迎接されている様」を見ることから、観への直観の深まりであったと言いかえることができる。今日、読むことができる小林秀雄の対談に、『小林秀雄対話集』（講談社文芸文庫）や『小林秀雄対話集』（新潮文庫）がある。後者には、「直観を磨くもの」のタイトルがついている。心眼による直観との関係の深さを語るものだ。
小林秀雄は、観法と日本文化の深層について、書いている。

仏教者の観法という根本的な体験が、審美的性質を持っていたからでありましょう。観法はそのまま素直に画家の画法に通じ、詩人の詩法に通じた。西行の和歌における、宗祇《そうぎ》の連歌における、雪舟の絵における、利休の茶における、其貫道する物は一なり、と芭蕉は言っているが、彼の言う風雅とは、空観だと考えてもよろしいでしょう。

（小林秀雄「私の人生観」）

柳宗悦は、晩年の「心偈」に見るように、詩的感性の持ち主であった。直観の思索家である小林秀雄も、骨董の美学者である青山二郎から白洲正子も、そして日本に滞在するブルーノ・タウトも、近代民藝の発見者である柳の直観から美意識の影響と感化を受けていた。

7　直観から「美の浄土へ」

戦後の民主主義が大きく転換するころ、思索と行動を重ねる久野収、鶴見俊輔、藤田省三による『戦後日本の思想』（一九五九年刊・一九六六年　勁草書房再刊）が出版された。そこには、戦後の思想を検証する報告と座談が収録されている。

第三章には、「日本の保守主義」というタイトルがついている。内容は、「『心』グループ」についての検証だ。

「心」グループは、戦前の文化と学問を指導したひとをあつめていた。長与善郎を中心に、武者小路実篤の「白樺」と和辻哲郎の「思想」をひとつにする長老がメンバーだった。安倍能成、志賀直哉、梅原龍三郎、辰野隆、田中耕太郎をはじめ、柳田国男、谷崎潤一郎、高村光太郎、津田左右吉、永井荷風と、雑誌「世界」の編集に携わったリベラリストもくわわる「生成会」を母胎とする機関誌だった。後に、谷川徹三、竹山道雄、唐木順三も、参加している。

このグループに、柳宗悦の名前も入っている。柳の仏教美学四部作の第二作と言われる「無有好醜の願」の文章は、「心」の第九号に執筆された。

柳の出発は、大正期の「白樺」を縁としているので、戦後の進歩的で革新的な社会動向のなかでは、保守主義者の範疇に入っているのだろうか。しかし、本書には、次のような柳への発言があった。「柳宗悦のように、自分の思想を、実証科学や生産技術とむすびつけて、テストの場を作ろうとする姿勢」を指摘するのは、中国の青島《チンタオ》で終戦を迎えた、自由主義者の久野収である。また、「柳宗悦では物の生産の意味がとらえられている。この職人的感情というのは、コップを作ることによって実現することになるんだ。そこが『心』同人の大部分と違うところだ」と、みずから革新的な保守主義と語る鶴見俊輔は、プラグマティストの立場から経験主義的なヒューマニズムの理念で語る。

柳は、ことあるごとに、古いものを守ることも開発であると語っていた。そこには、過去と現在の本質的なむすびつきのコンテクストがある。

柳宗悦にとって、東洋的思考は、当初はキリスト教的な神秘思想と禅をつなぐものであった。特に、中世のキリスト教における神秘思想は、当時から仏教に似ていると認識されていた。キリスト教における他者への愛も、浄土教の衆生済度への慈悲とを比較して、類似の宗教的アイデンティティであると柳は見ている。そこには、歴史的なキリスト教から仏教への通過があり、プロティノス以来の西洋と東洋との、過去と現在との思想の融合がある。

柳宗悦が主要な観点のひとつとする直観は、ヨーロッパにおいては、ギリシア以来の伝統があることは、これまでも論じてきた。例えば、第二次大戦のときにピレネーの麓で死を遂げたベンヤミンは、ユダヤ教の神秘思想に描かれたアレゴリー（寓意）を、美の直観理論として考察した。同じユダヤ人のベルクソンは、「哲学的直観」と「形而上学入門」で、観念論を否定しつつ、経験主義的な立場から直観の理論を説いている。晩年には、神秘主義について考察する『道徳と宗教の二源泉』を書いた。そこでは、仏教に関する考察もなされ、現代文明への危機を論じた。宗教にたいする帰依は、自我執着を性とする雑念を洗い流してくれる現代の心理学であった。神秘主義思想と直観が、西洋から東洋へのキー概念になっている。

ベルクソンの後に、コレージュ・ド・フランスの教授となったのが、メルロー・ポンティである。かれは、フッサールの遺稿文書の研究から出発する。当初は、実存哲学者と歩調をともにしていたが、「行動」や「知覚」の現象学から身体論や知覚論による展開をし、その著作のなかで、直観の本質について触れている。

持続の充実、宇宙論的意識の原初的充実、神の充実性といったものは、実は、〈直観〉というものを実在との〈合一〉とか〈接触〉と見る理論からの帰結なのです。（略）「単純な行為」、「観点なしに見ること」、〈ものの内面への、直接的で記号の介在しない接近〉などといった直観についての有名な定式は、すべて、哲学というものを〈探索〉も〈意味の内的運動〉も伴わない〈存在の鈍重な把捉〉としてしまうことになるわけです。

（メルロ・ポンティ『眼と精神』「哲学をたたえて」）

ここには、主客未分の直観の本質が論ぜられているだけでなく、境界として語られる直観が、より記号論的に深められる経緯がある。現象学的な見方と記号論的な思索は、「合致」から「了解」としての直観理論にたいする分水嶺であった。

西田幾多郎にも、直観について語っている文章がある。「私は『自覚における直観と反省』を書いた時から、意志の根柢に直観を考えていた、働くことは見ることであるというようなプロチノス的な考を有《も》っていた」（「働くものから見るものへ『序』」）。ここには、当時の思潮にみられる欧米からの現象学の影響が見られる。

もうひとつの例をあげれば、民俗学者のケレーニィに触れないわけにはいかない。エラノス会議で鈴木大拙と同じメンバーであったケレーニィは、伝統的な聖書を解読する解釈学によってギリシア神話を解析する。その『神話と古代宗教』を翻訳した高橋英夫に『神を見る　神話論集一』がある。そこには、ヨーロッパの原点を遡ると、「見」から「観（テオリア）」に至るギリシア神話が見い出せるという。存在を直観によって捉える「観」を論ずる高橋英夫は、「観」や「空観」を論ずる小林秀雄に親炙する文芸評論家であり、『ブルーノ・タウト』の評論を書いている。その著作集のタイトルは、「観」を示す「テオリア」である。

ここで、少しタウトに脱線するが、タウトには、桂離宮と日光東照宮とを対比する有名な日本文化論がある。柳とバーナード・リーチは、高崎の少林山達磨寺の一隅にあるタウトの洗心亭を訪れていた。そのとき、三人は意気投合して、一夜の歓談をした。ドイツ本国との関係もあって、この亡命者である建築家には、日本での仕事は受けられる状況にはなかった。日本での最後の仕事は、熱海にある日向利兵衛の別荘であった。お別れの会では、日本側の代表として、柳宗悦が英語で挨拶をした。トルコのイスタンブールで逝去すると、日本を愛した奥さんの意向で、タウトの著作や遺品はすべて日本に送られてきた。タウトには、日本の生活用具の工夫についての実作があったが、民藝とは、微妙な差異があったようだ。

柳宗悦の考え方や「モノ」の見方には、すべてをまっさらな零度として見る現象学的な還元と全体把握に強度をもつ直観の思考があることは、すでに触れた。その根本理念は、不二や直観としての一元論とも言われてきた。直観は、先に述べたように西洋の哲学でも歴史ある概念であったが、柳は、そこに西洋では発達しなかった縁起の「空観」を背景とする東洋的直観論を不二一元論として統合させている。

柳は、直観の本質について、さらに、書いている。

直観からは知識を引き出せるが、知識からは直観は引き出せぬ。知識は分別の分析であるが、直観は綜合的働きで分析以前のものである。知識は分割であるが、直観は統合である。知るとは分ける事であるが、観《み》るのは分けずにそのまま受取る事である。「知」は静止的で「観」は動的だといってもよい。それ故「知」は二元的であるが「観」は不二的である。

（『新編　美の法門』「仏教美学の悲願」）

『南無阿弥陀仏』を上梓する直前に、柳は「仏教に帰る」の論考を書いていた。「東洋人としてその心の故郷である東洋の思想、特に仏教に、おのずから帰る時が来た」と書く。そのとき、すでに木喰仏からはじまっていた柳の「空観」の直観に、たしかな求道の足どりを見た。キリスト教から聖道門、そして浄土門へと変遷する来歴があった。柳は、鈴木大拙と歩むなかで、当然、強く禅を深めている。「無有好醜の願」をはじめ仏教美学四部作で引用されるのは、禅家の名前や禅語である。そうしたなかで、数多くの名僧を輩出してきた聖道門の優れた点を指摘した後で、しかし、残念なことには、と柳は問うている。ふつうのひとが、あれほどの厳しい聖道を最期までまっとうできるだろうか。柳は、浄土教の典型である妙好人を引き合いに出しながら、そうした疑問を投げかけた。

それは、柳にとって、仏教美学への還相的な思索であった。

東洋的直観の上に立った美への思想体系、即ち美学が建設されて然るべきであって、ただ西洋美学を襲踏するだけでは、東洋人として責務を果たしたものとはいえまい。まして西洋的なものの考え方、見方では到底解き得ない問題が幾多あろう。誰も知る通り東洋で特に発達した数々の思索があって、それによって西洋人が近づき得なかった真理に近づく事が出来るのである。
（『新編　美の法門』「仏教美学について」）

将来、日本は幾つかの文化財を通して、外国に寄与するところがなければならぬ、と言うのが戦後の柳宗悦の願いであった。柳田国男の民俗学は、民間伝承によって、形のない常民の固有信仰を蒐集することにあった。柳宗悦は、大乗仏教の豊かさを、衆生の多様な「モノ」の現象に見い出したのである。大乗仏教とそれに通底する「モノ」の多面的な文化の活動があり、全国への旅による蒐集と「モノ」の指導と生産にかかわってきた。そのとき、柳の年齢は、還暦に差しかかっていた。「無有好醜の願」の「跋」には、「人生不定、無常迅速」と書かれている。「無有好醜の願」以来、「仏教に帰る」が、宗教的な柳の自叙伝であるとすれば、「仏教美学の悲願」は、柳の仏教美学を求道する自叙伝とも言うべきものである。論考の最後には、直観理論と「自力の道と他力の道」による浄土教（他力論）によって、衆生と仏教美学の接点をむすぼうとする入り口がある。

柳宗悦の晩年に書かれたものが、『美の浄土』（一九六〇年〈昭和三十五〉五月）である。『美の法門』『無有好醜の願』につづく仏教美学の第三作にあたる論考である。この論考と、同じ時期に書かれたものが、「直観について」の小論だった。

「直観について」からは、柳宗悦の直観に関する声が、じかに聞こえてくる。「一切の文字や言葉は、『直観以後』の事としてよい」。「なぜ美しさの理解に、直観がかくも必要となるのか。それは美しさが言葉や判断に余るものがあるからである」。「直観の人とは、何ものにも縛られない自由さの主人公になる事なのである」。「いつ見ても常に『今観る』ことが、直観の本性なのである」。そして、最期に、柳の語りから聞こえてくる声は、「直観人のみが、真の歴史家になり得、美学者に成り得るのだ」と言うものである。そこには、これまでの直観に関する思索をまとめようとする最晩年の意志を見るだけでなく、東洋的直観に立った「美への思想体系」や「美学の建設」への意志が語られている。

「美の問題への理解には、どうしても知識だけでは駄目で、直観の裏付けが要る」と書く柳宗悦は、仏教美学の悲願として、大乗仏教の論書から如来蔵思想（仏性）を取り出してくる。聖道門も浄土門も、ともに涅槃をめざす。それは、三昧にはいる直観と不二の思想によって可能であるかも知れない。改めて柳宗悦には、直観と不二の考え方が根底にあることがわかる。そこには、大乗仏教との関係が強いアクセントをかもしている。

柳が取り出す大乗仏典は、ひとつは、在家主義による不二の法門を説く『維摩経』である。もうひとつは、如来蔵（仏性）にかかわる仏典である。柳の仏教への接近は、こうした『維摩経』や如来蔵（仏性）を説く『勝鬘経《しょうまんぎょう》』をくぐることで、衆生済度の視線を可能にしたと言ってよい。無名のひとたちの底辺の生活のなかに、一切の衆生が悉く仏性をもつように、一切の衆生がありのままの美に開かれている道を示そうとした。「一微塵において三昧に入り、一切の微塵において三昧よりたち、一切の微塵において三昧に入り、諸仏の光明において三昧よりたつ」（『華厳経』「賢首菩薩品」）。身近な『華厳経』には、『現代意訳　華厳経』（大正十一年刊・原田霊道著）や復刻版の『全譯（大方廣佛）華厳経』（上巻昭和九年、下巻昭和十年、江部鴨村著・篠原書店）がある。最近、『梵文和訳　華厳経入法界品（上・中・下）』（梶山雄一訳・岩波文庫）が上梓されている。問題は、『華厳経』が、自性清浄心から如来蔵思想へ、唯心論から唯識につらなる大乗仏教の潮流をなす論書に大きな影響を与えていることである。

詩的感性の持ち主であった柳宗悦には、晩年の簡潔な直観的表現である「トマレ　六字」「嬉シ　悲シノ　六字カナ」「六字六字ノ　捨場カナ」などの『心偈《こころうた》』がある。梅原猛は、「阿弥陀の姿は、摂取不捨の慈悲の姿である。だれ一人もれなく救いをさずけようとしている姿なのである」（『仏像　心とかたち』「阿弥陀如来」）と書き、阿弥陀信仰は美への崇拝であり、諸経典のなかでも、特に美の価値を代表するものではないかと書いている。『無量寿経』の第四願である「無有好醜の願」とは、不二の美、自在の美を念願する世界に至ろうとすることであった。そこに、衆生済度の悲願が語られている。美醜の二元からの根本的な転回が、「美の浄土」に念願されている。無名の民藝の「モノ」と浄土の「美」が、仏性としてつながるとき、柳宗悦の行動が、美の形而上学とひとつになったのである。

いま、柳のたどる道が、「衆生（庶民だけでなく、無名の陶芸家や職人）」から「直観」と「不二」を通過して、「美仏性」へと至る。それは、柳の晩年の論考に見る「美の浄土」「法と美」の美学の世界である。そこには、仏教的因縁である如来蔵（仏性）思想が仄見える。如来蔵こそ、大乗仏教を担う衆生がひとりももらさずにもっている菩提を可能とする仏性である。世親は、『法華経』の「常不軽菩薩《じょうふきょう》」に仏性を見た。この可能性としてのプラス思考の仏性は、一般にマイナス思考に転ずる唯識のアーラヤ識と重なる仏教的無意識層に想定される、無分別な領域の場所にある。

柳宗悦には、西洋から東洋的な直観への展開がある。全体をひとつのものとして瞬時に直覚する直観も、二元的世界から超絶する「相即」の縁起世界である大乗仏教の不二の世界とつながる。それは、例えば、バロック時代やロマン派の詩人たちが追い求めた失われたものから発生する廃墟の学や、抑圧された市民社会のなかでフロイトの心眼が分析の対象とした無意識（アーラヤ識）の存在や、東洋思想から探し出したユングが表象する深層の原型（アーキタイプ）や曼荼羅の発見のように、それぞれが同時的な人間の心の奥底にある故郷を訪ねる営為であると言えるかも知れない。柳宗悦が、過去のもつ創造的な活力と現在との一体感をむすびつける心の故郷の民藝にひかれたように、イタリアに何度も訪れて古寺と彫刻や絵画を見ることで無意識から文化の解釈をするフロイトも、自動記述による無意識の芸術行動を「シュルレアリスム宣言」として指導するアンドレ・ブルトンも、考古学的遺品や骨董や古民具や石を愛した蒐集家であった。

柳宗悦は、「『日本の眼』にもとづく美自覚を、仏教的原理に基づいて解明したいのが、私の念願である」と書く。そこに、民藝を通しての美があり、その美は、大乗仏教と深くかかわりのある世界である。それを、大乗仏教の如来蔵から救いあげられた仏性を信頼する他力思想（浄土教）に見い出した。仏性と美とは、つつみこむように合一され、そこに、衆生が済度される「美仏性」の道があり、美の法門が開かれている。

8 「美の浄土」と如来蔵思想

柳宗悦が、仏教美学として語るものは、民藝をささえる仏教的な美論である。『美の浄土』には、晩年の柳の脳裡に去来した「民藝」の美と「モノ」のかたちが、仏教思想の文脈をもって語られている。

地の文章に下りていくと、如来蔵＝仏性の考え方を平易に語る柳宗悦の姿がある。各章に並行する例文には、直観によって選ばれた「モノ」が例示されている。既に世評とは異なる観方で選択された「モノ」の民器だ。そこに、「美の浄土」を論証する具体的な「モノ」があった。言葉による仏教的概念には、形而上的な抽象性があり、観念的な概念によるところが多いが、具体の「モノ」は、民藝そのものの肉声であり、縁起によって発見された「コト」の実存となって、物質的な生活世界を表象して存在する。

柳宗悦によって、取り出された民藝の品々は、民器の宝である。『美の浄土』に上げられた

「モノ」の美を例証する。そこに柳の心性そのものにちかづく道がある。

中国宋窯《そうよう》の磁州《じしゅう》の絵付けの無銘品。拙が拙のままに美しさと結びつく風景画の朝鮮民画。赤絵磁器の貴族的な色鍋島《いろなべしま》にたいする平凡な大名物《おおめいぶつ》の茶器。コプトやインカや沖縄の手結絣《てゆいがすり》の布片。紺色の美しさのなかに廉《れん》と美の一致を見る紺絣。陶土に恵まれない中国宋胡録《すんころく》や丹波地方の古丹波。本来の面目を具現する原始美の原始民の作品。朝鮮李朝の「誰が、何を、どう描きましても悉《ことごと》くが美しくなる」瓶《かめ》。茶人たちが美を讃えた渋さとわびの器。自在心（無住心）の雑器。迷いをもたない高砂族の民器や織物。受け身の美、他力的に救われる美である耀変《ようへん》や灰被《はいかずき》のある焼き物。荒削りや未完成が美となる円空仏や木喰仏。長次郎に比される井戸茶碗。乾山《けんざん》や仁清《にんせい》に比される瀬戸の石皿や油皿……。

これらが、柳の眼で触れた民器の美であった。

『民藝の歴史』（志賀直邦）によれば、柳が「仏教美学四部作」にたちむかっていたころの重要な視点が、記されている。そのひとつが、柳の個人史における一九四一年（昭和十六）から一九四五年（昭和二十）の敗戦（終戦）までの出版物である。さらには、戦後では、『日本民藝』誌に掲載した「茶道への批判」「民藝と雪舟」「只麼《しも》の境地」などの仕事である。こうした仕事があるからこそ、柳の理念としての「美と法門」は生まれ、さらには「無有好醜の願」から『美の浄土』『法と美』へと論が進められたと言う。しかし、『民藝の歴史』では、「仏教美学四部作」のうちの『美の法門』と「無有好醜の願」が中心に語られていて、四部作の後半の

『美の浄土』や『法と美』については、語られることが少ないのだ。

「仏教四部作」の第三作目にあたる『美の浄土』によれば、選ばれたこれらの民藝の「モノ」は、大乗仏教の美と深いコンテクストがある。

なかでも、如来蔵＝仏性の思想は、大乗仏教のひとりももらさない特性を示して、民藝の美を表象する概念と同値できる。

褶曲線《しゅうきょくせん》を描きながら大切なことを何度でも語る柳の語りには、「モノ」の美を顕現させ、「浄土美」とはなにかを問う、理想世界に接線をもつ「美の浄土」があった。柳にとって、私家版の『美の法門』『無有好醜の願』『美の浄土』『法と美』の書物工藝は、ウィリアム・モリスを模す書肆文化である。先ごろ、初版（私版本）の体裁を踏襲し、表紙の装丁に柿渋塗強製和紙を使用した『美の法門』が出版されたばかりだ。

柳にとって、「美の浄土」とは、「美の理想国」であり、「美の不二国」である。「一切のものを洩れなく美しさに受取る国」には、中国で漢訳された仏教の言葉からインド初出の「仏国土」が連想される。そこでは、穢土に光があたると、浄土の光景を示す場所となった。仏教の「厭離穢土欣求浄土」では、菩薩の誓願と行によって建てられた国を、「仏国土」と言う。これが、「浄土」の国である。

世尊、今後わたくしは、真実の教えを堅持して、それを忘れるような心を決しておこしません。なぜかというに、真実の教えを堅持することを忘れれば、大乗の教えを忘れます。大乗の教えを忘れれば、われわれは理想境に到達しなければならないのだ、ということを忘れてしまいます。そうすれば、大乗の教えを求めることもなくなります。もし菩薩にして大乗の教えに対する確信がないならば、その人は真実の教えを身に保つことを願わず、自らあやまった道に安住し、凡人の世界に入り来る運命をもつ者でございます。

（『勝鬘経《しょうまんぎょう》』序章4・高崎直道訳）

大乗仏教とはなにか。大乗仏教の展開の核心には、ひとはほんとうに悟ることができるだろうかという理論的な発展と、ひとはどこまで平等にして、ひとりのもれもなく救うことができるのだろうかという理論の展開がある。そこには、悟りと救いという概念が宗教的エートスとして浮かんでくる。

初期大乗仏教の『般若経』『維摩経』『華厳経』「浄土三部経」『法華経』などから中期大乗仏教の「如来蔵」「唯識」の経典へと、それぞれのグループで信仰され保持されてきた仏典が編纂され、翻訳された。中期の大乗仏教の中心は、仏性として中国や日本に根づいた如来蔵思想と、華厳のなかの唯心論から『般若経』やナーガールジュナの影響下に展開した唯識などの経や論が中心となった。如来蔵＝仏性とは、衆生が本来、平等に有している仏となる可能性のことである。この仏性は、初期仏教にもある『涅槃経』の大乗仏教的な展開のなかに、「一切衆生悉有仏性」としての初出を見ると言われている。それは、すべての衆生は如来蔵＝真如＝自性清浄心を内蔵すると説く『如来蔵経』から解釈されてきた。如来蔵＝仏性については、「如来蔵にもとづいて生死輪廻もあり、如来蔵にもとづいて涅槃もある」と、「如来蔵思想と唯識説との統合」へむかう『大乗起信論』にも、触れられている。

そのうち、如来蔵＝仏性は、『華厳経』の「如来性起品」を経て結実すると同時に、『勝鬘経』『法華経』から『涅槃経』へと展開する。「一切衆生は悉く仏性あり」(「一切衆生悉有仏性」)というフレーズが意味するものは、空や唯識とは異なり、全ての大衆に悟りと救済の道を開いた人間への肯定的な理論である。

日本に華厳宗を伝えたのは、法蔵の弟子で、新羅《しらぎ》からきた審祥《しんじょう》であった。当時は、金鐘寺と言ったようだが、現在の東大寺の右手の高台には、手向山八幡《たむけやまはちまん》のちかくに、二月堂、三月堂、四月堂がある。東大寺の三月堂は、法華堂と呼ばれ、不空羂索観音菩薩立像《ふくうけんじゃく》の後ろには、当時の彩色を残す執金剛神《しゅうこんごうじん》立像を配し、両脇に梵天と帝釈天、四方を邪鬼を踏む四天王像が守護する。戦乱で焼け残った法華堂で、審祥は、『探玄記』による「六十華厳」を講義した。

柳の「美の浄土」は、地の文である形而上的な仏教美学を中期大乗仏教の如来蔵思想によってわかりやすく語る。と同時に、例文に見るように、これまで直観の美論によって蒐集してきた民藝を入れ子細工的に対照させて、従来の美術史から対角線的な明るみに民器のモデルを取り出した。そこに、柳の批評があったが、それは、「仏教美学四部作」として、理論的にも、整備されつつあった。

〈大乗〉というのは〈仏乗〉つまり、仏を目標とする道、と言いかえても差支えございません。このようなわけで、〈声聞《しょうもん》の道〉〈独覚《どっかく》の道〉そして〈大乗〉という三種の道、〈三乗〉は最終的に、〈仏乗〉という唯一の道、（略）〈一乗〉を体得することによってはじめて、無上・完全なるさとりをひらくのでございます。

（『勝鬘経』三　一乗章17）

ひとりのもれもなく、救うことを誓願する。大乗仏教の思想は、仏像の象徴的な図像にも暗示されている。例えば、唐招提寺中央本尊の盧舎那仏坐像の水かき（縵網相《まんもうそう》）をもつ仏の手は、水ももらさずに衆生を救いあげる喩えによって作られている。

そこで語られるのが、衆生の病に言及する維摩居士についてである。維摩は、病を見舞う文殊菩薩に、多くの菩薩の不二観について語った後、沈黙する。表現不能とされた不二法門の沈黙である。文殊は、その驚きについて、「文字や語言も存在しない。これが真に不二の法門に入ることである」と語る。不二とは、沈黙に値する法門なのであろうか。「仏は一音をもって法を演説するに、衆生は各々に解する所に随う」。衆生とは、大乗仏教を支える在家のひとたちのことである。そこには、出家主義にたいする方便としての在家思想がある。

如来蔵＝仏性は、日本においては、聖徳太子の撰述である「三経義疏《さんぎょうぎしょ》」のなかの『勝鬘経義疏』によってひろまった。聖徳太子は、奈良斑鳩《いかるが》の里の法隆寺で、三経についての講義をおこなっている。在家主義による悟りと救いの思いは、『勝鬘経』『維摩経』『法華経』に象徴的に語られているかも知れない。晩年の和讃に至るまで、聖徳太子を尊崇する親鸞がいる。

法隆寺の五重塔の塔内の一階には、東西南北の四面に須弥山を構える塑像《そぞう》が配置されている。南面の弥勒、西面の分舎利、そして北の群像は、釈迦涅槃像の一群であり、東の群像は、維摩詰《きつ》と文殊を中心とする『維摩経』が舞台である。在家仏教を代表する維摩居士が病気平癒を願う薬師如来は、役割の変化する阿弥陀如来にかかわると言われている。

さて、柳は、「這裡《しゃり》」とか「即今《そっこん》」という仏教用語から「今ここに美の浄土がある」ことを、具象的な目前の事実として語る。仏国土には、人間だけでなく、物や表現において、上下、貧富、貴賤、賢愚、才不才の差別がないと言う。美しさも、巧拙の別がない。拙は拙のままで美しさとむすびつく例示を民藝に見た。巧は、美しさのたくらみに陥りやすく、拙は純朴さと交わりやすいと、柳は熱く語る。

〈如来蔵〉とよばれる、如来たるべき因子が衆生のうちにあるからこそ可能なのでございます。この〈如来蔵〉は、ただ如来だけがしろしめす領域でして、声聞や独覚の領域ではございません。〈如来蔵〉こそは、この聖なる真理の意義を解釈する場合の基礎なのであります。

（『勝鬘経』四　一諦章20）

こうして柳は、ひとと物に起る不思議にくわえて、物の作り方（創作）に言及するが、「無有好醜」「不垢不浄」の仏教語から「美の浄土」へ至る。「「美の浄土」における「美」は、決して「醜」への否定でもなく、また醜への対辞でもなく、したがってまた、醜への反律でもなく、「美醜」という差別の絶える世界」である。そこには、「不二なるもの」としての不二一元論の浄土美がある。不二＝美は、仏教的に言いあらわせば、如来蔵＝仏性（『涅槃経』）の思想である「悉皆成仏」＝「悉皆成美」の考えに帰着すると言う。

さらに柳は、こうした考えは、社会・経済にも敷衍して考えられるとして、その土地土地の一切が、上は王侯から下は庶民まで、美の生活とむすびつく。現実的には、美と廉《れん》には矛盾があるに違いない。しかし、美の浄土では、そうした社会的・経済的な美と廉は一致する。如来蔵＝仏性の深層から生起する平等の思想が説くように、人間は本来何人も救済にもれなく預かる存在である。一切のひとは、美の済度にも預かっている。そして、人間は、本来は美しいものをつくる力を平等にそなえている。それを阻むものは、誤謬によるものである。

浄土美＝自在美とは、親鸞の「念仏は無碍《むげ》の一道なり」や大珠慧海《だいじゅえかい》の「無住心は仏心なり」のように、仏道にいう一切の美しいものには自然さや素直さがあり、これを柳はおのずからなる自在さと言った。

そこに、柳の「妙好人」を見る姿を彷彿とさせるものがある。妙好人という信仰者から妙好品という民器によって、美の歴史を書き、「美の浄土」を見た。

優れた人、上等な品等が、美しさと堅く結ばれている例が色々ある（略）優れざる人、貧しい品がなおかつ美しさと堅く結ばれるその不思議さ（略）、偉大な聖僧や学僧が宗教の国を深く育《はぐ》くみ養ったとともに、少しも学問のない、また凡々たる信者たちの間に、とても浄らかなまた、深い信仰の生活者を見る（略）仏教では後者のような信心深い平信徒を、「妙好人《みょうこうにん》」と呼んでおります。

（『新編　美の法門』「美の浄土」）

「美」や「幸福について」、「自然、観照、一者について」を書くプロティヌスによって、古代哲学は宗教的な「一者」への転換をはたした。「仏教美学」と言う「一者」のエートスから流れ出る民藝の「モノ」そのものを「聖なるもの」の「経験」として蓄積し、深めたのが、柳宗悦であった。そこに、ひろくゆきわたる生活雑器がある。他力によって制作された民藝品が、生活の用《はたら》きの美に輝く。衆生の生活と感覚世界が、「モノ」とともに、「衆生無辺誓願度」とむすびつく。ひろく、普く、ひとりももらさずに救済される理想社会は、民藝の用きの美にひたされた理想の生活であろう。階級的な格差のある貴族社会から庶民の平等な社会生活へと、用きの美にひたされる理想郷への切望が、「モノ」そのものの「経験」から美の理論にたどり着いた。そこに、「美」があり、「民藝美」がある。その底に流れるものから、宗教的エートスである「聖なるもの」に通底する仏教美学の提言となった。

柳の晩年の文章に、「安心について」という文章がある。

そこで、提案しているのは、衆生が、安心を得るにはどうしたらよいかという問題である。

柳の答案には、次のようなことが、記されている。


二元をまぼろしと悟る事。

自分を棄てる事。

二元の争いのない世界に入る事。


悩みの根源は、二元界に滞っているそのことにあると、柳は語る。それらは、仏教による解釈によれば、妄想のようにつくりだされたアーラヤ識に関わる誤謬であった。

浄土美は、「安らけさの美」や「静けさの美」につながっている。しかし、わたしたちは、我をもち、執心に捉われる存在である。『般若経』の空がこだわらないこころを説くように、自在美＝浄土美に入るには、「我」の絆を断ち切る必要がある。自と他の二を立てることは、人間が差別相という穢土に入ることだ。人間が知の主人であり、その「分別知」からは、いつも醜さという不自由な影が忍び込んでくる。下々のひとびとから生れ、下品《げぼん》の性質をもつ平《ひら》の民器が、美しい民器に変化した。「受け身の美」や「他力的に救われる美」が、「他力美」の「浄土」になった。「凡人も愚者も拙劣さも粗雑さも、そのまま活かされる国が浄土」であった。「各々のものが違ったままで、各々が全て美しさに受取られることと解すべき」ことこそ、「無有好醜の願」が仰望するものと柳は語る。民器こそ、偉大な僧侶とその信心の生活においてまさるともおとらない妙好人の存在である。柳は、それを、臨済禅師が「無位《むい》の真人《しんにん》」という言葉で語るように、著名な作者の仕事に劣らない「妙好品」であると語る。キケロは、『老年について』で、「人生における老年は芝居における終幕のようなもの」とし、「老年には最後の仕事がある」とその最終章に書いた。

「仏教美学四部作」の『美の浄土』の文章は、病床にある柳宗悦が綴った、最後の仕事としての平易な「仏性論」であり、「如来蔵思想」である。

9　最後の仏教美論「法と美」

『法と美』が、柳宗悦の最後の仏教美論となった。

この本が上梓されてまもなく、柳宗悦は逝去している。「人間はいつその生を終えるか、誰も予知する事は出来なく、まして私のように齢老《としお》いた病人はなおさらであります」(「序」)と柳は、最後の力を振り絞る。柳は、心にとどめた東洋の思索である大乗仏教から諸仏句を引用し、それに愛する四つの民藝品を「挿絵」にして対置する。物を介して仏法を見、仏句を介して物の美を見るように……。

『法と美』は、中国仏教が禅において影響を受けてきた「頓悟《とんご》」の「頓悟入道要門論」をプロローグに置き、末尾には、民藝品から「大名物〈喜左衛門〉井戸茶碗」「刷毛目《はけめ》茶碗」「古丹波《こたんば》水差」「珠光青磁碗《じゅこうせいじわん》」に関する「挿絵小註」を置いた。

本文は、十の仏句からなる章である。

1「善人尚以往生」(法然・親鸞)、2「応無所住」(『金剛経』)、3「般若波羅蜜」(『金剛経』)、4「求美則不得美」(白隠禅師『槐安国語《かいあんこくご》』)、5「念仏が念仏す」(一遍上人『法語集』)、6「仏法無多子」(『臨済録』)、7「一心既無」(『臨済録』)、8「凡夫成仏」(妙好人「因幡の源左」)、9「禅句数則」(『禅林句集』)、10「撥塵見仏時」(神鼎諲《しんていいん》禅師)

柳宗悦が、その晩年に語るものは、禅と浄土教を通過した思索の世界である。その究竟の精神世界は、確かに柳の宗教遍歴の内実を体現しつつ、現象の「モノ」にちかづいている。柳宗悦がたどりつく文章世界は、わかりやすく語ることであり、語録や法語にちかいものだ。そこに、仏教の深甚な言葉の世界と民藝品の「モノ」の世界とが融合し、禅と浄土教の思想が綾なす織物となって、民藝品を包み込んでいる。

ここに見えてくるものは、空の世界である。すべての民器にはらまれた美は、場所に収斂《しゅうれん》する述語的世界である。そこに、現象として存在する民藝品の美があった。『般若心経』は、物質的現象（色＝ルーパ）を、空（シューニャター）であると説く。「不生不滅　不垢不浄　不増不減」と、差異を反復して同一性の不二を語ってやまない。物質的現象から法の空性を体得し、他力による「モノ」の美の本質を発見したのが、柳宗悦である。とらわれない「空即是色」の思索から、本当にものが見えてくる世界が、「色即是空」である。『大乗とは何か』「第六章　般若経――空の世界」のなかで、三枝充悳は、『般若経』の空について、部派仏教がとらわれた思索の実体を大衆部は空として否定し、さらに「仏は独り我がために法を説く、余人のためにはあらず」（『大品般若経』）の空の実存に感銘し、「上人のつねのおおせには弥陀の五劫思惟の願をよくよく案ずれば、ひとえに親鸞一人がためなりけり」（『歎異抄』）と同等なものとして受け取れると語る。放下された実存が、空から浄土教へと横超するのだ。

柳宗悦の語る仏句には、禅思想からの引用が多い。その底流にあるものは、空の思想にあることは言うまでもない。さらには、浄土教の「六字名号」の根源からその原初性に赴いて、大乗仏教の相として見えてくるものがある。空の思想があり、華厳の思想があり、唯識の思想がある。浄土教からの接近は、それぞれに思索されて発達してきた空と華厳と唯識が関係し、互いに相補的であることを可視化する。法と美の根幹には、大乗仏教が根底を支えていると言っていいのだ。

柳宗悦の世界は、衆生済度の視点と不二への法門が、あたかも『維摩経』の空観によって成就するかのようである。「シャーリプトラは答えた。「私は法のために来たのです」」。「大悲の法によって衆生をみちびくが故に、わたくしは大乗をおこなうものとなります」。如来蔵は、大乗仏教で重要な空にかかわるが、『維摩経』が語り、『華厳経』の「如来性起品」に説かれるように、衆生にあまねく実在する仏種（如来種）の生成論である。「深慧菩薩は言った、「〈これは空である。これは無相である。これは無作である〉とかいうのが、二つに対立したものです。しかし空は即ち無相であり、無相は即ち無作です。もしも空・無相・無作であるならば、もはや心も意も識もなかったのです。一つの解脱の門において三つの解脱の門を確立する」（中村元訳『維摩経』「第九章　不二の法門に入る」）。そのように『維摩経』は、在家主義の信者に不二観について語りかけている。

柳は、民藝品の底を流れる「モノ」の美の伏流水を自性清浄心に見つめている。そこには、「喜左衛門井戸」や「筒井筒」という井戸茶碗や「刷毛目茶碗」の高麗茶碗のこだわらない美があった。形而上的で難語とも思われる法の仏句により、具体的な民藝品の素朴な美が、柳の深みをもった法語の引用と解説によって、独自の注解となった。

「井戸茶碗」が「茶」の世界で大変持て映《はや》されてこの方、幾多の日本の名工がこれに倣《なら》って、その面影を追って茶碗作りに努力致しました。またどうかして日本でもかかる名碗を生もうと、志を立てて作り続けて参りました。上《かみ》、光悦から、下《しも》、もろもろの楽茶碗《らくちゃわん》の作者に至るまで、大勢の陶工たちが現れて、この「井戸」の遺韻を追って製作に努めました。

（柳宗悦『新編　美の法門』「法と美」一）

そこには、衆生済度と他力美が融合する世界がある。他力美の極致こそ、丹波の「古丹波水差」の灰被《はいかずき》の現象に象徴的に現れた色（ルーパ）である。他力美によって生成する美は、禅宗の慧能が仏道にはいる機縁となった『金剛経』の「応無所住而生其心」（応に住する所無くして、其の心を生ずべし）や大珠慧海《だいじゅえかい》の「無住心とは仏心なり」のなんの執心もない心の世界を体現することと同じである。仏心とは、不二の心であり、空の心である。

柳は、さらに空の言葉を使わずに空を論ずる『金剛経』から引用する。「仏説　般若波羅蜜　即非般若波羅蜜　是名般若波羅蜜」（仏は説きたまう、般若波羅蜜は即ち般若波羅蜜に非ず、是れを般若波羅蜜と名づく）。この「AはAでないが故に、Aである」という「即非の論理」から、茶器や茶そのものの姿に思索の道をたどる。現在の茶は、「茶がある」ことに執着して低迷していると、「茶がない」現実から批判するのだ。「茶アリテ茶ナキ、之ナン茶」「茶ナキニ茶アル、之ゾ茶ナル」（『心偈』「茶偈」）の詩句に表象させて、その趣旨を語る。柳の「光悦」や「民藝と雪舟」「利休と私」の文章は名文であるが、さらに、多様で総合的な観点で論ぜられる「喜左衛門井戸」の美から、この茶器の発見者である村田珠光や武野紹鷗の茶と美意識に注目するのだ。

「喜左衛門井戸」と対比される「楽茶碗」。柳は、「楽」の欠点は美しさへの趣向に捉えられて、その執心のために、かえって自由を失っているとその肉声で語る。そのことが、逆にあるがままの美しさを失ったフリー・フォームの醜さとむすびついていると言っているのだ。

「井戸茶碗」の作者たちは、歴史に名も残らぬ凡々たるただの職人たちでありました。しかるに光悦、長次郎、その他多くの著名な作者たちは、決して凡庸な職人たちではなく、天才と仰がれる稀有《けう》な作家たちでありました。しかし結果から見ますと、ここではかかる天才の作ですら、凡人の作に劣っている事実が見られます。

（柳宗悦『新編　美の法門』「法と美」一）

静岡の松蔭寺《しょういんじ》や大聖寺《だいしょうじ》に住した白隠慧鶴（一六八六―一七六九）は、禅と『法華経』をむすぶ臨済宗中興の祖である。そこには、『夜船閑話《やせんかんな》』から独自の公案体系に結晶した数々の仏句があった。柳は、白隠禅師の『槐安国語』や中国で編纂され、禅に影響を与えてきた『四十二章経《しじゅうにしょうきょう》』の句を示す。あるいは臨済義玄の言行録の『臨済録』から「無事」という言葉を取り出して、造作のない「無事美」としての名茶器の本質を語る。さらには、柳の視点は、焼き物だけでなく、織物、金工品にも及んでいるのだ。

栃木県の益子窯の「山水土瓶」や磁州窯の絵付けについて関心をもつ柳は、「念仏が念仏する」（一遍上人）や「唯仏与仏」、あるいは臨済禅師や『般若心経』の句に関連づけて、そこには、自在心による、とらわれのない美があると語る。その例証として取り出されたのが、「珠光青磁」の静謐《せいひつ》な深みある美であった。そこでは、「仏法無多子（多子無し）」（大した事もない）と言う仏句の重要性が語られている。美とは、「ありのまま」であり、「そのまま」である禅的な妙相の悟達に等しい。法による解脱が美の現象のなかにあるのだ。そこに、法と美が一如となる。『臨済録』（入矢義高訳注）の「随所解脱」とは、融通無碍の自在境のことであった。馬祖道一《ばそどういつ》からはじまる南宋禅にあって、三度打たれてのち大愚に到り、そして大悟へと達した臨済に影響を与えた師黄檗《おうばく》希運《きうん》の『伝心法要《でんしんほうよう》』がある。それを継承する盤珪禅師の「禅」に通ずる文脈がある。「本来無東西　何所有南北　迷故三界城　悟故十方空」（本来東西なし、何処にか南北あらん。迷うが故に三界は城、悟るが故に十方は空なり）。柳は、東西南北の区別の無意味を語るのだ。

　柳が引用する盤珪禅師（一六二二—九三）とは、『盤珪仮名法語』によって、わかりやすい「不生禅」を説いた江戸時代の僧侶であった。

　ところが、これらの禅の文脈による思索は、浄土三部経のひとつである『無量寿経』の「無有好醜」の誓願と同じであると強い口調で語る柳の姿がある。龍樹の『中論』以来、空観が盛んな時代であったが、曇鸞から道綽、そして善導は、ともに浄土三部経への関心を強くもち、特に『観無量寿経』の熱心な読誦を体験していた。柳宗悦は、天台の源信以来の日本浄土教を設立した法然や親鸞の言葉が、こうした浄土教史のなかで、ひとつの逆説によって真実の理法に接近し、大衆への視線へ思索をはじめたのだと語る。逆説的な仏教の例証こそ、かつて宗教から民藝へと思索を転換させた柳自身が、もう一度民藝から宗教へと回心をはたして可能となった視点である。正解はない。答えは、事後性として見えてくる。

ここにおいて、民藝の心と「モノ」それ自体の統合が図られた。禅と浄土が、空から他力美の流出によって、一如となった。

これらを例証により具体的な姿として、社会的な存在に押し上げられたものが、因幡の源左や讃岐の庄松といった妙好人の存在である。

もともとは民器であったものが、楽茶碗以上の井戸茶碗として、美的に認められていた。それは、あたかも妙好人の存在が、四弘誓願の「衆生無辺誓願度」の悲願を菩薩行としておこないつつ、みずからは凡夫と思っていることである。阿弥陀如来への信によって、『観無量寿経』の「下品下生《げぼんげしょう》」から「凡夫が凡夫のままで美の浄土に迎接されている」他力の道による民藝品に変現する。ここに、「凡夫往生」の可能性が、語られるのだ。柳宗悦が、発見したものこそ、「妙好人」こそは「妙好品」に等しいという美観であった。

さらに柳は、鈴木大拙と親交のある柴山全慶（一八九四—一九七四）が訓注した『禅林句集』や禅で用いられる詩章から、あるいは神鼎諲禅師《しんていいん》の言葉から、初期の民藝品の発見に深くかかわる自在で素朴な茶には、法と美を証明するものがあったと語る。選ばれた茶碗には、こだわらない心が自由な無碍心となり、自在の美として表象する。そこには、他力と自力を超える仏教美学がある。

禅と浄土教、そして法から美への蝶番となる場所は、無意識のアーラヤ識の層へとつづいている。

『大乗とは何か　『大乗起信論』を読む』（柏木弘雄）や『東洋哲学覚書　意識の形而上学——『大乗起信論』の哲学』（井筒俊彦）は、『大乗起信論』によって大乗仏教とはなにかを思索する。それを明示することは、『大乗起信論』を解読する井筒俊彦が、「空の思想」と「如来蔵の思想」と「唯識の思想」を関係づけながら、アーラヤ識の世界を幾層にも言語化していることからも論証できる。

如来蔵思想と唯識説とを受けて、両者を総合した説が『楞伽経《りょうがきょう》』によって唱えられ、『大乗起信論』においてほぼ完結する。（略）『起信論』は小さな書に右の両思想を実に巧みに統括し、自性清浄心の如来蔵と汚れをも生ずるアーラヤ識とは、同一の表と裏の関係にあり、相反する二つが対立しながらも、決して切り離すことはできず、同一視される。また「自己に如来あり」との信に応じて、阿弥陀仏信仰を説く。

（三枝充悳著『仏教入門』）

柳の晩年は、仏教美学の構築をいかに完成させるかという一方で、古丹波や書や書肆と茶道の改革から大津絵などへの関心を強め、病気に打ち勝つ「病中断層」を綴る多様な視座があった。それらの関心と蒐集と思索は、柳によって求められた法による空や他力の生活と重なる。そのとき、柳宗悦の書くものの背後には、はっきりとは見えないが、「不二の法門」＝「空」の思想が語られている。さらには、柳の民藝の世界は、他力の仏教的世界と通じる法の方便であるとも解釈できるのだ。

柳宗悦が病床から選択して明示したもの。それは「喜左衛門井戸」「刷毛目茶碗」「古丹波水差」「珠光青磁碗」の四つの民藝品であった。それを、仏教の言説とむすびつけ、美論に形象した。禅と浄土にわたる民藝品を空の両義的な美として論証する。禅は、臨済義玄や盤珪禅師の仏句により、浄土は、法然や親鸞や一遍や妙好人から語られる道の文脈のなかにあった。それらを支えているのが、空と他力の思想である。ポリフォニックで、多仏的な柳の批評が、不二となって、ひとつの真如の世界となる。ポリフォニーとは、多様性であり、多仏的な文化の層への共時的な綜合となる真如の姿を顕現するものである。

そこに、民藝と仏教の通路があり、法と美が一如となる思索があった。

キリスト教の神秘主義の方向から、あるいはまた、真言密教の方向から、禅の方向から、浄土教の方向から、柳のたどりつく空と無の世界は、否定神学的なひとつの決定不可能性の場所にある。そこは、空といい、有と無といった、未だ分節されない無分別の場所であるが、全てが鏡像的な原初に遡行できる精神（心）の場所である。

「当たり前の品」とは、未だ何ものからも汚染されていない、そのままの姿を示すものとして解して下さってよいと存じます。この「そのまま」の相を、仏教では、「如」と申しますが、畢竟《ひっきょう》「井戸茶碗」の美は、この「如美」を示している事になり、ここが実にこの茶碗が「天下の名器」たる位を得た所以になるのであります。（略）私はここで茶祖たちの眼が直下《じきげ》に的確に「井戸」の美を見ぬいた事と、臨済禅師が鋭く黄檗禅の真面目《しんめんもく》を見ぬいて「多子なし」といった表詮《ひょうせん》と、その間に同じ心が密々に通っているのを覚えないわけには参りません。ただ一方は器物であり、他方は仏法であったという相違に過ぎず、畢竟は美と法とが一如だと、考えないわけにはゆかないのを切に感じます。

（『新編　美の法門』「法と美」六）

柳は禅と浄土教に寄り添いながら、「美」と「法」は「一如」であるとし、美の経験には、民藝運動における楽茶碗と井戸茶碗の対比から「茶の改革」を論じた。しかし、仏教と「モノ」それ自身を統合する場所論的な言語空間には、形而上的かつ内在的なアーラヤ識の地平に、自他両門が一如となる不二の世界が見えてくるのだ。

終　章　最後の美意識

1　複合的な晩年

このように柳宗悦の晩年のテクストを読んでくると、宗教に関する超越論的な世界と、「モノ」という形而下的な陶磁器に関する民藝とが統合する美の姿にたどりつく。心理学から宗教学へと深まる柳の心の旅は、ウィリアム・ブレイクから木喰上人の発見と研究へと、「信」となる南無阿弥陀仏から仏教美学四部作へとつながってきた。柳の思索は、禅から浄土教を両義的に解釈する独自の宗教と民藝をつなげる美の活動であった。木喰上人から妙好人、南無阿弥陀仏から仏教美学四部作へと、具体の現象と美の抽象が交錯する。さらには、民器の「喜左衛門井戸」の存在と初期の茶人の純粋な精神性から現在の「茶道」批判が同時になされていた。そこに、柳が通った往相の道が、多様な批評を統合しつつ、民藝から宗教への還相の道に出会う。

晩年の柳宗悦の仏教美学四部作と民藝に関する活動は、『美の法門』以後は、以下のとおりである。

一　一九五五年（昭和三十）「大津絵」『**南無阿弥陀仏**』「第一回茶会」「古丹波蒐集《こたんばしゅうしゅう》」

二　一九五六年（昭和三十一）『蒐集物語』「第二回茶会」「書軸頒布」「民藝館創立20周年記

念丹波古陶展」『丹波の古陶』「コーヒー茶会」
三　一九五七年（昭和三十二）『**無有好醜の願**』「文化功労者として顕彰される」
四　一九五八年（昭和三十三）『棟方志向板画』『民藝四十年』『茶の改革』
五　一九五九年（昭和三十四）「古丹波展」『心偈』「柳宗悦書軸展」
六　一九六〇年（昭和三十五）「岩波映画〈民藝とともに50年〉」『大津絵図録』『**美の浄土**』
七　一九六一年（昭和三十六）『**法と美**』（逝去・72歳）

※太字は、仏教美学四部作。

柳宗悦の茶に関する提言は、『茶と美』（講談社）と『柳宗悦茶道論集』（岩波書店）に大方まとめられている。ここには、初期の「陶磁器の美」から「茶道に想う」につながる批評がある。その論点は、「井戸」の「大名物」は、どれひとつとして朝鮮の飯茶碗であり、「下手物」の典型的な雑器、貧しい民器であった。初期の侘び茶の茶人達が、美意識を働かせ、造作のない「無事」の「貴人」をそこに見たとして、茶道の一番の意義はそうした禅美に通ずるものであると論ずる。「面白いことに禅美の豊かさを誇る茶器の中には、「他力美」のものがかなり多い」（「茶器の改革」）。このように、今日の茶の見方が、禅の道から明るみへと取り出され、草創期の茶人の評価から現状の批判がなされた。柳の茶にたいする批評眼は、李朝の蒐集とともに、他力の両義性をはやくからもつものである。

ここで重要な点は、初期の考えを晩年に持続する、批評である。茶の精神と茶器に関する声を大きくする姿がある。『茶の改革』（春秋社）としての出版には、温厚な柳が、「茶の功罪」「茶の改革」「茶器の改革」「茶人の資格」と、いくらか語調を強めた雰囲気がある。

現在の文庫では読むことはできないが、戦前の『茶と美』（一九四一年・牧野書店）をひもとくと、柳の書道論と絵画論が網羅されている。書道論は、「序」にも明らかであるが、漢から六朝《りくちょう》の北碑体《ほくひたい》を評価し、逆に書聖と言われる王羲之《おうぎし》への疑義を語り、書の美学を論ずるものである。思い出してほしいのは、『蒐集物語』の「宋拓梁武事仏碑入手の由来」に見る陰刻の白文ではない、陽刻の「信悳《しんとく》」の書跡についてである。あるいは、「行者の墨蹟」に見る中央の『金光明経』、左右の五体の如来や菩薩を配した無名の僧による大額の書についてである。柳の批評眼からすれば、河井寛次郎が蒐集し製作する、中国や朝鮮半島に原型を見る陶硯も、棟方志功の「華厳」の民藝的な書への評価も、晩年にみずから試みる書や書軸の文脈に一致する。

一般の画工が真に美へかかわること、そうした絵画美の工藝性を論ずる「光悦論」「工藝的絵画」「織と染」には、仕事場に柳の写真を置く芹沢銈介などの職人的芸術性へと橋渡しするものだ。

そうしたなかで、柳宗悦の晩年の書は、とてもユニークな存在だ。蓮如上人の「和讃」を澄如上人が開版した初期の浄土真宗の版本の文字は、かつて柳が編集した「ブレイクとホヰットマン」の表紙の片仮名との類似を指摘するひともいる。まことに、晩年の柳の書は、「色紙和讃」に見られる書字と同じであった。柳の思念の奥を去来するものは、かつて魯山人から指摘された手紙の筆跡であったろうか。柳の揮毫する書には、病身にもかかわらず、「色紙和讃」風の書体を身体から生成する墨の静謐な流れの肉声があった。

それは、浪漫的な棟方志功作品をまとめる時期のことであった。柳の簡潔な詩文である『心偈』は、本質を貫く短詩である。「仏偈」「茶偈」「道偈」「法偈」は、どれも「美の法門」から「美の浄土」「法と美」で論じた芸術と宗教にかかわる偈文である。病床の柳は、「心偈」を通じて、棟方志功の裏から彩色する木版画の絵と色と形象に交感していたのだろう。短歌でも俳句でもない。さらには、詩というものでもないかも知れない。仏教が、インド的な詩の韻律《いんりつ》と型から中国の漢詩的な詩文として東漸してやってきた。衆生済度の観点から仏教を思索した柳の詩人的資質については、再三述べてきた。その形式と様式には、根本無明を生きる庶民大衆への語り口がある。そこに、書家の影響ではない、独自の拓本主義からの筆跡の学びによる「色紙和讃」の影響が見える。書の字となった自己表出の短い詩文が、墨で形象された美信一如となった。『評伝　柳宗悦』（水尾比呂志）の巻頭には、壺をもつ柳の写真があるが、「南無阿弥陀仏」（水尾蔵）の書（書軸）の写真も掲載されている（ちくま学芸文庫）。書にこもる表現行為は、晩年の静寂を希求する墨の流れとなって、柳の自己表現に匂う美を可能にした。

2 同事の仲間たち

柳宗悦の晩年は、それぞれの具体への関心によって、しめくくろうとする時間であったかも知れない。はからずも、『蒐集物語』『民藝四十年』『茶の改革』には、特に晩年になされた編集であることから、まとめを意識した作品の感があった。

一九五七年（昭和三十二）十二月、柳は、高血圧症、腎炎、不整脈を伴う心不全と気管支肺炎の診断を受ける。眩暈《めまい》による昏倒、左手の麻痺と頭痛。翌年の三月に退院するが、左半身は麻痺し、味覚は喪失したまま自宅療養をつづけた。療養中の柳は、執筆、著作の出版、書の揮毫、棟方作品の評価、民藝館の収蔵品の蒐集、陳列替えの指示、書軸展の準備など、精力的に身体を動かすことを惜しまなかった。身近には、妻の兼子の他、浅川咲子・園絵親子や多くの同志の見守る姿があった。

大乗仏典の『勝鬘経』を読むと、四つの利他行に出会う。「布施」「愛語」「利行」「同事」である。最後の「同事」は、互いに助け合い、協同して事をなすことであり、仕事を共同にすることとされた。さらには、衆生と同じ立場で、仕事にたずさわって衆生を救うことであると書かれている。（『縮刷版　佛教語大辞典』中村元著）

柳宗悦のちかくにいて賛同した河井寛次郎、浜田庄司、富本憲吉、バーナード・リーチ、棟方志功、芹沢銈介、黒田辰秋は、制作と思想を共有する民藝を修行とする「同事」の仲間であり、「同朋」である。「同事」の仲間は、いつも民藝とはなにかについて考え、民藝の立場から実作する。晩年の柳が特に関心を寄せるモダンな硯の河井寛次郎や奔放な板画の棟方志功や、「光悦の作は自力的要素が主である。然るに「井戸」は殆ど他力的な作品であり、浜田の作は自力と他力とをむすばせようとする作である」(「光悦と浜田」)と光悦に比した浜田庄司や、沖縄と日本民家にある色彩感を型絵染にかたどる芹沢銈介など、「法」と「モノ」の美が、大衆の視点のもとにむすびついていた。質と量および誰もがその多様性に驚く民藝館の蒐集と運動には、外村吉之助、池田三四郎、式場隆三郎、吉田璋也、青山民吉の地方の活動家や、陶芸の鈴木繁男や舩木道忠、建築の高林兵衛や吉田徳十、版画の長谷川富三郎、木工の安川慶一、染織の青田五良や岡村吉右衛門などの第二世代がくわわっていた。

鈴木大拙に、『東洋の心』や『東洋的な見方』という本がある。どちらも、柳宗悦が亡くなってから出版されたものだ。そのなかに、「柳君は美ということをいうが、私のほうでは妙といいたい」(「「妙」について」)と語る民藝と美に関する文章がある。「柳君のほうでは審美学的に美と言う字を使う」として、鈴木大拙は、民藝家の作品には芸術家が意識しないような無意識による表現の可能性が多くあると書いている。大拙は、そこに「妙」の働きを見た。

柳から距離をもつひとたちも、柳の存在と行動なくしては、批判そのものの対象と反照もなかったと言ってよい。その意味で、柳宗悦は近代社会を生き、その底流を流れる中世から近世社会の歴史から民藝の美を掘り出す反時代的な存在であり、同時代人である魯山人や青山二郎や白洲正子などへとひろく影響を与えている。

魯山人が、圧倒的に安土・桃山期の引用と写しをしているのは、江戸時代の時空へのノスタルジーだろうか。京都上賀茂神社の社家に出自をもち、深い文化への関心と工夫の芸術への遡《そ》行《こう》がある。そこでは、書が武器であった。一字書の奇才の持ち主は、安土・桃山期の仁清や乾山を写す陶芸家であり、書を根源に据えた多才な芸術家であった。

青山二郎は、柳とともに、戦前から戦中・戦後にかけて出版された雑誌『工藝』の初期の編集にかかわった。その収蔵品には、江戸時代のものはそれほどあるようには見えない。江戸という時間の場所は、明治の風景に隠れている。青山自身は、中川一政に絵を習い、近代絵画とモダンという空気に敏感だった。『甌香譜《おうこうふ》』によって、中国から朝鮮に至る陶磁器鑑賞のプロ的な経験をもつが、蕎麦猪口によって、江戸の民器にも魅せられる独立人である。

青山二郎にちかい白洲正子からも、近代を通じて江戸へと選択する柳宗悦の批評眼が見えてくる。『白洲正子　私の骨董』（写真・藤森武）によれば、白洲正子の骨董は中世へ遡るが、江戸は無色にくくられている。蒐集は、中世世界の歴史と「モノ」の美を求めているようだ。『花日記』には、骨董の器と四季折々の花を立華図に融合させた。そこには、白洲正子の民藝に通ずる美学がある。

外からの日本文化を見るブルーノ・タウトの真摯な視線は、中世のヨーロッパの民家と日本の民家が似ている様子を相互影響ではなく、独自の類似性と見たように、ある面で正鵠《せいこく》を得ていた。近代人タウトは、江戸をどのように見たのだろう。小林秀雄と梅原龍三郎の陶器と職人を語る「美術を語る」の対談がある。小林秀雄が民藝と重なりながらもそこからずれていく姿には、柳とタウトとの嗜好の相違にちかいものがあったかも知れない。

一般的には、「民藝」そのものとしての柳宗悦と「民藝運動」の共同性のなかの柳宗悦とは、位相が異なって見える。例えば、日本の「民藝地図」(芹沢銈介)によって水平に描かれ、「民藝樹」によって立体的(垂直)に組織化された「民藝運動」を主導することによって、地方の発見があり、蒐集と編集を力動的に成立させた。とは言え、そこに、「民藝」運動にたいするそれぞれの考えと立ち位置も差異となって現出してくるように思われる。

詩集『汎神論』(ユリイカ)を上梓した水尾比呂志は、「櫂」の同人であった。茨木のり子、川崎洋を中心とする詩誌「櫂」は、戦後の「四季」派と言われたが、高度成長期に谷川俊太郎、大岡信、吉野弘、岸田今日子の詩人を輩出した。京都黒谷の手漉紙で装丁した『美しさといふこと』(用美社)という随想集は、「雑誌『民藝』のこと」「柳先生と直観」「英国に帰るリーチさん」などのエッセイを収める。雑誌『工藝』の全巻を所有して、「柳宗悦全集」の中心となった水尾は、詩と論理の重層する民藝の文章家である。

3 諸相のおわりに

一九五五年（昭和三十）、日本民藝館で、椅子による最初の半座礼の茶会が開催された。「櫂」からも、大岡信、谷川俊太郎、茨木のり子が招かれた。民藝の茶碗や柳の沖縄文化の工夫もあり、民藝品の置かれた飾棚は、特に好評を博した。記録によれば、二回とも水指には、古丹波や丹波の灰被壺が使用されている。『茶の改革』のささやかな実践である。その後、コーヒーの茶会も開催された。この時期の柳の頭脳のネットワークには、他力というエートスによる曼荼羅図へと形象するイメージと知の生成力がある。それは、再びこの世に帰る還相の場所とも言える、求道的哲学者の道のりであった。

海洋測量学の第一人者で軍人の父楢悦と、灘の酒造家・嘉納家へと近江日吉の社家から養子に入った祖父と、実弟に嘉納治五郎をもつ母勝子。

そうした生をもつ柳宗悦ではあったが、晩年の姿には、どこか多様ではあるが、民藝の美に至る美空間を滑走した苦行僧とも言える姿がある。その複合的で重層する姿は、「仏教の思想に「還相回向」ということがある」と、求道的な柳が『蒐集物語』の「序」に触れる四十八願の第二十二番に見る往相から還相の願とかかわるものである。

釈尊は、ガンジス川のほとりを歩行しながら、新興の市民階級に支持されて、生老病死や怨憎と愛別、求不得や五蘊盛苦のなかで、解脱の安心と涅槃を説いた。苦渋に満ちた長い道程をたどる釈尊の最後の旅……。「アーナンダよ。わたしはもう老い朽ち、齢をかさね老衰し、人生の旅路を通り過ぎ、老齢に達した。(略)それ故に、この世で自らを島とし、自らをたよりとして、他人をたよりとせず、法を島とし、法をよりどころとして、他のものをよりどころとせずにあれ」「さあ、修行僧たちよ。わたしはいまお前たちに告げよう、――諸々の事象は過ぎ去るものである」「きみらよ。聞け、わが一言を。われらのブッダは〈堪え忍ぶこと〉を説くかたでありました」(『ブッダ最後の旅』中村元訳)。柳宗悦の晩年から見ると、日本仏教としての禅と浄土を双修する心性が見える。そこには、宗教的な実践としての「禅と念仏の間」(藤吉慈海『禅と浄土教』)にちかい宗教的エートスがあるのかも知れない。民藝は、衆生済度に立つ考え方から民衆の心性へと接近する。柳の民藝と仏教をやさしく語る言葉は、差別の事象を知り、衆生の宿命を済度する智慧の菩薩へと志向する還相の方便であった。柳宗悦の方法によって、民藝の「モノ」と仏教の「法」が美のもとに結合できる道が開かれたのだ。

柳宗悦が最初に買ったのは、李朝の染付牡丹紋の壺であったが、その後、形・色・材質感において実在感のある白丹波を求めた。不思議なことであるが、木喰上人の晩年には、京都の仁和寺《にんなじ》に立ちより、丹波に赴いた足跡があった。その丹波の壺群について、「今はまだ誰も認めていないが、もう十年もしたら、民藝館の丹波焼の蒐集は大いに評判になる」と語っている。衆生心と民藝の心をつなぐ。そこに、他力の美があった。晩年の柳の美意識が、その感受性と受容性の原点から関心を示したものは、妙好人から大津絵、そして茶から丹波焼と、三界の万霊碑のように、多彩である。「丹波焼は余すところなくその他力美を示している」と、「京都の朝市」で知った茶色と紺地の布の産地である篠山に赴き、尚古堂より古丹波を購入した。自然に寄り添い、自然と遊ぶ「灰かづき（被）」の釉に見る窯変は、自然からの恩恵の渋さと寂の痕跡であったが、他力に身をゆだねる美に違いない。「丹波の雑器は種々あるが、茶器に用い得るものとしては水指が一番優れている」（挿絵解説）。二度の半座礼による茶会に用いられたのは、存在の重さを静かに湛える丹波の水指であった。

編集された『民藝四十年』に後記として書いた「四十年の回想」には、朝鮮統治の批判や沖縄の方言の統一の批判が振り返られている。李朝の陶器の蒐集や民藝の命名の時も、周囲から柳は批判されていた。しかし、柳宗悦の批評そのものは、内なる批判による建設的な立場のものである。仏教を大衆のものとする鋭意と同様に、茶を大衆のものとするために民藝の立場から肉声で論じた。「内心に〈物質的ならざるもの〉（無色《むしき》）という想いをいだき、外面的なもろもろの〈物質的なもの〉を、青く、青色の、青い外観の、青い艶のものと見なす」（『ブッダ最後の旅』）。そこに、古丹波をはじめとする書、偈詩、妙好人から木喰仏、円空仏、茶道ばかりではなく、諸国の民藝品の「モノ」があった。青色黄色赤色白色の「モノ」に青光黄光赤光白光の「法」を説くことによって、民藝の「モノ」が仏教的な美のもとに結合できる方便が開かれる。日本社会のピラミッドの下の方へと心眼をしっかりと置き、「法」と「美」の時空間を突き抜けて生きたのは、柳宗悦の他にはいなかった。そこに、真に批評のひとであった、柳宗悦の最後の旅がある。

一九六〇年（昭和三十五）六月、雨のなか、鎌倉の松ヶ岡文庫の鈴木大拙を訪ねる。「目下の私の病状で、私に許されている唯一の可能な仕事は、私が今まで廻り会えた美の世界について、考える事と書くことでした」（柳宗悦『法と美』「御挨拶」）。民藝と仏教を対位法的にフラッシュバックさせながら、生前「仏教美学四部作」を病床で書きつづけ、最後の刊を上梓する。その後、不整脈と視力障害などを経て、一九六一年五月三日、享年七十二歳と一ヶ月に及ぶ生涯を閉じた。

おわりに「柳宗悦」——大乗仏教の精神と宗教美学

柳宗悦（一八八九—一九六二）は、宗教哲学者で、民藝運動の創設者である。東京麻布で、海軍少将の柳楢悦《ならよし》と嘉納治五郎の姉・勝子との間に、三男として生まれた。

その生涯と業績は、三期に分けて概括することができる。

前期は、学習院時代から関東大震災までの活動である。宗悦は、学習院高等科から東京帝国大学文学部に学び、直観によって「美と信仰」を融合する神秘主義詩人ブレイクや、ホイットマンの宗教哲学を専攻した。学習院では、英語を鈴木大拙、ドイツ語を西田幾多郎、その他神田乃武《のぶ》、小柳司気太《しきた》等の諸教授に学び、郡虎彦《こおりとらひこ》らと『桃園』を発行する。さらに、志賀直哉、武者小路実篤、里見弴らと『白樺』の発行にかかわる。結婚後の我孫子では、バーナード・リーチとの親交や、浅川伯教《のりたか》や巧《たくみ》の影響によって朝鮮李朝陶磁器への関心が起こり、「朝鮮人を想ふ」など朝鮮への親愛と光化門の移転に関する文章を書くなど、「朝鮮民族美術館設立」に奔走する。

中期は、震災後の京都移転から太平洋戦争終結までの活動である。河井寛次郎との朝市での交友から、庶民の日常雑器である「下手物《げてもの》」を発見する。また、「木喰仏《もくじきぶつ》」の地蔵菩薩や不動明王などの発見と、日本全国を遊行した「木喰五行上人」の短期間の研究があり、それにともなう旅を試みる。河井寛次郎や浜田庄司とともに、無名の職人、民衆の実用品、地方性を志向する「民藝」の新語をつくり、「時充ちて、志を同じくする者集り、茲《ここ》に「日本民藝美術館」の設立を計る。自然から産みなされた健康な素朴な活々《いきいき》とした美を求めるなら、民藝 Folk Art の世界に来ねばならぬ」と、「日本民藝美術館設立趣意書」を発表した。私財と大原孫三郎他の資金によって日本民藝館が設立され、初代館長に就任する。百二十号つづいた月刊『工藝』や、寿岳文章との『ブレイクとホヰ《イ》ットマン』の創刊をはたしながら、全国への旅によって各地の伝統的な手仕事を発見し、四度の沖縄訪問では、古着市で琉球王国の美の蒐集をするほか、地方としての沖縄の方言問題の論争にかかわる。

後期は、戦後から晩年に至る活動である。戦前より茶人と民藝の関係から「茶と美」の探求もくわわるが、終戦まじかの疲労等により病をえると、他力念仏門への関心がたかまる。北陸の城端《じょうはな》別院で、蓮如上人の筆跡による開版の版木の「高僧和讃」など、染紙の「色紙和讃」を発見し、五箇山に妙好人《みょうこうにん》の遺跡を訪ねた。「美の法門」を書き、『南無阿弥陀仏』を上梓する。さらに病のなかで、「無有好醜《むうこうしゅ》の願」や「美の浄土」などを発表し、文化功労章を受章した。

柳宗悦の生涯と業績をふりかえると、そこには十年以上もつづいた「白樺」との関係や、父親代わりの鈴木大拙との関係の重要さが見えてくる。「白樺」同人と映る写真の中央にいる若き柳宗悦がいる。北陸の金沢生まれで、世界に禅を紹介した大拙は、戦時中に『日本的霊性』を書き、「法然上人と念仏称名」や「妙好人」を語る。北鎌倉の高台にある「松ヶ岡文庫」で、大拙と宗悦のならぶ写真がある。宗悦は、大拙から文庫の運営を託された弟子である。こうした影響と、空襲からの日本民藝館の疎開や、敗戦の痛手で体調を崩した後の東洋の仏教思想への回心は、晩年の「仏教に帰る」に見てとれるであろう。

　柳宗悦の仏教美学は、『美の法門』『無有好醜の願』『美の浄土』『法と美』の四部作にまとめられている。法然は、浄土宗を設立する際に、『観無量寿経』『大無量寿経』『阿弥陀経』の『浄土三部経』を所依の経典とした。それらは、浄土宗の『観無量寿経』、浄土真宗の『大無量寿経』、時宗の『阿弥陀経』と、それぞれが依ると言われる経典である。西洋神秘思想から東洋へと二度の回帰をはたそうとする柳宗悦の戦後が捉えたのは、法然から親鸞、そして一遍である。この内面的発展を生きた僧・非僧・捨聖こそ、自性を超えて相依とむすぶ他力本願を旨とする日本浄土教の思想であり、それを具現化するのが、「色紙和讃」や「妙好人」の存在である。主著『南無阿弥陀仏』は、今日、宗派を超えて読まれている。

　大乗仏教、特に浄土系の他力思想に関心をよせた柳宗悦は、富山の城端別院に滞在していた。そこで、『大無量寿経』の法蔵菩薩による四十八願のうち、第四願に眼をとめる。「設我得仏国中人天　形色不同　有好醜者　不取正覚」（設《たと》い我仏《われほとけ》を得《え》んに　国の中の人天《にんでん》形色《ぎょうしき》不同にして　好醜《こうしゅ》有らば　正覚《しょうがく》を取らじ）。宗悦はそのとき、「人天」を「器物」として読み、「好醜」

を「美醜」と読みかえて見た。そして、「若し私が仏になる時、私の国の人たちの形や色が同じでなく、好《みよ》き者と醜《みにく》き者とがあるなら、私は仏にはなりませぬ」と訳したあと、「仏の国に於いては美と醜との二がないのである」と、「不二《ふに》」の悟りへの思いを書いている。こうして、「不二美《ふにび》」の「願」としての理論は、「試みようとする仕事は、蒐集《しゅうしゅう》に始まる。その範囲は日本民藝の全般に亙《わた》る。陶磁器はもとより、木工、漆工、金工、染織、絵画、彫刻にも及ぶ」庶民の日常雑器の「下手物」を、「民衆的工藝」つまり「民藝」として位置づけ、直観によるいまだ好醜のない「美信一如の思想」として取り出したのである。その考えには、障害をもつひとももたないひとも、だれもが仏になる可能性を有する「一切衆生悉有仏性《いっさいしゅじょうしつうぶっしょう》」の「如来蔵思想」と同じような衆生済度《しゅじょうさいど》の平等（仏教福祉）思想があり、「上求菩提《じょうぐぼだい》、下化衆生《げけしゅじょう》」の大乗仏教の精神とかかわるものである。

「私達は民藝品において全き用《はたらき》の姿を見るのです」（「民藝とは何か」）と語る柳宗悦の民藝運動は、形のある職人の営為を「手仕事の日本」として発見し、宗教美学のもとに「雑器の美」として位置づけるものである。柳自身、民藝とともにある生活を、次のように、語っている。「私は観たのです。そうして愛したのです。集めまた用いたのです。そうして考えたのです。日々それ等のものと親しく暮らし、見つめてはまた省みたのです」。それは、さらなる思想的な発展をとげることになる。実用を旨とする「職人」「工人」の無心と、無心に信仰する「妙好人」とを等価なものとして思索する。「仏教では特に信に篤《あつ》く心に浄《きよ》い仏者を、白蓮華《びゃくれんげ》に譬《たと》えて「妙好人」と呼んでおりますが、実に好《みよ》き純な民器も、同じく「妙好人」と讃えらるべきなのを切に感じます」（『法と美』）。庶民の純朴な「妙好人」の存在は、日本仏教の典型として、世界的にも紹介されるべきであるとつけくわえられている。

「白樺」を代表する作家の志賀直哉は、「私は前から柳の民藝運動はいまに大したものになるとよくいっていた」（『柳宗悦の遺産』）と書いている。今日、日本民藝館は、六字名号や仏教絵画、仏具や和讃など仏教にゆかりある品や江戸期の民藝品を多数所蔵している。「私有するために物を集めているのではない」（『蒐集物語』）運動は、「民藝四十年」として語られるものである。このように、民藝活動は、日本民藝館の設立と、「全集」に集約される思想を基に、朝鮮、台湾、中国をはじめ、これまで地方文化として位置づけられていた沖縄やアイヌの固有の文化を尊重し、職人の仕事への支援に見て取れる。その全貌は、直観の眼による、確固たる「他力の美」の蒐集品である。そこに貫かれているものこそ、信仰と生活が密接にむすびついた宗教美学である。「自分の得た恵みを、世に回施する」。これらは、無名の職人が他力によって生み出した仏に奉仕する工藝品に等しかった。晩年になっても在野からの茶道への発言があり、「見テ　知リソ　知リテ　ナ見ソ」をはじめとする「心偈《こころうた》（心の遍歴〈宗教的真理への思索〉の覚え書き）」には、支援者で指導者、柳宗悦の病気平癒を願う棟方志功の回向に似た板画がくわわっている。

　東洋のウィリアム・モリス、柳宗悦の活動は、「上求菩提、下化衆生」の大乗仏教の心と精

神に通ずるものと言えるであろう。（以上、「近現代著名人の信仰「柳宗悦」」（「大法輪」二〇一四年十月号特集））

わたしが生まれ育った小川町にも、柳宗悦やバーナード・リーチ、寿岳文章などが訪れている。芹沢銈介は、県の研究所の嘱託として、池袋から東武東上線で通った時期があった。

後背地における「民藝」について、最初に指摘してくださったのが、高橋英夫氏である。また、四十年以上も勤めた職場も、大乗仏教を建学の精神とする学園で、特に浄土宗の関係者が多かった。仕事の関係で、「共生研究」のために、京都まで故梅原猛氏の研究室にお邪魔したこともあった。後年、日本ペンクラブの会場でお会いして、ご挨拶をしたことも懐かしい思い出である。そうした環境が、法然、親鸞、一遍などとの出会いとなり、仕事の合間を縫うようにして、古寺巡礼に赴き、別事念仏会に参加していた。これらのひとつひとつのかけがえのない経験と読書による考察なくして、本書はなかった。

柳宗悦が、今ブームである。白洲正子から柳宗悦へ、柳宗悦から鈴木大拙へとつながる日本文化への関心がある。その柳宗悦の没後六十年記念展（期間二〇二一年十月二十六日〜二〇二二年二月十三日）が、「民藝の一〇〇年」として東京国立近代美術館で開催されたばかりである。

今回、佼成出版社に数年前移籍した元大法輪の編集長・黒神直也氏の好意により、全体の構成から細部に至るまでの推敲ののち、ようやく本書をまとめることができた。心よりの感謝を申し上げる次第である。また、日本民藝館の杉山享司氏との出会いは、「日本民藝館」がより身近な存在としていつもわたしのなかにありつづける縁となった。柳宗悦の多くの建設的な発言には、日本という思想風土や文化の構造に関して多岐に渡るものがあり、本書で十分に書き尽くせなかった点については、今後の検討に委ねたい。

初出は、「序章」および「おわりに」に記した以外は、「大法輪」(二〇一六年十月号より二〇二〇年六月号)に継続的に連載したものである。

二〇二二年四月　筆者記

主要参考文献

1 全集・選集・文庫・単行本など

『柳宗悦全集　全二十二巻』（筑摩書房・一九八〇〜一九九二年）
『柳宗悦収集民藝大鑑　全五巻』（筑摩書房・一九八一〜一九八三年）
『柳宗悦選集　全10巻』（日本民藝協会編・春秋社・一九五四〜一九五五年）
『柳宗悦宗教選集　全五巻』（春秋社・一九六〇〜一九六一年）
『柳宗悦コレクション1　ひと』（日本民藝館監修・ちくま学芸文庫・二〇一〇年）
『柳宗悦コレクション2　もの』（日本民藝館監修・ちくま学芸文庫・二〇一一年）
『柳宗悦コレクション3　こころ』（日本民藝館監修・ちくま学芸文庫・二〇一一年）
『民藝四十年』（岩波文庫・一九八四年）
『手仕事の日本』（岩波文庫・一九八五年）
『工藝文化』（岩波文庫・一九八五年）
『南無阿弥陀仏　付 心偈』（岩波文庫・一九八六年）
『柳宗悦　民藝紀行』（水尾比呂志編・岩波文庫・一九八六年）
『柳宗悦茶道論集』（熊倉功夫編・一九八七年）
『蒐集物語』（中公文庫・一九八九年）
『柳宗悦　妙好人論集』（寿岳文章編・岩波文庫・一九九一年）
『新編　美の法門』（水尾比呂志編・岩波文庫・一九九五年）
『柳宗悦随筆集』（水尾比呂志編・岩波文庫・一九九六年）
『茶と美』（講談社学術文庫・二〇〇〇年）
『バーナード・リーチ日本絵日記』（柳宗悦訳・水尾比呂志補訳・講談社学術文庫・二〇〇二年）
『朝鮮民芸論集』（浅川巧・岩波文庫・二〇〇三年）

『民藝とは何か』(講談社学術文庫・二〇〇六年)
『木喰上人』(講談社文芸文庫・二〇一八年)
『茶の改革』(春秋社・一九六八年)
『美の法門　日本民藝館本・奥付』(日本民藝館・二〇一六年)
『陶器辞典』(加藤唐九郎編・陶器辞典刊行会版・志摩書房・一九三七年・一九五四年)
『日本美術史』(岡倉天心・平凡社・二〇〇一年)
『モリス記念選集』(寿岳文章・沖積舎・一九九六年)
『新訂　小林秀雄全集　第三巻 私小説論・第十一巻　近代絵画』(小林秀雄・新潮社・一九七八年・一九七九年)
『いまなぜ青山二郎なのか』(白洲正子・新潮社・一九九九年)
『壺月全集(上・下)』(渡辺海旭・大東出版社・一九七七年)
『長谷川良信選集(上・下)』(大乗淑徳学園出版部・一九七二年)
『詩集　野の娘』(中川一政・講談社文芸文庫・一九九四年)
『棟方志功板画』(柳宗悦編・筑摩書房・一九五八年)
『西田幾多郎と鈴木大拙―その魂の交流を聴く』(竹村牧男・大東出版社・二〇〇四年)
『神の慰めの書』(M・エックハルト・相原信訳・講談社学術文庫・一九八五年)
『近世畸人伝』(伴蒿蹊・森銑三編・岩波文庫・一九四〇年)
『菅江真澄遊覧記　(2)』(内田武志・宮本常一訳・平凡社・一九六六年)
『大乗仏典　中国・日本編　28　妙好人』(水上勉・佐藤平編・中央公論社・一九八七年)
『鈴木大拙全集　第十巻』(鈴木大拙・岩波書店・二〇〇〇年)
『霊性の哲学』(若松英輔・KADOKAWA・二〇一五年)
『霊的人間―魂のアルケオロジー』(鎌田東二・作品社・二〇〇六年)
『佛教小年表』(三枝充悳・大蔵出版・一九七三年)
『東洋文庫　ミリンダ王の問い―インドとギリシアの対決　全3巻』(中村元・早島鏡正訳・平凡社・一九六三年)

『身体論―東洋的心身論と現代』（湯浅泰雄・講談社学術文庫・一九九〇年）
『〈身〉の構造　身体論を超えて』（市川浩・講談社学術文庫・一九九三年）
『東洋的な見方』（鈴木大拙・角川ソフィア文庫・二〇一七年）
『共通感覚論』（中村雄二郎・岩波現代文庫・二〇〇〇年）
『身体の宇宙誌』（鎌田東二・講談社学術文庫・一九九四年）
『人生の帰趣』（山崎弁栄・岩波文庫・二〇一八年）
『宗教と非宗教の間』（西谷啓治・上田閑照編・岩波書店・一九九六年）
『身体論集成』（市川浩・中村雄二郎編・岩波現代文庫・二〇〇一年）
『東洋的無』（久松真一・講談社学術文庫・一九八七年）
『知の変貌―構造的知性のために』（中村雄二郎・弘文堂・一九七八年）
『デリダから道元へ〈脱構築〉と〈身心脱落〉』（森本和夫・ちくま学芸文庫・一九九九年）
『浄土思想論』（末木文美士・春秋社・二〇一三年）
『法然と親鸞の信仰（上・下）』（倉田百三・講談社学術文庫・一九七七年）
『宗祖の皮髄』（山崎弁栄・一般財団法人光明会・一九九〇年）
『大乗仏教概論』（鈴木大拙・佐々木閑訳・岩波文庫・二〇一六年）
『地獄の思想』（梅原猛・中公新書・一九六七年）
『神秘主義　キリスト教と仏教』（鈴木大拙・岩波文庫・二〇二〇年）
『定本 仏像 心とかたち』（望月信成・佐和隆研・梅原猛・NHKサービスセンター・一九七一年）
『小林秀雄対話集』（小林秀雄・講談社文芸文庫・二〇〇五年）
『直観を磨くもの　小林秀雄対話集』（小林秀雄・新潮文庫・二〇一三年）
『民俗と民藝』（前田英樹・講談社選書メチエ・二〇一三年）
『復刻版　ブレイク論集』（寿岳文章・柳宗悦・橋詰光春編・沖積舎・一九九二年）
『ニヒリズム』（西谷啓治・国際日本研究所・一九七二年）

2 「柳宗悦論」関係

『近代日本思想体系 24 柳宗悦集』(鶴見俊輔編集解説・筑摩書房・一九七五年)
『柳宗悦』(鶴見俊輔・平凡社選書・一九七六年)
『日本民俗文化体系 ⑥ 柳宗悦』(水尾比呂志編・講談社・一九七八年)
『柳宗悦と共に』(寿岳文章・集英社・一九八〇年)
『柳宗悦と初期民藝運動』(岡村吉右衛門・玉川大学出版部・一九九一年)
『柳宗悦・民藝・社会理論―カルチュラル・スタディーズの試み』(竹中均・明石書店・一九九九年)
『評伝 柳宗悦』(水尾比呂志・ちくま学芸文庫・一九九二年・二〇〇四年)
『柳宗悦と民藝の現在』(松井健・吉川弘文館・二〇〇五年)
『柳宗悦と朝鮮―自由と古芸術への献身』(韓永大(ハンヨンデ)・明石書店・二〇〇八年)
『白樺派の文人たちと手賀沼 その発端から終焉まで』(山本鉱太郎・ろん書房・二〇一一年)
『柳宗悦―「複合の美」の思想』(中見真理・岩波新書・二〇一三年)
『柳宗悦とウィリアム・ブレーク 還流する「肯定の思想」』(佐藤光・東京大学出版会・二〇一五年)
『民藝の歴史』(志賀直邦・ちくま学芸文庫・二〇一六年)
『回想の柳宗悦』(蝦名則編・八潮書店・一九七九年)
『柳宗悦―「無対辞」の思想』(松竹洸哉・弦書房・二〇一八年)

3 ビジュアル版・図録

『民藝』(「特集 柳宗悦生誕120年記念 柳宗悦の世界 六八一号」)
『民藝』(「特集 生誕120年 河井寛次郎 六九二号」)
『民藝』(「特集 鈴木大拙と柳宗悦 七三〇号」)
『民藝』(「特集 仏教美術 六九四号」)

『民藝』（「特集　柳宗悦　美の法門への誘い　七五七号」）
『柳宗悦の心と眼　柳宗悦の民藝と巨匠たち展　富本・リーチ・河井・濱田・芹沢・棟方・黒田』（日本民藝館監修・二〇〇五年）
『別冊太陽　柳宗悦の世界「民藝」の発見とその思想』（尾久彰三監修・平凡社・二〇〇六年）
『ＮＨＫ　美の壺　柳宗悦の民藝』（日本放送出版協会・二〇〇九年）
『柳宗悦展―暮らしへの眼差し』（日本民藝館監修・二〇一一年）
『柳宗悦と芹沢銈介―美と暮らしがとけあう世界へ』（静岡市立芹沢銈介美術館・二〇一五年）
『別冊太陽　柳宗悦　民藝　美しさを求めて』（日本民藝館監修・平凡社・二〇二一年）
『柳宗悦没後60記念展　民藝の100年』（東京国立近代美術館・ＮＨＫ・ＮＨＫプロモーション・毎日新聞社編集・発行・二〇二一年）
『法然上人八百回忌・親鸞上人七百五十回忌　特別展　法然と親鸞　ゆかりの名宝』（東京国立博物館・ＮＨＫ・ＮＨＫプロモーション・朝日新聞社編集・二〇一一年）
『現代日本の陶芸　第二巻　用の美の巨匠』（水尾比呂志編・講談社・一九八四年）
『木喰仏巡礼』（木喰会編・有峰書店新社・一九八四年）
『生誕二九〇年　木喰展―庶民の信仰・微笑仏』（大久保憲次・小島悌次監修・神戸新聞社・二〇〇七年）
『ウィリアム・ブレーク（柳・ブレークの出会い）』（日本民藝館・一九九〇年）
『芹沢銈介作品集　一〜五』（水尾比呂志編・求龍堂・一九七八年）
『生誕110年芹沢銈介展　図録』（芹沢長介監修・朝日新聞社・二〇〇五年）
『生誕120年 生命の歓喜　河井寛次郎展』（河井寛次郎記念館・毎日新聞社編集・毎日新聞社・二〇一〇年）
『日本民藝館所蔵 バーナードリーチ作品集』（筑摩書房・二〇一二年）
『白洲正子　私の骨董』（白洲正子・求龍堂・一九九五年）
『花日記』（白洲正子・藤森武・世界文化・一九九八年）
『北大路魯山人展』（矢部良明監修・ブンユー社・一九九七年）

『岡本太郎「芸術風土記」岡本太郎が見た50年前の日本』（田沼武能監修・川崎市岡本太郎美術館・二〇〇七年）
『仙厓の書画』（鈴木大拙・月村麗子訳・岩波書店・二〇〇四年）
『出光美術館選書―仙厓』（古田紹欽・出光美術館・一九六六年）
『別冊太陽　良寛　聖にあらず、俗にもあらず』（平凡社・二〇〇八年）
『カラー韓国のやきもの　3　李朝』（淡交社・一九七七年）
『カラー日本の工芸　8　紙』（淡交社・一九七八年）

4 引用および参照文献

『大乗仏典』（中村元編・筑摩書房・一九七九年）
『日本思想大系　10　法然　一遍』（大橋俊雄校注・岩波書店・一九七一年）
『日本思想大系　11　親鸞』（星野元豊・石田充之・家永三郎校注・岩波書店・一九七一年）
『日本思想大系　17　蓮如　一向一揆』（笠原一男・井上鋭夫校注・岩波書店・一九七二年）
『日本思想大系　57　近世仏教の思想』（柏原祐泉・藤井学校注・岩波書店・一九七三年）
『日本の名著　5　法然』（塚本善隆責任編集・中央公論社・一九八三年）
『日本の名著　6　親鸞』（石田瑞麿責任編集・中央公論社・一九六九年）
『縮刷版　佛教語大辞典』（中村元著・東京書籍・一九八一年）
『ブッダのことば　スッタニパータ』（中村元訳・岩波文庫・一九八四年）
『ブッダ最後の旅―大パリニッパーナ経』（中村元訳・岩波文庫・一九八〇）
『ゴータマ・ブッダ―釈尊の生涯』（中村元・選集第11巻・春秋社・一九六九年）
『般若心経 金剛般若経』（中村元・紀野一義訳註・岩波文庫・一九六〇年）
『現代語訳　大乗仏典　3　維摩経　勝鬘経』（中村元訳・東京書籍・二〇〇三年）
『梵文和訳　華厳経入法界品（上・中・下）』（梶山雄一他訳・岩波文庫・二〇二一年）
『大乗起信論』（宇井伯寿・高崎直道訳註・岩波文庫・一九九四年）

『ブッダ』（中村元・三枝充悳・小学館・一九八七年）
『仏教入門』（三枝充悳・岩波新書・一九九〇年）
『世親』（三枝充悳・講談社学術文庫・二〇〇四）
『往生要集（上・下）』（源信著・石田瑞麿訳注・岩波文庫・一九九二年）
『浄土三部経（上・下）』（中村元・早島鏡正・紀野一義訳註・岩波文庫・一九六三、六四年）
『選択本願念仏集』（法然著・大橋俊雄校注・岩波文庫・一九九七年）
『法然上人絵伝（上・下）』（大橋俊雄校注・岩波文庫・二〇〇二年）
『法然の衝撃 日本仏教のラディカル』（阿満利麿・ちくま学芸文庫・二〇〇五年）
『無量寿経』（阿満利麿注解・ちくま学芸文庫・二〇一六年）
『出家とその弟子』（倉田百三・ロマン・ロラン序・阿部次郎解題・角川文庫・一九五一年）
『歎異抄』（梅原猛校注・現代語訳・講談社文庫・一九七二年）
『梅原猛著作集　11　法然の哀しみ』（梅原猛・小学館・二〇〇〇年）
『梅原猛　京都発見　五　法然と障壁画』（梅原猛・新潮社・二〇〇三年）
『教行信証』（金子大榮校訂・岩波文庫・一九五七年）
『親鸞和讃集』（名畑應順校注・岩波文庫・一九七六年）
『最後の親鸞』（吉本隆明・春秋社・一九七六年）
『未来の親鸞』（吉本隆明・春秋社・一九九〇年）
『親鸞への接近』（四方田犬彦・工作舎・二〇一八年）
『赦し・ほどこし・往生　他力の哲学』（守中高明・河出書房新社・二〇一九年）
『一遍上人語録（付　播州法語集）』（大橋俊雄校注・岩波文庫・一九八五年）
『一遍聖絵』（聖戒編・大橋俊雄校注・岩波文庫・二〇〇〇年）
『蓮如文集』（笠原一男校注・岩波文庫・一九八五年）
『新訂　日本浄土教成立の研究』（井上光貞・山川出版社・一九五六・新訂版 一九七五年）

『浄土仏教の思想　十四　清沢満之　山崎弁栄』（脇本平也・河波昌・講談社・一九九二年）
『近世浄土宗・時宗檀林史の研究』（長谷川匡俊・法蔵館・二〇二〇年）
『禅と浄土教』（藤吉慈海・講談社学術文庫・一九八九年）
『臨済録』（入矢義高訳注・岩波文庫・一九八九年）
『無門関』（西村恵信訳註・岩波文庫・一九九四年）
『仏教とキリスト教の比較研究』（増谷文雄・筑摩書房・一九六八年）
『東洋哲学序説　井筒俊彦と二重の見』（西平直・未来哲学研究所・二〇二一年）
『樹下美人』（志賀直哉・河出書房新社・一九五九年）
『志賀直哉随筆集』（志賀直哉・高橋英夫編・岩波文庫・一九九五年）
『藝術随想』（小林秀雄・新潮社・一九六六年）
『新訂　小林秀雄全集　第八巻　無常といふ事・モーツァルト・第九巻　私の人生観』（小林秀雄・新潮社・一九七八、七九年）
『新訂　小林秀雄全集　第三巻　私小説論・第十一巻　近代絵画』（小林秀雄・新潮社・一九七八、七九年）
『信仰と美の出会い　棟方志功の福光時代』（石井頼子・尾山章編著・青幻舎プロモーション・二〇一八年）
『言霊の人　棟方志功』（石井頼子・里文出版・二〇一五年）
『無尽藏』（濱田庄司・朝日新聞社・一九七四年）
『柳宗悦を支えて　声楽と民藝の母・柳兼子の生涯』（小池静子・現代書館・二〇〇九年）
『いのちの窓』（河井寛次郎・東峰書房・一九七五年）
『陶工　河井寛次郎』（橋本喜三・朝日新聞社・一九九四年）
『火の誓い』（河井寛次郎・講談社文芸文庫・一九九六年）
『日本浪曼派の時代』（保田與重郎・至文堂・一九六九年）
『愛ある眼　父谷川徹三が遺した美のかたち』（谷川俊太郎編・淡交社・二〇〇一年）
『わだばゴッホになる』（棟方志功・日本経済新聞社・一九七五年）

『東と西を超えて　自伝的回想』（バーナード・リーチ著・福田隆太郎訳・日本経済新聞社・一九八二年）
『一遍上人―旅の思索者』（栗田勇・新潮社・一九七七年）
『絵で見る一遍上人伝』（長島尚道編著・清浄光寺内長島尚道・二〇〇二年）
『構築された仏教思想　一遍　念仏聖の姿、信仰のかたち』（長澤昌幸・佼成出版社・二〇二一年）
『禅と日本文化』（鈴木大拙・北川桃雄訳・岩波新書・一九四〇年）
『東洋の心』（鈴木大拙・春秋社・一九六五年）
『日本的霊性』（鈴木大拙・岩波文庫・一九七二年）
『妙好人』（鈴木大拙・法蔵館・一九七六年）
『新編　東洋的な見方』（鈴木大拙・上田閑照編・岩波文庫・一九九七年）
『大拙と幾多郎』（森 清・岩波現代文庫・二〇一一年）
『浄土系思想論』（鈴木大拙・岩波文庫・二〇一六年）
『大拙』（安藤礼二・講談社・二〇一八年）
『日本美の再発見』（ブルーノ・タウト・篠田英雄訳・岩波新書・一九三六年）
『ブルーノ・タウト』（高橋英夫・ちくま学芸文庫・二〇〇五年）
『神を見る　神話論集〈1〉』（高橋英夫・筑摩書房・二〇〇二年）
『北大路魯山人（上・下）』（白崎秀雄・文春文庫・一九七五年）
『魯山人書論』（平野雅章編・中公文庫・一九九六年）
『魯山人陶説』（平野雅章編・中公文庫・一九九六年）
『知られざる魯山人』（山田 和・文藝春秋・二〇〇七年）
『棟方志功―その画魂の形成―』（小高根二郎・新潮社・一九七三年）
『歓喜する棟方志功』（小高根二郎・新潮社・一九七六年）
『芹沢銈介の文字絵・讃』（芹沢長介・杉浦康平著・一九九七年）
『富本憲吉著作集』（富本憲吉・辻本勇編・五月書房・一九八一年）

『青山二郎文集　増補版』（青山二郎・小沢書店・一九九五年）
『青山二郎全文集（上・下）』（青山二郎・ちくま学芸文庫・二〇〇三年）
『青山二郎の素顔』（森孝一編・里文出版・一九九七年）
『街道をゆく　2　韓のくに紀行』（司馬遼太郎・朝日文庫・二〇〇五年）
『街道をゆく　4　郡上・白川街道、堺・紀州街道ほか』（司馬遼太郎・朝日文庫・一九七八年）
『街道をゆく　27　因幡・伯耆のみち・檮原街道』（司馬遼太郎・朝日文庫・二〇〇五年）
『故郷忘じがたく候』（司馬遼太郎・文春文庫・一九七六年）
『柳田國男全集 11「毛坊主考」』（ちくま文庫・一九九〇年）
『柳田國男　故郷七十年』（講談社学術文庫・二〇一六年）
『意識と本質』（井筒俊彦・岩波文庫・一九九一年）
『意味の深みへ　東洋哲学の水位』（井筒俊彦・岩波書店・一九八五年）
『意識の形而上学――『大乗起信論』の哲学』（井筒俊彦・中央公論社・一九九三年）
『蓑笠の人・才市』（水上勉・講談社文芸文庫・一九九四年）
『限界芸術』（鶴見俊輔・講談社学術文庫・一九七六年）
『鶴見俊輔伝』（黒川創・新潮社・二〇一八年）
『紙漉村旅日記　定版』（寿岳文章・寿岳しづ・春秋社・一九八六年）
『日本の紙　紙漉村　旅日記』（寿岳文章・寿岳しづ・講談社文芸文庫・一九九四年）
『美しさといふこと』（水尾比呂志・用美社・一九八五年）
『日本美術史　用と美の造型』（水尾比呂志・筑摩書房・一九七〇年）
『鈴木大拙写真集　相貌と風貌』（上田閑照・岡村美穂子・禅文化研究所・二〇〇五年）
『円空と木喰』（五来重・淡交社・一九九七年）
『リーチ先生』（原田マハ・集英社・二〇一六年）

5 引用および参照翻訳書

『火の精神分析』（ガストン・バシュラール・前田耕作訳・せりか書房・一九八一年）
『空と夢　運動の想像力にかんする試論』（ガストン・バシュラール・宇佐美英治訳・法政大学出版局・一九六八年）
『水と夢　物質の想像力についての試論』（ガストン・バシュラール・小浜俊郎・桜木泰行訳・国文社・一九六九年）
『大地と意志の夢想』（ガストン・バシュラール・及川馥訳・思潮社・一九七二年）
『大地と休息の夢想』（ガストン・バシュラール・饗庭孝男訳・思潮社・一九七二年）
『空間の詩学』（ガストン・バシュラール・岩村行雄訳・思潮社・一九六九年）
『野生の思考』（クロード・レヴィ＝ストロースト・大橋保夫訳・みすず書房・一九七六年）
『眼と精神』（M・メルロ＝ポンティ・滝浦静雄・木田元訳・みすず書房・一九六六年）
『心身の合一―マールブランシュとビランとベルグソンにおける』（M・メルロ＝ポンティ・滝浦静雄・中村文郎訳・ちくま学芸文庫・二〇〇七年）
『差異と反復』（ジル・ドゥルーズ・財津理訳・河出書房新社・一九九二年）
『聖なるもの』（オットー・山谷省吾訳・岩波文庫・一九六八年）
『哲学的直観　他四篇―思想と動くもの』（ベルクソン・河野与一訳・岩波文庫・一九五三年）
『道徳と宗教の二源泉』（ベルクソン・平山高次訳・岩波文庫・一九五三年）
『孤独と愛―我と汝の問題』（ブーバー・野口啓祐訳・創文社・一九五八年）
『老年について』（キケロ・中務哲郎訳・岩波文庫・二〇〇四年）
『ユートピアだより』（ウィリアム・モリス・松村達雄訳・岩波文庫・一九六八年）
『ウィリアム・モリス伝』（フィリップ・ヘンダーソン・川端康雄・志田均・永江敦・晶文社・一九九〇年）
『アレクサンドリア』（E・M・フォースター・中野康司訳・ちくま学芸文庫・二〇一〇年）
『バロック論』（E・ドールス・成瀬駒男訳・筑摩書房・一九六九年）
『エックハルト説教集』（田島照久編訳・岩波文庫・一九九〇年）
『神を観ることについて』（八巻和彦訳・岩波文庫・二〇〇一年）

『ジョン・ケージ　小鳥たちのために』（青山マミ訳・青土社・一九八二年）
『神話と古代宗教』（ケレーニイ・高橋英夫訳・新潮社・一九七二年）
『エネアデス（抄）Ⅰ・Ⅱ』（プロティノス・田中美知太郎・水地宗明・田之頭安彦訳・中公クラシックス・二〇〇七年）
『シュルレアリスムと絵画』（アンドレ・ブルトン・瀧口修造・巖谷國士監修・人文書院・一九九七年）

岡本勝人（おかもと・かつひと）

一九五四年生まれ。詩人、文芸評論家。

評論集

『ノスタルジック・ポエジー戦後の詩人たち』（二〇〇〇年、小沢書店）
『現代詩の星座』（二〇〇三年、審美社）
『生きよという声　鮎川信夫のモダニズム』（二〇一七年、左右社）
『詩的水平線　萩原朔太郎から小林秀雄、西脇順三郎』（二〇一九年、響文社）
『1920年代の東京　高村光太郎、横光利一、堀辰雄』（二〇二一年、左右社）

詩集

『シャーロック・ホームズという名のお店』（一九九〇年、思潮社）
『ビーグル犬航海記』（一九九三年、思潮社）
『ミゼレーレ沈黙する季節』（二〇〇四年、書肆山田）
『都市の詩学』（二〇〇七年、思潮社）
『古都巡礼のカルテット』（二〇一一年、思潮社）
『ナポリの春』（二〇一五年、思潮社）

編・共著

『現代日本と仏教　Ⅲ現代思想・文学と仏教　三島由紀夫と文学と仏教』（二〇〇〇年、平凡社）
『ハルキ文庫　立原道造詩集』（二〇〇三年、角川春樹事務所）「解説」
疋田寛吉著『詩人の書』（二〇〇六年、二玄社）「編・解説」

『展望　現代の詩歌２ 詩Ⅱ 清岡卓行』（二〇〇七年、飛高隆夫・野山嘉正編・明治書院）
『定本 清岡卓行全詩集』（二〇〇八年、思潮社）「解題」
『柳宗悦　木喰上人』（二〇一八年、講談社文芸文庫）「解説」

仏教者 柳宗悦―浄土信仰と美―

2022年5月30日 初版第1刷発行

著 者 岡本勝人
発行者 中沢純一
発行所 株式会社佼成出版社
〒166-8535 東京都杉並区和田2-7-1
電話 (03) 5385-2317 (編集)
(03) 5385-2323 (販売)
URL https://kosei-shuppan.co.jp/

印刷所 株式会社光邦
製本所 株式会社若林製本工場

◎落丁本・乱丁本はお取り替えいたします。

ISBN978-4-333-02869-6 C0095 NDC181/328P/20cm